A persistência
da raça

Peter Fry

A persistência da raça

Ensaios antropológicos sobre o Brasil e a África austral

CIVILIZAÇÃO BRASILEIRA

Rio de Janeiro
2005

CAPA
Evelyn Grumach
Imagem fotográfica *Horizonte,* de Luiz Alphonsus

PROJETO GRÁFICO
Evelyn Grumach e João de Souza Leite

CIP-BRASIL. CATALOGAÇÃO-NA-FONTE
SINDICATO NACIONAL DOS EDITORES DE LIVROS, RJ

	Fry, Peter, 1935-
F965p	A persistência da raça / Peter Fry. – Rio de Janeiro: Civiliza-ção Brasileira, 2005.
	Inclui bibliografia
	ISBN 85-200-0684-1
	1. Raças – Brasil. 2. Brasil – Relações raciais. I. Título.
	CDD – 305.8
04-3107	CDU – 316.347

Direitos desta edição adquiridos pela
EDITORA CIVILIZAÇÃO BRASILEIRA
Um selo da
DISTRIBUIDORA RECORD DE SERVIÇOS DE IMPRENSA S.A.
Rua Argentina 171 – 20921-380 – Rio de Janeiro, RJ – Tel.: 2585-2000

PEDIDOS PELO REEMBOLSO POSTAL
Caixa Postal 23.052 – Rio de Janeiro, RJ – 20922-970

Impresso no Brasil
2005

"Menos que um fato biológico, raça é um mito social, e, como tal, tem causado em anos recentes pesados danos em termos de vidas e sofrimento humanos." (Unesco, 1950)

In memoriam John Conradie

Sumário

Agradecimentos

Ao longo dos anos tenho contado com o apoio e amizade de tantas pessoas que o ato de agradecer torna-se perigoso. O risco de um lapso de memória me perturba. Mesmo assim, o corro.

Agradeço a meus primeiros mestres, Jack Goody, Jaap van Velsen, Clyde Mitchell e Mary Douglas, que reforçaram uma posição anti-racista que é, talvez, a marca maior da antropologia moderna. Também agradeço a meus assistentes durante a primeira pesquisa em Zimbábue, Kenneth Mupanduki e Christopher Chivanda. Na segunda estada em Zimbábue a amizade de Michael Chege, meu companheiro de trabalho na Fundação Ford em Harare, foi crucial. Irene Staunton e Paul MacCartney, Hugh Lewin e Fiona Lloyd, Sue e Greg Powell, Debbie e Simon Metcalfe, Angela Cheater, Heather Benoy, Edwina e Newton Spicer, Celina Gilbert, Eileen Haddon, Nescha Teckle e Michiel Dolk foram amigos e interlocutores constantes. A John Conradie, devo um agradecimento, infelizmente póstumo, pela amizade total, e pela generosidade de compartilhar a experiência de uma vida contra o imperialismo, contra o racismo e, no final da sua vida, contra a mesquinhez e ganância em geral. Sua atuação como professor universitário, guerrilheiro urbano, preso político, incentivador de cooperativas e, finalmente, diretor de Kushanda, um projeto que levou pré-escolas a milhares de crianças nas zonas rurais de Zimbábue, me inspira sempre. À memória dele dedico este livro.

Em Moçambique, na cidade de Chimoio, contei com a ajuda indispensável do Delegado Regional do Arquivo de Patrimônio Cultural e Artístico, Dr. Domingos Artur de Rosário, e seus funcionários: o Sr. José

Maria Diriuai, o Sr. Albino Ngomache e o Sr. Feijão Lucas Alberto. Agradeço ainda aos meus valentes assistentes de pesquisa, Sr. Feliciano Baptista João, Sr. Domingos de Melo e Sr. Silvestre Martinho. Sem os conselhos de David Abílio, Jamisse Taimo, Mateus Katupa, Mouzinho Mário, Nescha Teckle e Michiel Dolk, Venâncio e Carmen Massingue, Abdul Carimo, Luiz Covane, Teresa Cruz e Silva, Iraê Lundim, José Negrão, Fernando Ganhão, Elisabeth Siqueira e Aguiar Mazula, teria uma compreensão ainda mais capenga da complexidade social de Moçambique. João Paulo e Maria Manoel Borges Coelho, José Luis Cabaço e Rita Chaves e Célia Diniz e Blandina Barbosa me deram generosamente toda a sua sabedoria acoplada a uma hospitalidade gastronômica inesquecível. Aos nossos alunos moçambicanos do Instituto de Filosofia e Ciências Sociais da Universidade Federal do Rio de Janeiro, o meu muito obrigado.

Aqui no Brasil, queria agradecer a tanta gente, que de uma maneira ou outra me ajudou a entender algo deste país. Vou me confinar, porém, às pessoas que tiveram uma relação mais ou menos direta com o assunto principal deste livro. Ricardo Ventura Santos, Marcos Chor Maio e Simone Monteiro, com seu conhecimento de genética e a história da ciência social no Brasil, são pontos dos mais firmes de referência intelectual e de amizade. Ângela Figueiredo, Antonio Sérgio Guimarães, Carlos Hasenbalg, Jocélio Santos, Ilana Strozenberg, Livio Sansone e Nelson do Valle Silva são interlocutores constantes. Tento emular a franqueza e honestidade intelectual da minha amiga Eunice Durham e do meu amigo Vivaldo Costa Lima. Omar Thomaz, com seu vasto entusiasmo e conhecimento ímpar sobre o império português, me fez uma riquíssima companhia de pesquisa em e sobre Moçambique, e continua um forte aliado no sentido de promover um interesse cada vez maior sobre a África nos meios universitários brasileiros. Agradeço a todos os meus amigos, alunos, funcionários e professores, do Departamento de Antropologia Cultural e do Programa de Pós-graduação em Sociologia e Antropologia do Instituto de Filosofia e Ciências Sociais da Universidade Federal do Rio de Janeiro um convívio sempre instigante. Meus alunos e ex-alunos de pós-graduação, Ana Poll,

Cristiano Matsinhe, Fabiano Dias Monteiro, Laura Moutinho, Márcia Lima, Ralph Mesquita, Robson Cruz, e Ulisses Rafael, formam uma rede das mais sólidas de amizade e intercâmbio. Ângela Cristina Fernandes cuida do meu lado burocrático com eficiência, carinho e bom humor. Mirian Goldenberg me incentiva sempre e me fez escrever o ensaio sobre o mercado dos cosméticos para "peles morenas e negras". Mônica Grin é incansável colega de pesquisa e debate no campo da questão racial. Não sei bem como agradecer adequadamente a Yvonne Maggie. Desde as nossas primeiras conversas na época em que ela escrevia a sua tese de mestrado sobre a Umbanda no Rio de Janeiro na década de 1970, mantivemos uma amizade fundada numa perspectiva compartilhada sobre a iniqüidade do racismo e a arrogância dos bem-pensantes. A sua dedicação à coisa pública e aos seus alunos é um exemplo que queria poder seguir.

À Fundação Ford, agradeço a experiência extraordinária que me providenciou, bem como a bolsa que possibilitou a pesquisa em Moçambique. Ao CNPq, agradeço o apoio constante ao longo dos anos.

Quanto à feitura deste livro, agradeço de coração a Mariza Peirano. Não fosse a insistência dela, eu nunca teria embarcado na aventura. Espero que ela goste. A minha editora, Andreia Amaral, sempre foi de uma gentileza e empenho carinhoso, e Bella Stal que conseguiu traduzir o meu português para o português. Luiz Alphonsus cedeu um lindo trabalho fotográfico para a capa. Um muito obrigado a todos.

E, finalmente, um abraço para Alexandre e Vinicius, que suportaram a minha clausura durante a escrita final deste livro.

Introdução

Em 1950 a Unesco divulgou a sua "Primeira Declaração sobre Raça". "Menos que um fato biológico, raça é um mito social e, como tal, tem causado em anos recentes pesados danos em termos de vidas e sofrimento humanos."[1]

Com o passar dos anos, e com os avanços do conhecimento sobre o genoma humano, esta declaração continua absolutamente pertinente. Sabemos agora que somos todos descendentes de uma mesma antepassada africana e que a aparência (fenótipo) é um péssimo indicador do nosso conteúdo genético (genótipo). (Parra, Amado *et al.*, 2003.) Mas, mesmo assim, a crença em raças não sucumbiu aos argumentos científicos; continua como mito social poderoso, causando danos incalculáveis. Continuamos associando especificidades morais e intelectuais a pessoas consideradas de uma "raça" ou outra, como se a cultura se transmitisse geneticamente.

Os ensaios deste livro versam sobre a persistência da crença em raças no Brasil e na África austral. Reúno-os neste volume com o intuito de explorar, comparativamente, as implicações e conseqüências sociais da intervenção estatal na definição "racial" dos cidadãos. O argumento que perpassa todos os ensaios é que quando a crença generalizada em raças adquire a força da lei, ela se torna cada vez mais difícil de erradicar.

---

[1]"Unesco Launches Major World Campaign Against Racial Discrimination". Paris, Unesco, 19.7.1950, p.1, in Reg file 323.12 A 102. Part I (caixa 146), Arquivos da Unesco. Agradeço a Marcos Chor Maio esta referência.)

No auge do imperialismo do século XIX a crença em raças justificava a subjugação e escravização dos povos conquistados e colonizados. Hoje em dia essa mesma crença possibilita o preconceito e a discriminação. Ao mesmo tempo, o mito das raças é tão forte que se impõe sobre os métodos adotados para combater o racismo e seus efeitos. Invertendo os sinais, as "raças", antes subjugadas, são exaltadas na sua contribuição cultural, política e econômica às sociedades coloniais e neocoloniais. A celebração da "diversidade" tão em moda nos dias atuais redunda, muitas vezes, na prática, na celebração de "raças" ou seu eufemismo politicamente correto, "etnias". Políticas públicas denominadas "ação afirmativa" são implementadas para reduzir as desigualdades "raciais." Mas como essas políticas exigem dos seus beneficiados uma identidade racial, a crença em raças sai fortalecida. Por mais bem-intencionada que seja a ação afirmativa, ela tem como conseqüência *lógica* o fortalecimento do mito racial. Creio que é esse fenômeno que podemos ver acontecer nos Estados Unidos, na África do Sul e em Zimbábue. Nessas sociedades que foram construídas formalmente sobre o mito das raças, o mito vem para se impor novamente na luta contra o racismo.

No caso brasileiro a situação é outra, pois com a abolição tardia da escravidão e promulgação da República, as "raças" não tinham respaldo jurídico. O racismo no Brasil foi e continua sendo exercido informalmente pela sociedade no seu conjunto, mas não diretamente pelo Estado. Certamente a crença em raças influiu em determinadas políticas, no estímulo dado à imigração européia, por exemplo, mas a "identidade racial" dos cidadãos era de foro íntimo ou declarada ocasionalmente para os investigadores do Instituto Brasileiro de Geografia e Estatística (IBGE), que perguntam aos brasileiros se se consideram de raça/cor "branca", "preta", "amarela", "parda", ou "indígena". No censo de 2000, 54,7% dos brasileiros se declararam de cor "branca", 10,6% de cor "preta", 0,2% de cor "amarela", 22,5% de cor "parda", 0,2% "indígena" e 0,8% de cor "ignorada". As ações afirmativas "raciais", ao juntar os "pardos" aos "pretos" numa única categoria de "negros", efetivamente produzem um Brasil de apenas três "raças": "negros", "brancos" e "índios". Por um processo que José Murilo de Carvalho chamou de "genocídio estatístico" os "morenos", "caboclos", "mulatos" etc. simplesmente desaparecem (Carvalho, 2004). A ação afirmativa tem o efeito de negar um Brasil híbrido a favor de um Brasil de raças distintas.

O processo de racialização em curso também faz ressaltar a suposta "raça" de quem fala e quem escreve.

Quem é branco e escreve sobre racismo sem adotar as palavras de ordem dos movimentos negros e seus aliados está sempre sujeito a críticas *ad hominem* que sugerem que a sua "raça" impede uma visão clara da questão. Pode ser que essas críticas sejam procedentes, mas achatam demais. Afinal, este é um livro sobre *relações* raciais, que afetam todos nós, independentemente da nossa aparência. Por isso começo este livro descrevendo o processo através do qual cheguei a uma posição sobre a questão racial no Brasil e no mundo que foge à ortodoxia dos movimentos negros e de grande parte da academia. Ao contrário dessa ortodoxia, que repudia a "democracia racial" como apenas uma farsa ou máscara que ilude o povo, escondendo o racismo e impedindo a formação de um movimento negro de massa, prefiro pensá-la como um ideal a ser alcançado, um mito no sentido antropológico do termo: uma maneira específica de pensar um arranjo social em que a ancestralidade ou a aparência do indivíduo *deveriam* ser irrelevantes para a distribuição dos direitos civis e dos bens públicos.

Entrei na Universidade de Cambridge para estudar matemática. Mas depois de um ano ficou claro que eu pouco tinha de matemático além de uma certa competência para entender a matéria e passar nos exames. Senti necessidade de uma maior relação entre os meus estudos e a minha vida. Mudei para a antropologia acreditando que ela era um meio-termo entre a ciência e a arte, e que me proporcionaria conhecimentos e um ponto de vista que eu poderia compartilhar com meus amigos e parentes. Logo ficou claro que a antropologia tinha desenvolvido as ferramentas para combater os preconceitos e discriminações que grassavam na Inglaterra daquela época, dirigidos especialmente contra os povos colonizados, os imigrantes dos continentes da Índia e da África, as mulheres e os homossexuais. A dissociação entre cultura e biologia, ponto de partida da antropologia moderna, me fez entender que a crença em raças — que nada mais é do que a crença de que atributos morais e intelectuais decorrem de atributos biológicos — é o mal maior do nosso tempo. Sendo esta crença um fato social e cultural, porém, entendi que ela poderia sucumbir perante a razão, da mesma forma que a bruxaria em tempos pretéritos.

Em 1963 saí bacharel em antropologia e matemática, sem profissão. Fui para o *bureau* de emprego da universidade, que sugeriu que eu me candidatasse a uma vaga no Departamento de Pesquisas do Ministério do Interior. Então, logo me encontrei empregado como funcionário público, encarregado de desenvolver uma pesquisa quantitativa e comparativa sobre diversas formas de punição para menores delinqüentes, com o intuito de descobrir quais eram as mais eficazes para a "reabilitação" destes jovens. A conclusão a que chegamos era desalentadora. A taxa de reincidência dos egressos de todas as instituições e a taxa de reincidência dos que saíam de quase-instituições, prisões fechadas, casas "familiares" abertas e prisões domiciliares era a mesma! Que eu saiba, nossas conclusões sobre o "tratamento" de menores delinqüentes não tiveram nenhuma conseqüência digna de nota.

Enquanto estava neste primeiro emprego, tomei providências para seguir uma carreira acadêmica, candidatando-me a uma bolsa da Comunidade Britânica para a Rodésia do Sul. Chamado para uma entrevista com mais de dez interrogadores postados atrás de uma imensa mesa com toalha verde, justifiquei minha candidatura professando uma fé (na época e até hoje verdadeira) na Commonwealth como uma corajosa tentativa de transformar o Império Britânico em um colegiado de nações do Primeiro e do Terceiro Mundos; uma espécie de contraponto à consolidação do "Norte" *vis-à-vis* o "Sul". Ganhei a bolsa, e em dezembro de 1963 tomei um trem com destino a Veneza, para ali embarcar num navio italiano rumo ao porto de Beira, em Moçambique.

A viagem foi marcada por fortíssimas emoções, na medida em que o frio de Veneza cedeu lugar ao calor de uma África que foi se revelando paulatinamente (uma visita ao Cairo, paradas em Dar es Salaam e Mombasa). Foi nesta viagem que tive a oportunidade de conhecer os primeiros rodesianos brancos, um fazendeiro e sua mulher. Após saberem que eu ia para a Rodésia, perguntaram-me o que iria fazer. Expliquei que ia fazer pesquisa antropológica de campo numa aldeia qualquer. "Numa *aldeia*!", explodiu a mulher. "Isto não. Os nativos são sujos e desagradáveis. Não podemos admitir que seja possível, menos ainda aconselhável, um branco educado como você se sujeitar a um tormento desses. Melhor mesmo morar em Salisbúria. Mas você vai entender o que estamos dizendo após alguns meses no país." Era um refrão que iria ouvir repetido *ad nauseam* durante os três anos seguintes na Rodésia.

Chegando em Beira, tomei o trem que atravessa Moçambique para Salisbúria (hoje Harare), capital da Rodésia do Sul (agora Zimbábue). Viajei de primeira classe, com cabine particular para dormir, ao lado de um carro-restaurante com poltronas e cortinas de veludo cor de vinho. Jantei bem, com talheres pesados, pratos de porcelana e copos de cristal. Dormi pouco: a cabine se encheu de vaga-lumes. Na manhã seguinte, o trem subiu devagar em direção ao planalto, parando perto de Umtali (agora Mutare), a primeira cidade da Rodésia, para que um outro trem, vindo em direção contrária, pudesse passar. Este também parou. Da minha janela, olhei e fui olhado por uma multidão de homens, crianças e mulheres negros, espremidos num carro de quarta classe, comendo fatias grossas de pão de fôrma e olhando para o jovem inglês tomando seu café de manhã britânico com *bacon*, ovos, torradas e geléia de laranja. Tinha chegado ao mundo absurdo da desigualdade e da segregação raciais, um mundo no qual iria passar os anos seguintes da minha vida.

No trajeto de Umtali para Salisbúria, o trem passou pelas melhores fazendas "brancas" do país, verdes nessa época de chuvas, os campos circundados por belas árvores *misasa* e *midondo* e repletos de tabaco e milho. De vez em quando, quebrando a monotonia da paisagem, surgia um ou outro amontoado de rochas cobertas de aloés, os famosos *kopjes* da Rodésia. Não vi nenhuma evidência de vida africana neste percurso. Os colonizadores brancos construíram suas estradas e ferrovias para o escoamento dos produtos das grandes fazendas brancas, bem separadas das "reservas indígenas" demarcadas pela Lei de Alocação das Terras (Land Apportionment Act) de 1933.

Ao chegar a Salisbúria, fui levado ao University College of Rhodesia and Nyasaland (UCRN) e instalado num quarto de estudante. Os alunos, a maioria branca (a UCRN era o único lugar do país onde negros e brancos podiam morar juntos), eram provenientes de Rodésia do Sul, Rodésia do Norte e Niasalândia, os três países da Federação de Rodésia e Niasalândia, a derradeira tentativa de manter a hegemonia branca na África Central. Os professores eram quase todos britânicos. Embora a UCRN tivesse autonomia administrativa e curricular, não conferia graus acadêmicos. Isto era prerrogativa da Universidade de Londres. A Rodésia branca, obcecada pela manutenção dos "padrões cristãos civilizados", precisava do carimbo de excelência da Universidade de Londres.

Ao mesmo tempo que a UCRN era o grande orgulho, era também o maior embaraço dos governantes brancos da Rodésia, pois tinha se tornado o mais estridente foco de oposição ao governo racista do país. Situada no bairro mais alto da cidade, ficou conhecida como "O Kremlin no Morro". Dentro da universidade, o departamento que mais articulava a oposição ao governo era o de Estudos Sociais (não se chamava Antropologia porque, naquela época de descolonização, a Antropologia tinha se tornado uma disciplina não-grata!), em que professores e alunos usavam sua teoria e seu conhecimento do país para escrever artigos e proferir palestras contra a iniquidade da segregação racial e a favor da urgente independência do país com regime de sufrágio universal.

O departamento era chefiado por Clyde Mitchell, que naquela época elaborava a teoria e a sistemática das *networks* (redes sociais) justamente para poder lidar com situações sociais urbanas que não se baseavam exclusivamente no parentesco. Outro professor de muita influência sobre todos nós foi Jaap van Velsen. Ex-*maquis* na Holanda, alto e rude, Jaap tinha talvez a voz mais alta na luta política contra o racismo e o colonialismo.

Em 1966, ele seria expulso do país por causa de suas posições críticas. Semanas mais tarde seria acusado de ser membro de um grupo envolvido na guerrilha urbana, num processo movido contra outro professor da universidade. Jaap insistia que o trabalho acadêmico devia refletir as preocupações de todos nós com o crescimento do partido racista, a Frente Rodesiana, sob a liderança de Ian Smith, e a atuação dos partidos nacionalistas, a União Zimbabuana do Povo Africano (Zapu) e a União Africana Nacional Zimbabuana (Zanu). Porém, mais do que isso, insistiu em que não nos envolvêssemos diretamente com os movimentos de libertação nacional. Argumentou que em situações de confronto radical, as fronteiras não deveriam ser borradas. Para justificar sua posição, lembrou sua própria experiência na resistência holandesa durante a Segunda Guerra Mundial. Como *maquis*, ele teve que deserdar seus parentes e amigos na Alemanha. Se tivesse que matá-los, mataria! Disse-me que se eu tivesse vontade de colaborar para o fim do colonialismo e do racismo, eu deveria fazer tudo para influenciar os meus pares. Até hoje tenho uma forte desconfiança dos antropólogos e missionários em geral que alegam ter se integrado aos grupos indígenas a ponto de reivindicar um parentesco quase verdadeiro, e, conseqüentemente, o direito de falar em nome deles.

Clyde Mitchell e Jaap van Velsen foram respectivamente colaborador e aluno do antropólogo sul-africano Max Gluckman, que na época dirigia o Departamento de Antropologia da Universidade de Manchester. Eles, eram muito críticos a respeito da minha educação em Cambridge e insistiram numa "conversão" aos preceitos da Escola de Manchester antes de definir o tema do meu estudo. A crítica básica era contra um excesso de "culturalismo", que negava aos indivíduos africanos a liberdade de tomar decisões racionais de acordo com as situações em que se encontravam. A análise situacional desenvolvida a partir do texto heróico de Gluckman, "Análise de uma situação social na Zululândia moderna",[2] uma ferramen-

---

[2] GLUCKMAN, M. (1987). "Análise de uma situação social na Zululândia moderna." *Antropologia das Sociedades Contemporâneas*. B. F. Bianco. São Paulo: Global Universitária.

ta poderosa de análise de situações de mudança rápida. O sentido deste e de outros textos era de tirar a antropologia da análise das normas e valores para se concentrar na vida social "real", na qual normas e valores, freqüentemente contraditórios entre si, seriam utilizados de acordo com a racionalidade do agente social em situações sociais concretas. A nossa antropologia hoje em dia seria chamada de antiessencialista. A noção de situação nos permitia entender os seres humanos como infinitamente adaptáveis às múltiplas situações em que se encontrassem. A própria noção de identidade era situacional. Nada de estranho, portanto, no fato de um africano ser piloto de avião numa situação e chefe tribal em outra. Para nós, o conceito de "raça", como de "tribo", teria que ser banido do arsenal teórico e entendido como conceito ideológico da maior periculosidade.

Olhando para trás, vejo o quanto esta perspectiva da antropologia de Gluckman e seus seguidores estava intimamente relacionada à sua posição política contra o colonialismo e o racismo, quase um *"charter"* no sentido malinowskiano. Defendia a igualdade de direitos sociais e políticos dos africanos contra os argumentos ora biologizantes ou culturalistas do governo colonial. Embora Max Gluckman tivesse falado muito de "costumes", os textos privilegiavam a autonomia do indivíduo para escolher o seu modo de vida, legitimando-o com os valores adequados disponíveis. Desta forma, defendia-se a idéia de que um cidadão africano era ao mesmo tempo membro de um grupo tribal e partícipe da economia e da política nacionais. A defasagem política e econômica entre os africanos e os europeus, dessa perspectiva, resultava da dominação colonial e da falta de oportunidades. Nossa antropologia inspirava e legitimava a nossa postura política contra o colonialismo e a discriminação racial, a favor da democracia e da ampliação do sufrágio, e das oportunidades de educação e de emprego para todos. Afinal, lutávamos contra aqueles que acreditavam que os africanos eram, inerentemente ou por causa do "atraso cultural", incapazes de participar plenamente do "mundo dos brancos" e, mais ainda, de gerir um governo e uma economia nacionais.

Minha pesquisa de campo numa zona rural perto da capital coincidiu com o crescimento dos movimentos africanos nacionalistas e da determinação da maioria dos brancos de não ceder. Na medida em que Ian Smith e sua Frente Rodesiana se fortaleciam no poder, os dois partidos nacionalistas intensificavam seus protestos violentos. Mas também lutavam entre si para obter o apoio da população negra. Membros da Zimbabwe African People's Union (Zapu) sofreram ataques constantes dos membros da Zimbabwe African National Union (Zanu) e vice-versa. Eu ficava numa situação bastante constrangedora, pois, além da desconfiança das autoridades brancas (todos compartilhavam as opiniões do casal do navio), alguns membros da Zapu e da Zanu desconfiavam que eu pertencia ao partido oposto, enquanto outros imaginavam que eu era espião do governo de Smith.

A tática que adotei, então, foi de ficar quieto na aldeia do meu intérprete, Kenneth Mupanduki, observando o que podia observar, aprendendo a língua, aceitando quaisquer convites para casamentos, funerais, mutirões etc., e tentando ser o mais gentil possível, levando senhoras grávidas para a clínica e coisas do gênero. Em retrospecto, creio que estes meses de semi-invisibilidade foram fundamentais, pois, por um processo mais de osmose do que de aprendizagem formal, tornei-me razoavelmente competente na cultura e na língua Shona. Lembro-me até hoje da alegria que senti quando pude rir de verdade de uma piada contada em chishona! Aprendi também a sentir os efeitos do racismo exercido contra os meus vizinhos. Vivia quase sempre deprimido; a revolta contra o colonialismo aumentava a cada dia e, para piorar a situação, minhas anotações de campo não tinham nenhum fio condutor e nenhuma consistência. Pareciam um amontoado de observações desconexas, totalmente inadequadas para a formulação de uma tese qualquer, sobretudo uma tese "manchesteriana."

Tudo mudou com algumas transformações dramáticas no comportamento de Kenneth Mupanduki. Aos poucos desenvolveu uma série de alergias, primeiro a pão branco e café, depois a cerveja, fumo de cigarro e ao alimento básico da Rodésia, *sadza*, uma espécie de polenta grossa feita de fubá. Estas proibições alimentares tiveram o efeito de isolar Kenneth da vida em comum e de mim em particular. A causa das "alergias", revelada por um adivinho importante, era que Kenneth estaria sendo escolhido para ser médium de um ou mais antepassados importantes. Acompanhando Kenneth no seu périplo em busca da cura, tive forçosamente de encontrar muitos médiuns e a multidão que os consultava para a cura dos seus males. Todo um lado da sociedade até então invisível foi se revelando. Ficou cada vez mais evidente que a prática religiosa não era absolutamente assunto de antropólogo tradicional, mas sim elemento vital para o povo. Após anos de repressão por parte dos missionários, a possessão por espíritos florescia mais uma vez e, mais importante ainda, havia uma participação maciça de jovens com certo grau de educação, como Kenneth. Logo percebi que estava em curso um movimento social de volta ao passado, de nacionalismo cultural, estritamente ligado à situação política do país. A esta altura, tanto a Zapu como a Zanu tinham sido banidas. Reuniões políticas de qualquer tipo também eram proibidas. O foco da discussão política tinha dado lugar à semiclandestinidade dos rituais de possessão. Resolvi escrever sobre religião e política.

Em novembro de 1965, Ian Smith, unilateralmente, declarou a Rodésia independente da Grã-Bretanha. Ao mesmo tempo, pôs em marcha uma política de repressão cada vez mais rigorosa ao movimento negro nacionalista. Em agosto do ano seguinte, Jaap van Velsen foi expulso do país junto com alguns outros professores da universidade. Em dezembro, eu saí da Rodésia com dois outros professores universitários. Viajamos de Land Rover para a Inglaterra via Botsuana, Namíbia, Angola, Nigéria, Níger, Argélia, Espanha e França. A convite de Mary Douglas, comecei minha carreira acadêmica como professor assistente no Departamento de Antropologia do University College, em Londres.

Em 1969 defendi minha dissertação, que relata os eventos que acompanharam a mediunidade de Kenneth Mupanduki, mostrando como os espíritos atuavam politicamente em todas as esferas da vida cotidiana, inclusive na luta contra o colonialismo e o racismo (Fry, 1976). Kenneth e seus amigos médiuns disseminaram a consciência de que Jesus Cristo era apenas um espírito ancestral poderoso dos brancos e que era necessária uma volta aos antepassados para a libertação do domínio colonial. Mais tarde, outro antropólogo iria demonstrar o papel que certos médiuns de fato desempenharam na guerra pela independência (Lan, 1985).

Fiquei na Inglaterra o tempo necessário para terminar minha tese, mas me adaptei mal ao meu país de origem. Tudo parecia tão morno depois dos problemas da Rodésia. Mas como não suportava a idéia de voltar para o racismo da Rodésia, comecei a pensar em outros destinos.

Ainda mantinha contato com os assuntos rodesianos e pensei até em lançar um olhar mais histórico sobre os Shona, inclusive aqueles que caíram sob o domínio dos portugueses; afinal, foram eles que mantiveram os primeiros contatos com o povo Shona, sobretudo o Império de Munhumatapa. Fiz um curso intensivo de português em Londres e em 1968 parti para Coimbra, a fim de fazer outro *in loco*. Agüentei dois dias um velho professor obcecado pelas vogais e em seguida parti para uma pequena aldeia (Avô) em Beira Alta, onde me instalei numa velha pensão para aprender português como tinha aprendido chishona. Gostei tanto de Portugal (apesar de Salazar) que voltei em 1969 para o mesmo lugar, conseguindo adquirir uma compreensão razoável da língua e da cultura locais.

Mas Londres continuava a me deprimir, chegando a ponto de me impedir de assistir ao nosso santo seminário semanal a ser proferido pelo professor Peter Rivière, da Universidade de Oxford, que ia falar sobre os índios Tirio, do Brasil. Arrependido, fui mais tarde ao bar próximo da faculdade para conversar com ele. Perguntei se era possível um antropólogo inglês ensinar no Brasil. Para meu espanto, Rivière respondeu que tinha acabado de receber uma carta de um certo Fausto Castilho, que estava recrutando cientistas sociais para uma nova universidade em Campinas, no estado de São Paulo. Se me interessasse, deveria contatar imediatamente o cônsul do Brasil, Ovídio Melo.

Cortei o cabelo, vesti um terno e me apresentei ao Dr. Ovídio no Consulado-Geral do Brasil em Londres. O dr. Ovídio me impressionou muito por sua simpatia e seriedade. Mostrou-me as plantas da nova faculdade e disse que, se eu estivesse interessado mesmo, poderia procurar Antônio Augusto Arantes Neto no King's College, Cambridge, onde estudava para seu doutorado, e Verena Martinez-Alier, que terminava sua tese de doutorado em Oxford. O primeiro já era contratado da nova universidade, enquanto a segunda também tinha mostrado interesse em trabalhar na Unicamp. Conheci os dois. Fiquei entusiasmado e resolvi candidatar-me a professor visitante na Unicamp por um período de dois anos a partir de 1.º de junho de 1970. Logo em seguida recebi uma carta do embaixador me convidando formalmente. Em fins de maio, pedi demissão do UCL, me despedi dos amigos e da família e embarquei num cargueiro da Blue Star Line rumo ao porto de Santos.

Ao chegar em Santos, tive meu passaporte apreendido por um senhor fardado que alegou que o cônsul teria colocado o número errado no visto permanente. Depois, a senhora da Alfândega achou que não poderia importar os meus livros, discos, toca-fitas etc. porque a lista, aprovada pelo consulado de Londres, deveria ter sido escrita em português. Neste momento apareceu Antônio Augusto, que me livrou da senhora da Alfândega, assegurando-lhe que eu era convidado especial do governo do estado de São Paulo! Preocupado e perplexo, fui levado na kombi da universidade para o Guarujá, para tomar a primeira caipirinha com espetinho de camarão. Satisfeitos, tomamos o rumo de São Paulo, ficando horas na fila da balsa. Ao lado do nosso carro parado, vi uma loja repleta de santos, velas, poções, diabinhos e diabinhas. A perplexidade aumentou. Sem saber então, tinha me encontrado naquelas primeiras horas com o que seria meu cotidiano por muitos anos: umbanda, feitiçaria, a Polícia Militar arrogante e rude, uma funcionária pública imprevisível e o "você sabe com quem está falando?"

No Brasil encontrei outro tipo de racismo, um racismo que grassava debaixo dos panos lindos da democracia racial. Fiquei realmente perplexo. Por um lado, e sobretudo em contraste com a África que eu conhecia, as relações sociais entre pessoas de cores distintas pareciam ser muito próximas e harmoniosas. Por outro lado, as gradações de cor acompanhavam as gradações de riqueza e pobreza. No Instituto de Filosofia e Ciências Humanas da Unicamp da época havia, se a memória não me engana, apenas um estudante negro. As estatísticas do IBGE confirmaram a estreita relação entre os negros e mulatos e a pobreza e o sofrimento.

Ao mesmo tempo que as desigualdades sociais e econômicas entre os mais escuros e mais claros eram evidentes, as semelhanças culturais chamaram muito a minha atenção. Acostumado às imensas diferenças culturais e lingüísticas entre negros e brancos na África, fiquei espantado com a *relativa* homogeneidade cultural no Brasil e, sobretudo, com a presença de símbolos africanos no cerne da identidade nacional. Minha pesquisa nos terreiros de umbanda em Campinas e em São Paulo revelou que a possessão pelos espíritos não era absolutamente monopólio dos negros, e que a crença nos orixás e na feitiçaria era muito mais amplamente disseminada. A herança africana não era apenas dos descendentes dos africanos, era de todo o Brasil.

Escrevi um artigo-denúncia, "Feijoada e *soul food*: notas sobre a manipulação de símbolos étnicos e nacionais", no qual critiquei as teorias de Gilberto Freyre, argumentando que a dominação racial brasileira decorria da transformação da cultura africana em cultura nacional e do concomitante disfarce do racismo atrás do conceito de democracia racial. Esse artigo aparece neste livro no capítulo 4, mas acompanhado de uma autocrítica que resultou, em grande parte, de uma mudança no meu ponto de vista sobre "raça", provocada pela minha volta à Rodésia, agora Zimbábue, em 1989, como responsável pelo escritório da Fundação Ford em Harare.

Sempre encarei o trabalho na Fundação Ford como o maior privilégio. Os escritórios sempre têm funcionários competentes e dedicados, e o acesso à informação de toda espécie é facilitado a todos. A rede de aliados no mundo inteiro permite uma visão de conjunto do mundo "em desenvolvimento". O prestígio da Fundação facilitou contatos das mais variadas esferas da vida social, desde altos escalões do governo, passando pelas artes e às universidades e chegando à miríade de organizações não-governamentais. Mas meus anos na Fundação também me permitiram perceber a existência de um *ethos* que é compartilhado pela "comunidade de desenvolvimento" (*development community*) como um todo. Três componentes deste *ethos*, relacionados entre si, me chamaram atenção especial: as noções de "*empowerment*", "participação" e "diversidade". *Empowerment* sinaliza o "empoderamento" dos tradicionalmente fracos: as mulheres, os homossexuais e as minorias étnicas. Participação celebra as virtudes da democracia participativa, sobretudo entre os social e economicamente fracos. Diversidade atribui um valor positivo à diversidade cultural, étnica e de gênero.

O conceito de diversidade sempre me causou certa ansiedade. Ao mesmo tempo que se celebrava a diversidade étnica no Brasil e na África, por exemplo, esforçava-se para construir pontes em comum entre outros grupos "étnicos" em franco conflito. Os exemplos mais evidentes eram os israelenses e palestinos no Oriente Médio, os Bahutu e Batutsi em Ruanda e os brancos e negros na África do Sul. É claro que as democracias devem poder administrar com eficiência uma diversidade de costumes, mas nunca a ponto de abdicar de certos valores mantidos em comum, entre eles, a tolerância da diferença! Sentia às vezes que a diversidade tinha se tornado um valor em si, resvalando ocasionalmente para a celebração inclusive de grupos étnicos nem sempre comprometidos com valores mais abrangentes, a às vezes perdendo de vista as conseqüências da celebração da diversidade para o conjunto da sociedade. Além disso, na medida em que retomei contato com a África, percebi com toda clareza que a diversidade era sempre relativa. Entre quase todas as pessoas que encontrei, dos membros das elites das grandes cidades aos camponeses nos pontos mais distantes do país, a vontade de celebrar a "tradição" era matizada por outro desejo igualmente forte de adquirir os conhecimentos do mundo contemporâneo mais amplo, vistos como necessários para o acesso aos confortos da modernidade. Eis a demanda generalizada para boas escolas, serviços de saúde e estradas.

As minhas opiniões sobre esta questão forjaram-se em constante diálogo com o meu amigo e companheiro de trabalho Michael Chege. Nascido no Quênia, Michael estudou numa escola secundária modelada nos colégios dos colonizadores britânicos, muito semelhante, portanto, àquela onde eu tinha estudado na Inglaterra. Lá adquiriu tamanha paixão pela língua inglesa, que eu não ousei escrever nada sem antes passar o texto pelo seu crivo. Mais de que qualquer outra pessoa, me lembrava que raça é um conceito burro e perigoso e que a celebração cega da "cultura" pode frustrar fortes desejos de mobilidade social. Quantas vezes me salvou de situações potencialmente embaraçosas marcando a sua amizade para comigo perante demandas de solidariedade "racial" de certos visitantes negros norte-americanos!

A segunda experiência africana iria ter um impacto enorme sobre a minha percepção do Brasil.

Quando voltei para o Zimbábue, fui acometido por uma forte sensação de *déjà vu*. Depois da tão propalada mudança, o Zimbábue me lembrou muito a Rodésia. É verdade que a cor dos governantes tinha mudado e que um grande número de negros tinha ingressado na classe média; também é verdade que os brancos deixaram de ostentar seu racismo. Mas me parecia que, em certos aspectos básicos, as premissas lógicas da ordem social colonial continuavam a agir, mesmo que a nomenclatura tivesse mudado. Assim, as Reservas Indígenas do tempo colonial eram agora Terras Comunais (tribo não é mais um termo politicamente correto); as Fazendas Européias, Fazendas Comerciais Grandes; as Cidadelas Africanas, Áreas de Alta Densidade; os Subúrbios Europeus, Subúrbios de Baixa Densidade; as escolas para negros, escolas tipo "B"; as escolas para brancos, escolas tipo "A". As Terras Comunais, as Áreas de Alta Densidade e as escolas tipo "B" continuavam inteiramente habitadas por negros, enquanto os outros espaços ficaram cada vez mais multirraciais, já que o critério para freqüentá-los não era mais racial, e sim econômico.

Mas a continuidade mais profunda estava na maneira como brancos e negros mantinham separadas suas vidas sociais e culturais. As exceções, por serem raras, confirmavam a regra. De modo que os bares e restaurantes caros continuaram freqüentados predominantemente por brancos (salvo na hora do almoço, quando serviam de cenário para almoços de negócios), e cada grupo racial fazia questão de cultivar sua língua e sua cultura obsessivamente. Assim, os brancos reproduziam e ouviam a música clássica européia e continuaram seguidores ferrenhos de produtos da cultura média como *My Fair Lady*, *Camelot*, etc. Anualmente, o Balé Nacional apresentava *O Quebra-Nozes*. Por sua vez, os negros em nada abandonaram suas línguas, sua música, seus sistemas de parentesco e sua cosmologia, baseada na convivência dos vivos com os espíritos dos mortos. Os brancos continuaram a olhar com desconfiança os brancos que *go native*, enquanto os negros que falavam inglês com outros negros eram criticados e chamados de "brigada nasal" (*nose brigade*), numa alusão à sua suposta tentativa de imitar o sotaque nativo inglês.

Portanto, num sentido importante, o Zimbábue passou mais por uma rebelião do que por uma revolução na conceituação de Gluckman (Gluckman, 1955). Algumas das posições na estrutura social haviam mudado de incumbente, mas a estrutura *lógica* da sociedade certamente era a mesma. Percebi com absoluta clareza que a sociedade zimbabuana ainda acreditava em raças. As leis e segregações raciais tinham sido abolidas na Independência, mas as classificações e os preconceitos que estavam por trás das leis continuaram com toda a pujança. A crença em raças estava forte como nunca.

Depois da minha saída do Zimbábue, em 1993, a crença em raças assumiu a forma de um racismo governamental pouco disfarçado. O presidente Mugabe tomara atitudes fortemente xenófobas, sobretudo em relação à Grã-Bretanha. Ao abrir a Feira de Livros em Harare em 1993, lançou a sua primeira ofensiva. Referindo-se a um *stand* de livros organizado pelo movimento homossexual (Gays and Lesbians of Zimbabwe — GALZ), xingou os homossexuais de "pior que porcos" e acusou os colonialistas de terem trazido esse "mal" para a África. Em seguida, iniciou uma "reforma agrária" que consistiu na expulsão dos brancos das suas fazendas. Nisso ele foi ajudado por bandos de *soi-disant* (antigos combatentes[3] da guerra de independência), que expulsaram fisicamente os brancos das suas fazendas, matando mais de um. A maioria dos analistas da situação em Zimbábue sugere que Mugabe jogou a carta da raça (*played the race card*) como uma tática cínica para se manter no poder. Não penso da mesma maneira. Entendo que ele, como a maioria dos zimbabuanos, acreditando em raças e na diferença fundamental entre "africanos" e "europeus", enxerga a sociedade através do prisma da raça e interpreta o que vê em função dela. A constatação de que os brancos continuavam economicamente fortes enquanto os negros, na sua maioria, continuavam sendo mais pobres depois de dez anos de independência o fez acreditar que tudo decorria do racismo. No meu entender e no de muitos outros, as desigualdades se deviam sobretudo ao colonialismo e à má distribuição das oportunidades, e, por que não dizer, à inépcia e à ganância dos próprios governantes.

Vivendo num país africano ainda obcecado pela raça e onde as relações sociais eram bastante segregadas, fiquei com uma saudade enorme do meu país adotivo. Logo percebi que o racismo no Brasil não era o racismo do Zimbábue. E, além disso, me chamou muito a atenção o contraste entre Zimbábue e Moçambique, onde a desconfiança entre brancos e negros me parecia menor, em grande parte pelo passado colonial distinto e pelo fervoroso anti-racismo do governo socialista de Samora Machel. Ficou mais que evidente que, embora o racismo talvez seja universal, a forma que ele assume varia de sociedade para sociedade, de situação para situação, e de cultura para cultura. Longe de mim querer cair na blasfêmia de reificar ou essencializar a cultura. Mas, mesmo assim, algumas estruturas do pensamento têm longa duração, e fiquei cada vez mais convencido de que os arranjos raciais nas áreas de influência portuguesa eram de fato distintas dos arranjos em terras de colonização britânica. Costumava dizer para mim mesmo que enquanto em Zimbábue eu era visto como branco e ponto final, em Moçambique e no Brasil era visto como branco e vírgu-

---

[3]Muitos nasceram depois do fim da guerra, em 1980.

la. Havia espaço para desenvolver a minha individualidade apesar das marcas de identidade (cor, postura, sotaque) tão evidentes que carrego.

Entendendo que havia, sim, diferenças importantes entre os projetos coloniais britânicos e portugueses, iniciei um processo de aproximação com o trabalho de Gilberto Freyre, sobretudo suas observações agudas sobre a África (Freyre, 1940; Freyre, 1953; Freyre, 1953). Escrevi um artigo preliminar sobre essa questão (Fry, 1991) e mais tarde tive a oportunidade de repensá-la, quando apresentei as Conferências Smuts na Universidade de Cambridge, em 1998. Uma versão sintetizada dessas conferências é o primeiro capítulo deste livro. O surgimento do segregacionismo dos ingleses é o assunto do segundo capítulo, que reflete sobre o "fundador" da Rodésia, Cecil John Rhodes, com base em uma resenha de um livro do grão-mestre da história da Rodésia e do Zimbábue, Terence Ranger.

Em Moçambique, apesar das ideologias anti-racistas dos portugueses e do governo de Samora Machel, encontrei um pensamento racializado no fundo da sociedade moçambicana, não apenas entre os brancos, mas também entre os negros; uma freqüente e perturbadora autodepreciação em comparação com os brancos. Este é o tema do terceiro capítulo, que analisa essas representações no contexto das religiões de uma pequena cidade na província de Manica, em Moçambique. Este capítulo, foi escrito aqui no Brasil e qualquer semelhança entre o neopentecostalismo africano e o brasileiro não é mera coincidência!

Os capítulos seguintes, que foram escritos depois da minha volta ao Brasil em 1993, são conseqüência direta da experiência africana e explicitam minha crescente inquietação com a análise dominante da questão racial brasileira nas universidades e nos movimentos negros. Não fiquei mais satisfeito com as interpretações da democracia racial como farsa. Afinal, nenhum valor se realiza perfeitamente na prática. Constatar que existe racismo no Brasil não deveria levar necessariamente a se ridicularizar um valor tão positivo. O Zimbábue, os Estados Unidos e a África do Sul são herdeiros de séculos de segregação racial inscrita na lei. Simplesmente não conseguem sequer imaginar um mundo onde a raça não tenha significação. Ficaram presos nos grilhões do pensamento racista que os estabeleceram como nações. O Brasil teria que seguir o mesmo caminho?

Logo, como Gilberto Freyre e outros, fui obrigado a reconhecer que a "democracia racial" é um importante valor que, certamente, não impede o racismo, mas que o define como anátema. Pensei que, mesmo se o não-racismo nunca tivesse sido realizado na prática, era um patrimônio singular e precioso num mundo cada vez mais dilacerado pelo nacionalismo, pelo fundamentalismo e pelo racismo. Em vez de declarar a democracia racial uma farsa, comecei a entender que seria mais interessante pensá-la como um ideal a ser alcançado.

Incluí nesta coletânea o meu ensaio "Feijoada e *soul food*, 25 anos depois" justamente porque demonstra claramente a mudança no meu pensamento sobre a questão racial no Brasil antes e depois da minha volta à África. Neste ensaio está o trabalho-denúncia de 1974 e as autocríticas que escrevi em 2001.

No capítulo 5, por meio de uma resenha de dois livros, o de João José Reis sobre a revolta dos malês (Reis, 1993) e o de Michael Hanchard sobre o movimento negro brasileiro (Hanchard, 1994), procuro mostrar a diferença entre o tipo de análise que respeita as categorias nativas brasileiras (Reis) e aquele outro tipo de análise (Hanchard) que compreende o Brasil através de categorias norte-americanas. Avanço mais com este argumento no capítulo 5, em que utilizo argumentos de Vincent Crapanzano para alertar sobre os perigos da confusão entre conceitos analíticos que são muitas vezes conceitos nativos de outras sociedades. A origem desse capítulo remonta à minha participação num concurso para professor adjunto da UFRJ. Designado para dar uma aula sobre "O Negro no Pensamento Brasileiro", aproveitei um artigo que tinha acabado de sair na *Veja* sobre um incidente em que a filha do governador do estado do Espírito Santo acusou dois moradores do seu prédio de racismo quando eles a repreenderam por ter segurado o elevador. Entrevistei meus vizinhos, mostrando a fotografia da moça que apareceu num artigo intitulado "Cinderela Negra". Como ninguém achou que ela era negra, construí a minha aula sobre as duas formas de pensar as identidades raciais, uma bipolar (negros e brancos), outra muito mais complexa. Logo depois Michael Hanchard publicou um artigo sobre esse incidente sem problematizar a identidade "negra" da Cinderela em questão. Resolvi publicar minha versão na *Revista USP*. Hanchard escreveu uma resposta bastante cruel, que saiu publicada no número seguinte da *Revista USP* (Hanchard, 1996). Como considerei a crítica *ad hominem* e não substantiva, resolvi ignorá-la.

Escrevi o artigo que é o capítulo 6 para um número da revista norte-americana *Daedalus* dedicada ao Brasil. Nele, esboço uma história da "questão racial" no Brasil no sentido de entender a sua especificidade em relação (e sempre em relação) a outras sociedades, principalmente os Estados Unidos. Esse texto é também uma resposta a um artigo de Pierre Bourdieu e Lïc Wacquant (Bourdieu and Wacquant, 1998) em que afirmaram que, no campo "racial", o Brasil era subserviente aos desígnios norte-americanos. Assim, argumentei que a crescente saliência de uma taxonomia racial bipolar composta das duas categorias "negros" e "brancos" não devia ser compreendida apenas pelas influências norte-americanas (mesmo se os discursos dos cientistas que aderem a essa maneira de ver o Brasil em muito afeta a maneira pela qual imaginamos o país), mas no contexto de uma tensão bastante antiga entre uma taxonomia bipolar "braços e negros" e uma taxonomia muito mais complexa que identifica as muitas possibilidades fenotípicas numa sociedade que reconhece a significação da mestiçagem e das ancestralidades múltiplas. A velha expressão "homens de cor" divide a sociedade entre os "de cor" e os "sem cor" da mesma maneira que hoje em dia se fala cada vez mais em afro-descendentes e não afro-descendentes. Mesmo assim, sugeri que a taxonomia bipolar não era suficientemente forte para permitir um programa de ação afirmativa, que exige, por definição, a classificação sistemática dos cidadãos em "negros" e "brancos." A introdução de cotas raciais no Brasil nos anos subseqüentes provou que eu estava errado, e escrevi um pequeno *posts criptum* lembrando que as ciências sociais são muito mais confortáveis olhando para o passado que para o futuro!

De fato, a introdução das cotas, primeiro no sistema de ensino superior do estado do Rio e Janeiro por meio de uma lei proposta por um pouco conhecido político do Partido Popular, e em seguida na esfera federal por meio de legislação que oferece bolsas nas universidades particulares para pobres, negros e índios, e o projeto de reforma universitária, que propõe a reserva de vagas raciais nas universidades federais, sugere que os velhos princípios a-racistas da constituição e da tradição pelo menos desde a promulgação da república cederam rapidamente para uma vontade de "tratar os desiguais desigualmente". Ao mesmo tempo, o governo criou a Secretaria Especial de Políticas de Promoção da Igualdade Racial (Seppir) que atua e todos os ministérios no sentido de "promover a igualdade e a proteção dos direitos de indivíduos e grupos raciais e étnicos afetados pela discriminação e demais formas de intolerância com ênfase na população negra, acompanhar e coordenar políticas de diferentes ministérios e outros órgãos do governo brasileiro para a promoção da igualdade racial, articular, promover e acompanhar a execução de diversos programas de cooperação com organismos públicos e privados, nacionais e internacionais, promover e acompanhar o cumprimento de acordos e convenções internacionais assinados pelo Brasil, que digam respeito à promoção da igualdade e combate à discriminação racial ou étnica, e auxiliar o Ministério das Relações Exteriores nas políticas internacionais, no que se refere à aproximação de nações do continente africano" (http://www.presidencia.gov.br/seppir/, acessado em 18 de janeiro de 2005). Não me cabe aqui desenvolver argumentos para interpretar esta mudança que considero radical. Mas, como os capítulos seguintes mostram, o processo de racialização é bem mais abrangente que as cotas apenas, estendendo-se para o mercado, para o campo da saúde etc.

Penso agora que Bourdieu e Wacquant tinham mais razão que eu lhes dei em 2000. Apesar do crescimento do ativismo negro bastante qualificado, não há como negar a forte influência das organizações multilaterais e bilaterais operando no Brasil. Três anos após a publicação do artigo de Bourdieu e Wacquant, as Nações Unidas promoveram a Terceira Conferência Mundial das Nações Unidas de Combate ao Racismo, Discriminação Racial, Xenofobia e Intolerância Correlata, que teve lugar em Durban na África do Sul em outubro de 2001 com a participação de 170 Estados e 1.000 Ongs. Teve o efeito catalisador de impulsionar a demanda por ações afirmativas no Brasil. O mais recente relatório (2004) da PNUD sobre desenvolvimento humano tem como subtítulo: "Liberdade Cultural num Mundo Diversificado." A mensagem deste Relatório, por mais que reconheça os perigos da "essencialização" da cultura, é de que sem diversidade cultural não há desenvolvimento. A Seppir, como se viu, coloca bastante ênfase na cooperação com "organismos públicos e privados, nacionais e internacionais". Não há dúvida, portanto, que o Brasil se encontra numa rede de relações internacionais que se posiciona contrária à velha ideologia brasileira de ignorar a "raça" na distribuição de justiça e os bens do Estado. E não há dúvida tampouco de que há um grande investimento de recursos materiais e humanos por parte das fundações filantrópicas americanas no apoio às reivindicações dos ativistas negros. O ponto de vista delas não difere muito daquele dos ativistas negros e grande parte da sociologia brasileira, o de que a tradição brasileira do a-racismo não passa de um engodo, mascarando um verdadeiro Brasil racialmente dividido.

Um dia, indo trabalhar de metrô no Rio de Janeiro, vi um anúncio que retratava um jovem negro sorridente, afirmando que gosta de tomar o metrô porque "tomar café de manhã com pressa faz mal". Logo percebi uma quantidade razoável de anúncios de produtos e serviços, sobretudo aqueles associados à hipermodernidade, com modelos negros vendendo não apenas xampus e ungüentos para "peles morenas e negras", mas também telefones celulares, cartões de crédito e perfumes franceses.

O capítulo 8 examina o mercado e a publicidade, numa tentativa de mostrar como a imagem do negro tem mudado nos últimos anos e como a "descoberta" da "classe média negra" tem tido efeitos importantes nas relações raciais no Brasil. A recente fabricação em massa de produtos de higiene para "negros e morenos" e a sua veiculação através da publicidade têm contribuído também para a consolidação de um Brasil racializado, mas com uma importante diferença. O campo da estética concentra-se naquilo que objetivamente existe: enormes diferenças estéticas neste Brasil com 500 anos de encontros, inclusive sexuais, entre seus nativos, seus colonizadores e os escravos trazidos da África e seus descendentes. Os esteticistas brasileiros negam totalmente quaisquer diferenças entre as pessoas que não a aparência. Mas estão decididos a ameaçar a hegemonia do padrão ocidental de beleza e, creio, aos poucos estão conseguindo. Se a presença de negros e mestiços na publicidade e na mídia como um todo continua aquém do ideal, não resta dúvida de que a tendência está no rumo de promover uma estética distinta e, para o bem ou para o mal, dependendo do ponto de vista do leitor, uma maior integração de todos no mundo do consumo de bens e serviços.

Enquanto o mercado explora as múltiplas estéticas de um Brasil híbrido, no campo da saúde tem havido um crescente interesse por parte do governo federal, agências internacionais de financiamento e algumas Ongs em detectar doenças relacionadas ao corpo negro. Publiquei um texto que questiona a suposta relação entre saúde e um "corpo negro" quando se sabe que as aparências pouco dizem sobre o interior genômico dos indivíduos (Fry, 2004a). Associar "raça" à saúde é naturalizá-la, contribuindo mais uma vez ao fortalecimento da crença em raças. O grau de racialização da sociedade brasileira, inclusive na atividade acadêmica, ficou muito aparente numa resenha deste texto que saiu recentemente. A autora da resenha, Isabel Cristina Fonseca da Cruz, do Núcleo de Estudos sobre Saúde e Etnia Negra da Universidade Federal Fluminense, opina que meu texto "é uma das raras oportunidades do livro na qual o leitor pode conhecer uma das expressões do pensamento do grupo étnico hegemônico em oposição à agenda política do movimento negro" (Cruz, 2004). Nessa frase fica evidente que quem contraria a "agenda política do movimento negro" é motivado apenas pela sua própria "etnia"! Uma das doenças que tem atraído muita atenção do Ministério da Saúde e dos ativistas negros é a anemia falciforme. O capítulo 9 discute a maneira pela qual essa doença transmitida através de um gene recessivo, mas que é historicamente associada ao corpo negro, se tornou no Brasil um poderoso elemento na construção social do mito social da raça negra.

No capítulo 10, retomo a questão das "cotas raciais" no ensino universitário brasileiro num artigo intitulado "O debate que não houve: a reserva de vagas para negros nas universidades brasileiras" que escrevi com Yvonne Maggie logo após a introdução dessa política no estado do Rio de Janeiro em dezembro de 2001. O artigo foi uma primeira tentativa de entender o que nos parecia uma mudança tão radical na política racial brasileira, introduzindo, pela primeira vez desde a proclamação da República, a raça como entidade jurídica. Mostramos como esta mudança foi recebida pelos leitores que escreveram cartas para o jornal *O Globo*. Desde então, várias outras universidades estaduais e federais introduziram sistemas de cotas, cada qual adotando percentagens e critérios diversos, e o governo federal introduziu cotas raciais no seu programa de bolsas para as universidades particulares (Prouni). Perante a ausência de qualquer critério objetivo de classificação "racial" no Brasil, os programas de cotas dependem geralmente da autodeclaração dos candidatos. A Universidade de Brasília foi um passo além. Pediu que aqueles que reivindicavam uma identidade negra tirassem fotografias para serem examinados por uma comissão composta de um estudante, um sociólogo, um antropólogo e três representantes do Movimento Negro. Este processo de identificação racial causou muita polêmica (Santos e Maio, 2004a; b) mas como argumentei na época, não deixava de ser uma conseqüência lógica de uma política que visa beneficiar nem tanto aqueles que se acham negros mas aqueles que são vistos como tais (Fry, 2004b).

No Rio de Janeiro, a lei de cotas foi modificada em 2003, introduzindo um critério de natureza econômica para todas as vagas reservadas, reduzindo as percentagens para egressos de escolas públicas de 50% para 20%, dos negros de 40% para 20%, e acrescentando mais 5% de vagas para "outras minorias". Em 2004, o governo federal instituiu um programa de bolsas nas universidades particulares (Prouni) reservando vagas para índios e negros que sejam também pobres. Num outro projeto de lei enviado ao Congresso se propõe a reserva de vagas nas universidades federais. Cinqüenta por cento das vagas serão reservadas para estudantes de escolas públicas e, dentre estas, um percentual de negros (considerados aí pretos e pardos conforme as estatísticas oficiais) e indígenas igual ao da população do estado onde a instituição esteja localizada. No último capítulo, discuto as implicações da introdução do critério de pobreza na definição dos que podem pleitear as cotas, mostrando como os legisladores muitas vezes confundem "raça" e "classe".

Bibliografia

Bourdieu, P. e L. Wacquant (1998). "Les Ruses de la Raison Impérialiste." *Actes de la Recherche en Sciences Sociales*, 121-122 (março de 1998): 109-118.

Bowen, W. G. e D. Bok. *The Shape of the River: Long-term Consequences of Considering Race in College and University Admissions*. Princeton: Princeton University Press, 1998.

Carvalho, J. M. D. "Genocídio racial estatístico." *O Globo*. Rio de Janeiro: 7 p; 2004.

Cruz, I. C. F. Resenha de "Etnicidade na América Latina: um debate sobre saúde e direitos reprodutivos." *Cadernos de Saúde Pública*, v. 20, n. 6, 2004.

Freyre, G. (1940). *O mundo que o português criou*. Rio de Janeiro: José Olympio, 1940.

——. *Aventura e rotina: sugestões de uma viagem à procura das constantes portuguesas de caráter e ação*. Rio de Janeiro: Livraria José Olympio Editora.

——. *Um brasileiro em terras portuguesas*. Rio de Janeiro: José Olympio, 1953.

Fry, P. *Spirits of Protest: Spirit-Mediums and the Articulation of Consensus Among the Zezuru of Southern Rhodesia (Zimbabwe)*. Cambridge: Cambridge University Press, 1976.

——. "Politicamente correto num lugar, incorreto noutro? (Relações raciais no Brasil, nos Estados Unidos e no Zimbábue)." *Estudos Afro-Asiáticos* 21: 167-178, 1991.

————. "As aparências que enganam: reflexões sobre 'raça' e saúde no Brasil." In: S. Monteiro e L. Sansone. *Etnicidade na América Latina: um debate sobre raça, saúde e direitos reprodutivos*. Rio de Janeiro: Editora Fiocruz, p. 121-135, 2004a.

————. (2004b). "A lógica das cotas raciais." *O Globo*. Rio de Janeiro: 7p.

Gluckman, M. "Análise de uma situação social na Zululândia moderna." *Antropologia das Sociedades Contemporâneas*. B. F. Bianco. São Paulo: Global Universitária, 1987.

Hanchard, M. "'Americanos', brasileiros e a cor da espécie humana: uma resposta a Peter Fry." *Revista USP* 31: 164-175, 1996.

Hanchard, M. G. *Orpheus and power: The Movimento Negro of Rio de Janeiro and São Paulo, Brazil, 1945-1988*. Princeton: Princeton University Press, 1994.

Lan, D. *Guns & Rain: Guerrillas & Spirit-Mediums in Zimbabwe*. Harare: Zimbabwe Publishing House, 1985.

Lima, M. 2001. "Serviço de 'branco', serviço de 'preto'. Um estudo sobre 'cor' e trabalho no Brasil Urbano". Rio de Janeiro: Universidade Federal do Rio de Janeiro, Tese de Doutorado.

Monteiro, F. D. "Retratos em branco e preto, retratos sem nenhuma cor: a experiência do Disque-Racismo da Secretaria de Segurança Pública do Estado do Rio de Janeiro." PPGSA. Rio de Janeiro, UFRJ, 2003.

Parra, F. C., R. C. Amado *et al.* "Color and Genomic Ancestry in Brazilians." *Proceedings of the National Academy of Sciences of the United States of America*, v. 100, p. 177-182.

Reis, J. J. *Slave Rebellion in Brazil: The Muslim Uprising of 1835 in Bahia*. Baltimore & London: The Johns Hopkins University Press, 1993.

Santos, R. V. e M. C. Maio. "Cotas e racismo no Brasil." *JB Online*. Rio de Janeiro, (2004a).

————. "O veredicto do tribunal racial da UnB." *Correio Brasiliense*. Brasília, (2004b).

Sowell, T. *Affirmative Action Around the World an Empirical Study*. New Haven e Londres: Yale University Press, (2004).

Silva, A. P. d. "Menino do Rio: observações sobre as campanhas da prefeitura do Rio de Janeiro e a lei de 'cotas' nas propagandas publicitárias do município." *Programa de Pós-Graduação em Sociologia e Antropologia*. Rio de Janeiro: Universidade Federal do Rio de Janeiro, 2000.

PARTE 1 África

CAPÍTULO 1 Culturas da diferença: seqüelas das políticas coloniais portuguesa e britânica na África Austral[1]

[1]Este ensaio é baseado nas Palestras Smuts, apresentadas na Universidade de Cambridge em novembro e dezembro de 1998. Fico muito grato ao Conselho do Fundo Smuts pelo convite, ao Centro de Estudos Africanos e ao Departamento de Antropologia Social por seus questionamentos. Agradeço também à Fundação Ford por ter me dado a oportunidade de entender um pouco da "comunidade de desenvolvimento" na África austral e por sua generosidade ao viabilizar a pesquisa em Moçambique. Saiu publicado primeiro na revista *Social Anthropology*, vol. 8, n° 2, 2000. A versão em língua portuguesa saiu em *Afro-Ásia*, 29/30, pp. 271-316, em 2003, com a tradução de Alejandro Reyes Arias.

Em dezembro de 1995, Moçambique tornou-se a primeira nação que nunca fora colônia britânica a unir-se à Commonwealth. Este evento não é destituído de ironia. Talvez Cecil John Rhodes possa, finalmente, descansar em paz, ao ver enfim realizada a anexação de Moçambique ao mundo de língua inglesa, pela qual ele lutou durante a corrida pela partilha da África no final do século XIX. Ao mesmo tempo, os ferrenhos defensores do nacionalismo cultural e lingüístico português declararam-se profundamente ofendidos diante do que consideravam uma traição às ligações que supostamente existiam entre as nações do mundo lusófono, sobretudo porque sua própria Commonwealth, a Comunidade dos Países de Língua Portuguesa (CPLP), formalmente estabelecida em 1997 depois de várias tentativas infrutíferas, nasceu numa atmosfera de incredulidade e apatia. Desde então, a CPLP não tem conseguido influir de modo significativo nos países de fala portuguesa, e muito menos no resto do mundo. O sonho do ex-presidente português Mário Soares, de que o "afeto", que ele considera uma característica do povo português e das suas antigas colônias, representaria um poderoso contraponto aos blocos dominantes de poder no mundo, está muito longe de tornar-se realidade.

Há outras ironias nos acontecimentos que precederam a entrada de Moçambique na Commonwealth. Durante o período da independência ilegal da Rodésia, os partidários da Frente Rodesiana, fora do âmbito da Commonwealth, colocavam adesivos nos seus carros com as palavras "Obrigado, Moçambique", agradecendo os esforços de Portugal para romper as sanções. Depois da independência de Moçambique (1975) e de

Zimbábue (1980), foi formada uma estreita aliança entre os governos de Margaret Thatcher e de Samora Machel, ícones da economia de mercado e do socialismo, respectivamente. Aparentemente, os dois líderes admiravam-se mutuamente. O governo britânico foi responsável pelo treinamento do exército da Frente de Libertação de Moçambique (Frelimo) no combate contra a Resistência Nacional Moçambicana (Renamo), lutando, em teoria, a favor da democracia e da economia de mercado. Mais tarde, com a paz estabelecida em 1992, o exército britânico teve um papel decisivo no treinamento do novo exército moçambicano, composto de soldados de ambos os lados, antes antagônicos. E, em 1998, o casamento quase dinástico de Nelson Mandela, o primeiro presidente sul-africano pós-*apartheid*, e Graça Machel, viúva do primeiro presidente do Moçambique independente, firmou, simbolicamente, a velha aliança entre o ANC e a Frelimo e a nova aliança internacional, marcada pela entrada de Moçambique na Commonwealth.

O objetivo deste ensaio, porém, não é discutir a geopolítica da *Commonwealth* britânica ou da Comunidade portuguesa, ou o significado prático da entrada de Moçambique em um ou outro. Em vez disso, refletirei sobre o significado simbólico da entrada de uma antiga colônia portuguesa numa comunidade de nações cujos membros, até então, limitavam-se às antigas colônias britânicas. Baseando-me no meu trabalho antropológico no Brasil, no Zimbábue e em Moçambique, e nas minhas experiências como membro da "comunidade de desenvolvimento" na África austral, minha intenção é comparar as presenças coloniais britânica e portuguesa na África austral (e, brevemente, também no Brasil), de forma a levantar questões que eu acredito serem tão pertinentes hoje quanto o foram durante o período colonial. Estas questões têm a ver com uma tensão continuamente presente, durante todo o empreendimento colonial, entre os ideais de "assimilação" e "segregação". Classicamente, o dogma colonial português favorecia o primeiro e o dogma inglês, o segundo. Em muitos sentidos, as identidades das duas potências coloniais se definiram por meio deste contraste. Mas pretendo mostrar que uma forte tensão entre estes dois dogmas marcou a experiência interna de ambos os empreendimentos coloniais e continua a caracterizar a situação pós-colonial contemporânea, não apenas em Moçambique e no Zimbábue, mas no mundo moderno como um todo, na medida em que aumentam as tensões entre a celebração das diferenças "étnicas" e a universalidade da experiência humana. Esta mesma tensão encontra-se, evidentemente, na base da própria antropologia social, que se ocupa ao mesmo tempo da unidade da humanidade e da diversidade da linguagem, do significado e da identidade, as quais de modo algum têm sucumbido aos avanços da globalização.

Considerarei, num primeiro momento, o desenvolvimento dos sistemas coloniais britânico e português e a maneira como eles deram origem a um contraste de identidades coloniais. Passarei, então, a mostrar como o princípio colonial português de assimilação transformou-se, com a independência, num intento marxista-leninista de converter os moçambicanos em Homens Novos socialistas. Finalmente, examinarei a forma como as tensões entre os dogmas universalistas e particularistas manifestam-se no Moçambique contemporâneo, após a terrível guerra entre a Renamo e a Frelimo.

MOÇAMBIQUE, 1965

Em 1965, durante meu trabalho de campo na então Rodésia do Sul, viajei de carro, na Semana Santa, com dois companheiros africanos, estudantes da University College of Rhodesia and Nyassaland, pela cidade de Mutare (então Umtali), na fronteira do Zimbábue, em direção à cidade litorânea moçambicana de Beira. Assim que atravessamos a fronteira, surpreendemonos com a mudança de um país para o outro. A estrada perdeu as marcas nitidamente pintadas e o gramado bem cuidado das suas margens. Parecia fundir-se gradualmente na vegetação que a invadia. Se as fronteiras entre a estrada e o mato eram imprecisas, também o eram as fronteiras entre as formas de utilização da terra. Acostumados às divisões cartesianas da

Rodésia entre as Fazendas Européias, as *Tribal Trust Lands* (terras tribais) e as Florestas Nacionais, que foram definidas pelo Land Apportionment Act de 1931, não conseguíamos distinguir o que era o quê do lado moçambicano. As aldeias africanas confundiam-se com as grandes plantações e o mato parecia invadir tudo. Quando paramos na Vila Pery (atual Chimoio) para lanchar, ficamos ainda mais surpresos ao constatar que as fronteiras entre as próprias pessoas também eram imprecisas. Africanos, europeus e mestiços sentavam-se no mesmo bar em aparente fraternidade. Só isso já era suficientemente surpreendente depois de nossa experiência com a segregação nos bares da Rodésia. Porém, o que mais nos chamou a atenção foi o fato de os africanos falarem português entre si. Na Rodésia, o inglês geralmente só era falado pelos africanos na sala de aula e nas conversas com os brancos. Mais tarde, na cidade de Beira, descobrimos que, na verdade, muito poucos africanos falavam português. Ficamos dependendo do limitado conhecimento que os meus amigos tinham do chilapalapa, o *pidgin* das minas sul-africanas e das cozinhas da África austral em geral, para podermos nos comunicar tanto com negros quanto com brancos.

Nossas observações não estavam isentas de julgamentos morais. Embora tenha nos agradado a aparente ausência de racismo no bar, ficamos menos entusiasmados com o que percebemos como uma falta de "desenvolvimento" em Moçambique e com o que entendemos como um excesso de "europeização" dos fregueses africanos do bar. De alguma forma, achamos que os africanos deveriam falar uns com os outros em sua própria língua!

Nossas reações são, de certa forma, reveladoras das premissas implícitas profundamente enraizadas no empreendimento colonial britânico, compartilhadas tanto pelos colonialistas quanto pelos anticolonialistas. Acreditávamos no valor intrínseco das "culturas" africanas e no mal que deriva da sua destruição. Compartilhávamos uma certa ignorância, na melhor das hipóteses, e uma superioridade moral e farisaísmo, na pior das hipóteses, com relação ao colonialismo de outras nações européias.

O LIBELO DE PERRY ANDERSON CONTRA OS PORTUGUESES EM MOÇAMBIQUE

Nossas reações a Moçambique expressavam um ponto de vista comum na Grã-Bretanha naquele momento, manifestado de modo muito convincente no livro de Perry Anderson, *Portugal e o fim do ultracolonialismo* (Anderson, 1966). Esse livro foi publicado um ano depois de nossa visita a Moçambique, no momento em que as guerras anticoloniais recrudesciam na Guiné-Bissau, em Moçambique e em Angola. A investida de Anderson contra o colonialismo português está explicitamente construída de modo a enfatizar uma "visível diferença" entre este e o que ele chama de "colonialismo normal" (termo com o qual ele sem dúvida se refere à variedade britânica).

A especificidade do ultracolonialismo português, segundo Anderson, reside no seu sistema econômico "arcaico" e "irracional", baseado na exploração extrema e brutal da mão-de-obra africana e em sua ideologia "bizarra" de "Um Portugal" e sua concomitante política de assimilação. Desprovidos de capital, os portugueses não conseguiram desenvolver suas economias coloniais de um modo que o seu mercado interno se tornasse um estímulo para os africanos procurarem emprego. Portanto, instituíram a mão-de-obra forçada nas colônias para a produção agrícola que exportavam para a metrópole e, no caso de Moçambique, promoveram a exportação de mão-de-obra para as minas sul-africanas a fim de obter receitas fiscais diretas das companhias contratantes e receitas indiretas por meio do dinheiro enviado pelos trabalhadores às suas famílias. A intensidade da crueldade "não teve paralelo em qualquer outra parte do continente" e representou o "ápice da miséria africana".

Mais interessante ainda, do ponto de vista deste trabalho, é o seu entendimento do que ele chama de ideologia colonial portuguesa, que estava fundamentada no lema "Um Estado, Uma Raça e Uma Civilização" e construída sobre uma "missão civilizadora" não-racista que agia por meio da conversão ao cristianismo, da miscigenação e da assimilação. Ao confrontar a ideologia com a realidade e mostrar que a miscigenação era cada vez mais rara e que pouquíssimos africanos eram de fato assimilados, Anderson conclui que a ideologia colonial portuguesa era "bizarra", "injustificável" e "inefável", uma "falsificação sistemática da realidade" (Ibid., p. 78). "No espelho distorcido da ideologia", diz ele, "a singularidade indiscutível transformou-se e dissolveu-se num molde e numa forma situados além de todo o conhecimento possível" (Ibid., p. 81). O que é claro para Anderson, evidentemente, é a infra-estrutura econômica — ou a sua ausência — no colonialismo português. A "vasta e idiossincrática ideologia imperial" dos portugueses, afirma Anderson, é "injustificável" e "inefável", um "exercício de mágica pura", cuja capacidade de encantar tem a ver, em parte, com o "luxo verbal". A ideologia portuguesa, em suma, representa um modo de pensar "primitivo, pré-racional e pré-industrial", um "esforço imenso para abolir diferenças étnicas, lingüísticas, geográficas, econômicas e sociais concretas, fundindo tudo em uma unidade mística singular" (Ibid., p. 83).

O BRASIL E A QUESTÃO DA DEMOCRACIA RACIAL

Após uma breve estada em Londres depois de meu trabalho de campo no Zimbábue, mudei-me para o Brasil em 1970 para assumir uma cadeira universitária. Rememorando minhas primeiras impressões desta outra ex-colônia portuguesa, posso reconhecer facilmente algumas semelhanças significativas com as minhas primeiras impressões de Moçambique. Novamente tive a sensação de estar em uma terra com fronteiras imprecisas: as fronteiras imprecisas do tempo, com o começo gradual das reuniões e sua ainda mais gradual conclusão; as fronteiras imprecisas das raças, numa sociedade em que a miscigenação tem sido intensa e na qual tem se desenvolvido uma taxonomia "racial" que, segundo um estudo, contém pelo menos 135 categorias; as fronteiras espantosamente porosas do sexo numa sociedade que é praticamente indiferente com relação aos parceiros "ativos" nas relações homossexuais e celebra a beleza e as graças sociais dos seus transexuais mais bem-sucedidos; e a fronteira indistinta entre o formal e o informal, entre a lei e a transgressão. Mas uma outra sensação, parecida com aquela que tive no bar de Vila Pery, foi da extraordinária homogeneidade cultural e lingüística deste país do tamanho de um continente. Todas as classes e cores pareciam participar das religiões, que eram (e são) chamadas de afro-brasileiras, e das danças, cujas origens são supostamente africanas. É mais fácil entender o português de um extremo a outro do país do que o inglês ao viajar de Liverpool para Newcastle. Nesta terra, que se orgulha da sua receptividade a todos os povos e a todas as idéias que, segundo o movimento modernista de 1920, foram vorazmente canibalizados, a noção de "autenticidade" parecia fora de lugar. Os brasileiros não foram "assimilados" à civilização portuguesa; em vez disso, eles desenvolveram uma concatenação *sui generis* de tipos físicos e de formas culturais que é orgulhosamente exibida como a característica definidora da nação brasileira: a "democracia racial".

Curiosamente, descobri que os sociólogos brasileiros tinham desenvolvido uma crítica da "democracia racial" com argumentos muito semelhantes aos da crítica de Anderson sobre as políticas portuguesas de assimilação na África. Eles apontavam, em primeiro lugar, para o abismo que separa o "mito" da "realidade", documentando a crassa desigualdade social e a persistência da discriminação racial. Mas, assim como Anderson, iam além, afirmando que o mito da democracia racial disfarça o preconceito racial e a discriminação e dificulta a "consciência racial". O alvo principal destes sociólogos críticos era Gilberto Freyre, um discípulo de Franz Boas que, desde a publicação de *Casa grande & senzala*, em 1933, defendera o ponto de vista de que, no Brasil, como em outras ex-colônias, os portugueses desenvolveram relações raciais mais harmoniosas do que os anglo-saxões, ou arianos, como ele os chamava às vezes. Em 1961, seu livro *Integração portuguesa nos trópicos* foi publicado em Lisboa. Nesse breve ensaio, Freyre defendia Portugal contra seus críticos anticolonialistas, afirmando que desde a era dos descobrimentos os portugueses desenvolveram uma civilização luso-tropical, caracterizada por um intercâmbio entre os portugueses e os seus súditos, entre a cultura portuguesa e as muitas culturas que foram absorvidas no seu império. Freyre afirmava que, no mundo lusófono, a raça e a cultura nunca tiveram um vínculo ideológico. Eu mesmo não pude resistir à oportunidade de me unir ao coro da crítica contra Freyre, e escrevi um ensaio em 1976 cujo argumento é muito semelhante ao de Anderson (Fry, 1976). Primeiro, observei que muitos dos elementos culturais, cuja origem é supostamente africana ou nascida da experiência da escravidão, têm se tornado símbolos da nacionalidade brasileira, em particular o prato nacional do Brasil, a feijoada, um guisado que era preparado pelos escravos com feijão-preto e as partes menos agradáveis do porco, como as orelhas e o rabo, que os donos de escravos não utilizavam. Argumentei então contra Freyre que, em vez de significar harmonia e ausência de racismo, a transformação dos símbolos africanos em ícones da nação brasileira apenas escondia o racismo e o tornava mais difícil de se perceber e condenar.

Antes de continuar, é preciso considerar as premissas políticas e epistemológicas subjacentes à crítica de Anderson do Moçambique colonial e a refutação da "democracia racial" no Brasil pelos sociólogos brasileiros.

As duas críticas baseiam-se na premissa de que o colonialismo britânico representa a "normalidade" e, ao fazê-lo, revelam uma tradição de mal disfarçado esnobismo em relação aos portugueses. A acusação de Anderson sobre a crueldade e a dissimulação portuguesas pertence a uma longa tradição de protesto britânico antiportuguês, a qual, embora possa ter sido justificada, estava imbuída de superioridade moral e beirava o que James Duffy chamou de "um tipo de preconceito neo-racial". Ele cita as palavras de lorde Palmerston dirigidas a lorde Russell após mais uma infração portuguesa às restrições contra o tráfico de escravos: "A simples verdade é que os portugueses são, de todas as nações européias, a mais baixa na escala moral" (Duffy, 1967). Livingstone ralhou não só contra tráfico de escravos português, mas também contra a sua "delinqüência moral" (Ibid., p. 104), enquanto os missionários protestantes ingleses e escoceses acrescentaram "mais uma dimensão de desdém [...] à indignação anglo-saxônica — a do protestante virtuoso contra o católico depravado" (Ibid., p. 111).

Viajantes da segunda metade do século XIX descreveram Moçambique como um tormento de crueldade e imoralidade nas mãos dos portugueses e, sobretudo, dos seus filhos mulatos, as "piores criações européias", nas palavras de lorde Lugard. De Waal, o companheiro de Cecil John Rhodes, fez, no entanto, "as mais ásperas acusações, a rejeição final de Portugal na África Oriental". Ele descreve um pequeno povoado perto de Beira com estas palavras:

> Os portugueses, como os nativos, moram em palhoças, e não há diferença entre as palhoças dos portugueses e as dos kaffirs, nem grande distinção entre as duas raças. Os portugueses usam roupas e os kaffirs, não; os portugueses são amarelos, os kaffirs, negros; os portugueses são fisicamente fracos, os kaffirs, fortes. Estas são as únicas diferenças notáveis. Eles se misturam, se pegam pela cintura e falam a mesma língua quando estão juntos — o kaffir. Entretanto, não há dúvida disto: os nativos são mais limpos em seus hábitos do que os seus mestres amarelos. Estes são magros como peixe seco e morrem como ratos.

Prester John, de John Buchan (Buchan, 1956 [1910] Ibid., p. 135) que eu li pela primeira vez quando era criança, revela e incita esse tipo de sentimentos antiportugueses. Os três personagens principais são o jovem construtor do império David Crawfurd, filho de um presbítero escocês, o reverendo John Laputa, um ministro presbiteriano sul-africano destinado a se tornar líder de uma grande revolta anticolonial, e Henriques (ele não tem primeiro nome), um comerciante português. Tanto o branco Crawfurd quanto o negro Laputa possuem uma dimensão heróica, sendo ambos leais, à sua maneira, à sua nação e à sua "raça". O *"Portugoose"*[2] "amarelo"

---

[2] Justaposição das palavras *Portuguese* e *goose*, que significa "ganso", mas é também sinônimo de "bobo". (*N. do T.*)

Henriques, entretanto, definido pela cor da covardia e da traição, é a própria essência do egoísta mau que trai todo mundo por ganho pessoal, um "duplo traidor da sua raça". Crawfurd e Laputa estão para Henriques como a honestidade está para a desonestidade, como a lealdade está para a traição, como a limpeza está para a sujeira. *Prester John* enobrece o colonialismo britânico e até reconhece a nobreza da revolta africana. Mas não faz qualquer concessão aos portugueses.

O desprezo de Anderson pelo "luxo verbal" do discurso português e por sua "ideologia", que "trai" a verdade, tem a marca desta forma particular do esnobismo e do etnocentrismo britânicos. Sua epistemologia é finamente adequada ao seu preconceito, ao distinguir entre o "mito" e a "realidade"; ao atribuir primazia causal a esta última, consegue denunciar a ideologia bizarra de Portugal como um mito que justifica e disfarça a exploração econômica. Por dedução, sob o "colonialismo normal" não haveria tal lacuna entre o mito e a realidade, embora, como espero mostrar, o governo indireto e a segregação racial pareçam tão exóticos quanto a assimilação quando vistos por uma ótica diferente. O problema de separar o mito da realidade, como se o primeiro fosse apenas um epifenômeno da segunda, é que isto nega o fato de que um constitui o outro, da mesma forma que a transgressão só pode existir em relação à lei. As idéias assimilacionistas, como as segregacionistas, produzem tanta realidade quanto elas disfarçam.

O colonialismo, desde Hobson e Marx, vem sendo analisado em termos de imperativos econômicos e políticos, em termos da razão prática, como diria Marshall Sahlins. As "culturas", no plural, foram englobadas sob a expansão colonial, cuja lógica supunha-se ser puramente pragmática. Evidentemente, o problema deste argumento é que ele é incapaz de explicar as diversas "razões" que estavam em jogo e os muitos caminhos possíveis para a sua realização. É por isso que Perry Anderson não consegue perceber nada além de malandragem e dissimulação no Moçambique português. Negar a realidade do mito e da ideologia que, afinal, produziram leis, sistemas administrativos e políticas educacionais muito reais, é negar o empreendimento colonial como um todo. O ideal de assimilação no império português foi suficientemente carismático para incendiar a imaginação de algumas pessoas, para enfurecer outras e para limitar as ambições daqueles que teriam preferido abandoná-lo em favor da segregação. Além disso, como tentarei demonstrar em breve, o ideal tinha se disseminado de modo tão generalizado na época da independência, que foi facilmente traduzido na linguagem do marxismo-leninismo, enunciado pelo partido de vanguarda Frelimo.

Um outro problema com a epistemologia de Anderson é que quase reifica a África portuguesa e britânica como duas alternativas diferentes, fixas e imutáveis. Não leva em consideração o fato de que, dentro de cada uma destas esferas de influência coloniais, os dois princípios foram invocados de um período a outro e, eventualmente, ao mesmo tempo. A história inicial da Província do Cabo foi marcada por um forte assimilacionismo, e até Cecil John Rhodes defendeu os "direitos eqüitativos para todos os homens civilizados". Só no final do século XIX o segregacionismo passou a ser o dogma dos governos coloniais britânicos. Neste mesmo período, Portugal manteve seu comprometimento com a assimilação, mas moderou-o com medidas separatistas, por meio da operação informal do preconceito racista, a institucionalização do trabalho forçado e o confinamento parcial da população indígena em "circunscrições", o equivalente das reservas. Consciente da minha própria dificuldade em evitar este mesmo tipo de reificação na minha comparação cotidiana entre a Grã-Bretanha e o Brasil e entre Zimbábue e Moçambique, tentarei, pelo menos, manter minhas observações situadas o mais historicamente possível.

A CONSOLIDAÇÃO DA SEGREGAÇÃO COMO UM DOGMA COLONIAL BRITÂNICO

Durante a ação naval britânica contra o tráfico de escravos português e brasileiro, no final da década de 1790 e no início do século XIX, os escravos resgatados eram levados para Serra Leoa, onde a Sierra Leone Company, fundada por destacados abolicionistas, como William Wilberforce, plane-java oferecer "as Bênçãos da Indústria e da Civilização" aos africanos, "mantidos por tanto tempo na barbárie". Impregnados das idéias de eman-cipação em voga na Europa burguesa após a Revolução Francesa, os fi-lantropos britânicos pretendiam converter os escravos resgatados em "ingleses negros", por meio da educação cristã em aldeias de feição ingle-sa construídas nos arredores de Freetown. Leo Spitzer, em seu livro *Vidas no entremeio* (Spitzer, 2001), em que conta a biografia da família May, descendente de uma escrava de fala ioruba resgatada do bergantim brasi-leiro *Dois amigos*, descreve como a "experiência de Serra Leoa" "ficou sob um ataque virulento a partir da década de 1860, quando uma ideolo-gia contrária, baseada num racismo pseudocientífico, começou a permear os atos e a política das autoridades coloniais britânicos" (Ibid., p. 42). A experiência foi, de fato, bastante tímida, já que nunca se pretendeu que o processo de "transformação cultural" africana levasse a uma "fusão" ou "amalgamação" por meio da miscigenação ou da coabitação. Tampouco pretendia dar acesso aos africanos a todas as instituições de poder e auto-ridade britânicas da colônia. "Mas a reação racista e cada vez mais segregacionista contra os africanos 'europeizados', que se firmou no últi-mo terço do século XIX, atacou até mesmo esta visão restrita da assimila-ção, contestando até a mínima capacidade dos africanos de se 'elevarem' culturalmente para serem 'europeizados'" (Idem, ibidem). Spitzer descre-ve os efeitos desastrosos da mudança de política na elite negra da colônia, que, com o passar do século, "tornou-se alvo de insultos por 'macaquear o homem branco' e de ações discriminatórias e incidentes de exclusão com motivação racial" (Ibid., p. 86).

No final do século, portanto, a política colonial britânica tinha se des-viado dos ideais da Revolução Francesa para a crença de que as diferentes "raças" não podiam nem deviam tentar se "converter" à "cultura" dos poderes coloniais. Jan Christiaan Smuts descreveu e justificou esta mu-dança fundamental nas suas Palestras em Memória de Rhodes, apresenta-das na Universidade de Oxford em 1929.

Primeiro, olhamos para o africano como essencialmente inferior ou subumano, desprovido de alma, como capaz, unicamente, de ser escravo... Depois, mudamos para o outro extremo. O africano tornou-se homem e irmão. A religião e a política uniram-se para formar esta nova política africana. Os princípios da Revolução Francesa, que emancipou a Europa, foram aplicados à África; a liberdade, a igualdade e a fraternidade poderiam transformar os africanos primitivos em bons europeus (Smuts apud Mamdani, 1996, p. 5).

O sistema político dos nativos foi impiedosamente destruído para incorporá-los como iguais ao sistema branco. O africano era bom na medida em que era um possível europeu; sua cultura política e social era ruim, bárbara, e só merecia ser totalmente esmagada. Em algumas das possessões britânicas na África, o nativo recém-saído da barbárie era aceito como cidadão igual aos brancos, com plenos direitos políticos. Mas suas instituições foram firmemente proibidas e destruídas. O princípio de direitos eqüitativos foi aplicado da forma mais crua e, embora tenha dado aos nativos uma aparência de igualdade com os brancos que de pouco lhes servia, destruiu a base do sistema africano, que era o seu maior bem. Estas são as duas políticas nativas extremas que prevaleceram no passado, e a segunda foi apenas menos nociva do que a primeira (Smuts, 1929, p. 92).

"Se a África precisa ser redimida", continuou, para que ela possa "dar a sua própria contribuição ao mundo", então "teremos de proceder segundo linhas diferentes e desenvolver uma política que não obrigue suas instituições a se enquadrarem nos moldes alheios da Europa", mas que "preserve sua unidade e seu próprio passado" e "construa seu progresso futuro e sua civilização sobre alicerces especificamente africanos". "O Império Britânico não simboliza a assimilação dos povos em um tipo único, não simboliza a padronização, mas o desenvolvimento mais pleno e livre dos povos segundo suas próprias linhas específicas." Para tanto, a "segregação institucional" e, em conseqüência, a "segregação territorial" seriam necessárias.

Para conciliar estes ideais com as demandas de mão-de-obra de uma economia em expansão, Smuts declarou-se a favor da mão-de-obra migrante, em vez da transferência permanente dos africanos para o meio urbano industrializado.

Orgulhoso dos acontecimentos na África do Sul, Smuts concluiu que:

A situação na África do Sul é, portanto, uma lição para todas as comunidades britânicas mais jovens ao norte, no sentido de evitar o máximo possível a separação do nativo das suas raízes tribais e de impor, desde o início, o sistema de segregação, conservando as instituições nativas separadas.

Evidentemente, os conselhos de Smuts foram ouvidos. A Rodésia do Sul, por exemplo, implementou esta política até os últimos detalhes, enquanto na África do Sul as idéias de Smuts finalmente resultaram no que Coetzee chamou de "loucura" do *apartheid*. De fato, como Mahmood Mamdani expressou de modo coerente, longe de representar uma exceção em relação ao resto da África anglófona, o *apartheid* da África do Sul foi, na verdade, apenas uma versão particularmente violenta do governo indireto. "O discurso do *apartheid* — tanto no do General Smuts, que o antecipou, quanto no de Broederbond, que o desenvolveu — idealizou a prática do governo indireto nas colônias britânicas do norte" (Ibid., p. 27).

A assimilação e a miscigenação constituíram o maior perigo para o sistema do *apartheid*. Fernando Rosa Ribeiro fala disso numa análise instigante do *apartheid* e dos seus críticos convencionais (que tendem a interpretar o *apartheid* em termos da razão prática dos africânderes), na qual discute as obras de um sociólogo africânder pouco conhecido, Geoffrey Cronjé (Cronjé, 1945), que sistematizou o *apartheid* como "uma formidável visão escatológica" (Ribeiro, 1995, p. 36). Cronjé afirmava que a humanidade se divide naturalmente em vários *volk*, cada um com uma singularidade (*eie*), que deve ser protegida contra a contaminação por meio da segregação. "Através do contato— através da convivência em bairros mistos, por exemplo, ou o trabalho conjunto etc. — ocorre um processo inevitável de "*gelykstelling*" ou "aplainamento" entre as raças, que leva ao aplainamento das diferenças entre elas." Anátema tanto para Cronjé quanto para o *apartheid* são a "mistura dos sangues" e a "destribalização dos bantos". Com ressonâncias espantosas de Smuts, Cronjé sustenta que essa destribalização resultaria na perda das ligações dos "bantos" com seu *volk*, e o conseqüente "prejuízo espiritual irreparável". Segundo Cronjé, os "bantos" só adotam a "civilização européia externa e superficialmente, mas não podem fazer da cultura européia a sua própria cultura" (Cronjé, ibid., apud Ribeiro, ibid., p. 39). Um processo generalizado de mistura biológica e cultural acabaria resultando no que Cronjé chamou de *mengelmoes* (barafunda), ou um "estado de total indistinção". A *mengelmoes-samelewing*, ou sociedade da barafunda, é aquela na qual "as diferentes raças vivem em tão grande confusão que acabam formando uma única comunidade sul-africana" (Ribeiro, ibid., p. 38).

Anátema, portanto, para o colonialismo britânico a partir do final do século XIX, eram os mestiços, "pseudo-europeus" e "europeus transformados em nativos". Fugir dos atributos culturais associados à raça ou à nação constituía um escândalo lógico e moral.[3] O súdito colonial britânico "ideal" podia e devia ser educado nas técnicas modernas da sociedade britânica, mas deveria manter sempre a orientação de sua sociedade de origem e a lealdade a ela. Como diz Andrew Roberts referindo-se a *Sir Donald Cameron* — que assumiu o cargo de governador de Tanganica em 1925 —, "como a maioria dos seus colegas, Cameron acreditava firmemente que os africanos não deveriam se tornar "imitações pobres" dos europeus, mas se desenvolver "segundo as suas próprias linhas" (Roberts, 1968). Mas talvez seja Julian Huxley quem melhor resume esta crença básica do colonialismo britânico, com estas palavras mordazes: "os negros são por natureza diferentes dos brancos e a eles inferiores". Os brancos sabem mais que os negros e, portanto, podem decidir o que convém a estes últimos; os nativos "devem se desenvolver 'segundo suas próprias

---

[3]São interessantes, neste sentido, os rumores de que Ian Smith teria construído uma fazenda distante onde os brancos pobres podiam se isolar, de modo a preservar a integridade de uma taxonomia racial que associava os brancos aos Padrões Civilizados Cristãos Ocidentais. *Si non é vero...*

linhas' — suas próprias linhas sendo aquelas em que se adquire o máximo possível das artes européias úteis e o mínimo possível das formas européias de vestir e de pensar" (citado em Roberts, ibid., p. 60).

Não era essa premissa — de que os africanos deveriam, de alguma forma, ser "autênticos consigo mesmos" — o que estava por trás da minha desaprovação dos africanos no bar de Vila Pery? Acho que sim.

Se Geoffrey Cronjé tivesse tido acesso às descrições dos filantropos britânicos de Moçambique no século XIX, que citei anteriormente, ele teria tido muitas evidências dos horrores dos *mengelmoes*. A imagem criada por essas descrições é a de uma sociedade onde uma crueldade intensa coexistia com uma proximidade física tão grande entre o colonizador e colonizado que a separação entre eles se tornava duvidosa. É razoável supor que a combinação de escravidão e assimilação adotada pelos portugueses era muito familiar, pelo menos para a população do sul de Moçambique, que sofreu as invasões dos nguni na época de Shoshangane, Mwila e, mais tarde, Gungunhane, durante o século XIX. Os povos de fala chindau de Mossurize, Moçambique central, onde fiz meu trabalho de campo em 1995, contam que tiveram de sofrer a crueldade dos nguni e, ao mesmo tempo, deviam assimilar a forma de governo deles, sua linguagem, sua maneira de vestir e seus enfeites.[4]

Nos palácios de Lisboa, porém, o que Cronjé teria chamado de *mengelmoes* foi elevado ao patamar de caridade cristã e tornou-se o objetivo central da "missão civilizadora" de Portugal a partir do século XV. Mais tarde, após o início do Estado Novo de Salazar, em 1930, e mesmo na década de 1960, Portugal tentou resistir às mudanças, exaltando ainda mais

---

[4]Até hoje, os homens com mais de 50 anos furam os lóbulos das orelhas ao estilo nguni e os chamam, brincando, de "carteira de identidade de Gungunhane", em comparação direta com sua subseqüente subordinação aos portugueses. Até hoje o administrador do Distrito chama-se *mudzviti*, termo utilizado para denominar os tenentes e administradores de Gungunhane. Durante a Independência, a Frelimo coordenou um programa maciço de vacinação, uma das quais era aplicada no braço esquerdo. Seguindo a mesma lógica, essa marca é chamada "carteira de identidade de Samora", e é um sinal detestável e indelével da nacionalidade moçambicana, especialmente para os "imigrantes ilegais" na África do Sul.

os ideais de harmonia racial, miscigenação e assimilação nos seus domínios de ultramar.

Os arquitetos efetivos da administração moçambicana, após a Conferência de Berlim, eram os generais que conquistaram o estado nguni, chefiado por Gungunhane, em 1895, especialmente António Ennes e Mousinho de Albuquerque. A "geração de 95", como foram chamados, adquiriu em Portugal uma reputação semelhante à de lorde Lugard na Grã-Bretanha. Eles tinham plena consciência do que acontecia na África do Sul e duvidavam que fosse aconselhável implementar uma política de assimilação irrestrita, sem levar em consideração a grande diversidade étnica de Moçambique e a imensa dificuldade de "converter", num período tão curto, tantas "pessoas primitivas" aos requintes da "civilização", isto é, à língua e à cultura portuguesas. Influenciados pelo tom racista da antropologia oitocentista e pelas suas próprias experiências, argumentavam que, embora o objetivo da colonização portuguesa fosse a assimilação de todos os habitantes de Moçambique, essa assimilação exigia paciência e cautela. "[O]s povos da África", disse Ennes, "têm de passar por um longo período de desenvolvimento intelectual e moral antes de se tornarem cristãos confirmados, e a educação reduzirá este período, mas não o substituirá" (Macagno, 1996, p. 2). Outro administrador do mesmo período, Eduardo Costa, recomendou que:

> fatores antropológicos e sociais que demonstram a disparidade dos costumes e das características étnicas e a evidente inferioridade do selvagem sugerem a necessidade de se aplicarem diferentes sistemas de governo a essas raças e de se manter em mãos civilizadas a tutela dos mais selvagens e primitivos, como uma classe desventurada ou incompleta da sociedade humana (citado em Macagno, ibid., p. 25).

O resultado deste raciocínio foi que os portugueses mantiveram o objetivo de longo prazo da total "assimilação espiritual", reconhecendo ao mesmo tempo a necessidade de não destruírem todos os "usos e costumes" africanos. Na linguagem do colonialismo, os portugueses possuíam a "civilização" e a "língua" portuguesa. Os africanos eram chamados de "gentios" ou "indígenas", numa referência a sua natureza "tribal" e a sua condição autóctone. Eles tinham "usos e costumes" e não falavam idiomas, mas dialetos. Até hoje as palavras "civilização", "usos e costumes" e "dialetos" são utilizadas de maneira irrefletida por todo mundo, menos pela elite urbana mais politicamente correta.

Como Lorenzo Macagno mostrou, a conseqüência administrativa da assimilação protelada foi a "descentralização", que de fato significou a criação de distritos administrativos ("circunscrições") semelhantes às "Reservas Nativas" da África austral anglófona. As circunscrições eram governadas indiretamente por administradores e chefes de Posto por meio da mediação dos chefes locais, ou "régulos", responsáveis pela aplicação das leis tradicionais. Mas não todas. Só aquelas que não ofendiam a civilização portuguesa. Especificamente, os portugueses baniram o "juramento do muave" e as acusações de feitiço.

Assim, a população africana da colônia dividia-se em "assimilados" e "indígenas". Os primeiros tinham os mesmos direitos e obrigações (incluído o serviço militar) dos cidadãos portugueses e os segundos continuavam subordinados aos seus "usos e costumes" e aos seus "régulos". De fato, embora os portugueses tivessem adotado oficialmente os princípios de Governo Direto, Moçambique adquiriu todas as características do que Mahmood Mamdani chamou de "estado bifurcado":

> Com uma organização nas áreas rurais diferente das urbanas, o estado tinha as duas caras de Janus, estava bifurcado. Continha uma dualidade: duas formas de poder sob uma única autoridade hegemônica. O poder urbano falava a linguagem da sociedade e dos direitos civis; o poder rural, a da comunidade e da cultura. O poder civil dizia-se protetor dos direitos, o poder tradicional impunha a tradição. O primeiro estava organizado de acordo com o princípio da diferenciação como mecanismo para controlar a concentração do poder; o segundo seguia o princípio da fusão para ga-

rantir a unidade da autoridade. Para entendermos a relação entre eles —
o poder civil e o tradicional — e entre as linguagens por eles utilizadas —
direitos e costumes, liberdade e tradição —, é preciso estudá-los separadamente, tendo em mente que cada um deles significava uma face do
mesmo estado bifurcado (Mamdani, 1996, p. 18).

Assim, em grande parte, o discurso colonial português não foi tão inequi-
vocamente assimilacionista quanto Perry Anderson gostava de acreditar.
Mesmo assim, a grande diferença entre Moçambique e seus vizinhos de
fala inglesa foi que o princípio da assimilação, como meta de longo prazo,
nunca foi questionado. Pelo menos em princípio, todos os súditos poderiam tornar-se cidadãos e, embora muitos portugueses duvidassem do valor de uma competição cada vez mais acirrada entre africanos e europeus
pela obtenção de empregos, prestígio e riquezas, os documentos revelam
menos desse desgosto visceral dos britânicos pelos "pseudo-europeus" ou
"africanos europeizados". Enquanto os engenheiros sociais da África do
Sul traçaram um caminho explícito de segregação racial e étnica e de celebração das diferenças culturais, seus equivalentes em Moçambique imaginaram uma época em que todos os moçambicanos teriam abandonado seus
"usos e costumes" e seus "dialetos" em favor da "civilização" e da língua
portuguesas. Isto seria realizado por meio da influência supostamente
moralizadora do trabalho, inclusive o trabalho forçado, da educação e da
conversão ao cristianismo, que foi praticamente monopolizada pela Igreja Católica, sobretudo depois do Concordato de 1940. Diferentemente
da África anglófona, o ensino escolar era ministrado exclusivamente no
idioma colonial, com exceção da Missão Suíça de Henri Junod, na qual
os primeiros ensinamentos utilizavam o shangaan, a língua do interior onde
se encontrava a missão.

Entretanto, como Lorenzo Macagno mostrou, a assimilação total só
ocorreria num futuro distante, caso chegasse a ocorrer. O colonialismo
português só podia se reproduzir dessa forma — assimilando, mas não
excessivamente, libertando, mas, ao mesmo tempo, controlando. Afinal,

quando todos tivessem sido assimilados, não haveria mais lugar para a tutela dos próprios portugueses![5]

À medida que as pressões anticoloniais e *antiapartheid* aumentavam na década de 1960 e no início dos anos 1970, e à medida que a guerra anticolonial começava a representar uma séria ameaça ao controle português, a retórica moçambicana tornou-se cada vez mais assimilacionista, ao mesmo tempo que a retórica sul-africana se tornava mais firmemente segregacionista. E não só a retórica. Na África do Sul, os bantustans eram estabelecidos um após o outro, enquanto em Moçambique se implementavam medidas para acelerar o processo de assimilação. Um relatório preparado por um sociólogo para o serviço de informações português e que foi distribuído a todos os administradores de distrito, propunha medidas concretas para atrair as mentes e os corações dos moçambicanos para a nação portuguesa e afastá-los da Frelimo. Entre estas medidas havia a recomendação de que o governo direto fosse implementado pelos administradores, estabelecendo contato direto com as famílias em vez de utilizarem a mediação dos régulos, e que os brancos controlassem seus preconceitos e ajudassem a construir uma elite multirracial em Moçambique. Mas a assimilação não deveria ocorrer em detrimento dos costumes; ao contrário, estes deveriam ser respeitados. "[a] desconsideração destes costumes ocasiona choque, indignação e revolta. A sua destruição provoca a desorientação dos membros do grupo e até a sua desintegração. Assim, quando se pretende estabelecer com as populações nativas relações de convivência adequadas, é preciso respeitar seus usos e costumes (Freitas, 1965, p. 12). Mesmo nesta celebração da assimilação, não se considerava proveitoso ignorar a cultura local.

---

[5]Todos os críticos da política de assimilação apontam o fato inegável de que a retórica era mais forte que a realidade. Muito poucas pessoas adquiriram o *status* de "assimilado", e mesmo estas sofriam uma rígida discriminação (J. Penvenne, "'We are all Portuguese!' Challenging the Political Economy of Assimilation: Lourenço Marques, 1870-1933", *in* L. Vail (org.), *The Creation of Tribalism in Southern Africa* (Londres, James Curry, 1989)). Mas o fracasso estatístico não é, na minha opinião, o mesmo que o fracasso ideológico.

Com a paz em 1974 e a independência em 1975, foi formado um governo "revolucionário" pela Frelimo sem eleições prévias. Ao transferir seu devotamento de Portugal para a Europa Oriental, Moçambique também afirmou sua distinção entre o colonialismo português e o *apartheid* do seu poderoso vizinho do Sul, ao proclamar a ordem "marxista-leninista".

Os *slogans* "Abaixo o feudalismo", "Abaixo o colonialismo", "Abaixo o capitalismo", "Abaixo o obscurantismo", "Abaixo o tribalismo" e "A luta continua" marcaram o fim do passado colonial e tradicional e o nascimento do "homem novo socialista". A luta contra o "feudalismo" envolveu a deposição dos régulos e sua substituição pelas "estruturas" do partido, secretarias e "grupos dinamizadores" compostos, em sua maioria, por jovens militantes do partido. O "capitalismo" deveria ser substituído pela socialização dos meios de produção; a indústria e o comércio deveriam ser nacionalizados e a população rural deveria deixar seus lares para morar em "vilas comunitárias" e trabalhar nas antigas fazendas coloniais, agora nas mãos do Estado. O "obscurantismo" — que outras palavras, as cosmologias "tradicionais" —, o cristianismo e o islã deviam ser reprimidos e substituídos pelo "socialismo científico". Todas as escolas e fábricas instalaram um santuário, enfeitado com fotografias de Marx, Engels, Lênin e Samora Machel e frases didáticas das suas obras. "Abaixo o tribalismo" significava a eliminação das diferenças e divisões étnicas. Conforme as palavras de Samora Machel: "É necessário matar a tribo e construir a nação." Agora, os africanos não eram mais os portadores exóticos de "usos e costumes"; eram camponeses e trabalhadores, na linguagem universalista do marxismo.

A única instituição colonial que não apenas sobreviveu, mas se fortaleceu efetivamente, foi a língua portuguesa, mantida como a língua oficial e disseminada firmemente por meio de programas maciços de alfabetização.

A universidade local, com o novo nome de Universidade Eduardo Mondlane, também sofreu muitas mudanças. De pequena instituição para a educação da elite colonial passou a instrumento da revolução, ganhando uma nova Faculdade de Marxismo-Leninismo. Os cientistas sociais, que eram sul-africanos *antiapartheid* (brancos em sua maioria), e a "pequena burguesia radical", composta quase exclusivamente por brancos, mestiços e indianos, tinham sua base no Centro de Estudos Africanos (CEA), no qual mantinham praticamente um monopólio da pesquisa e da teoria. Segundo Christian Geffray, que, como orientando de Claude Meillassoux, trabalhou no CEA, entusiasmado com a revolução socialista:

> O CEA era o pólo, a referência obrigatória de toda a estratégia de pesquisa e da formação universitária; entretanto, também afirmava ser a voz da ciência (marxista) para além dos muros universitários; seus membros sabiam, apaixonadamente e melhor do que ninguém, o que devia ser pesquisado (nas ciências sociais) e o que era apenas uma lembrança da etnologia colonial reacionária (Geffray, 1988, p. 76).

O marxismo ofereceu uma linguagem universal (de "classes" e "trabalhadores") capaz, ao mesmo tempo, de negar a diversidade social e cultural do país e de "inventar um país imaginário e fictício, onde a aliança dos trabalhadores rurais e industriais teria, supostamente, delegado sua autoridade ao Partido, para que este pudesse exercer sua ditadura em seu nome e contra os seus inimigos, os inimigos do povo".[6]

---

[6]Geffray atribuiu o imenso poder do CEA na definição da pesquisa social em Moçambique não ao fato de seus líderes, Ruth First e Aquino de Bragança, "terem sido incluídos na lista dos heróis do Politburo", mas ao fato de que "suas obras reafirmavam o discurso do poder, dando-lhe uma base científica" (Geffray, "Fragments", p. 85). Ele acrescenta que sua legitimidade também estava baseada no apoio entusiástico de uma rede internacional de intelectuais revolucionários, que Tom Young mais tarde descreveria como "pés vermelhos", "(...) procurando por sonhos revolucionários que não podiam se realizar em suas próprias sociedades, ou pelos lucros psíquicos das campanhas de 'solidariedade'" (Young, 1989, 491). Para os sul-africanos, o marxismo antiantropológico que eles encontraram em Moçambique e ajudaram a fortalecer não era novidade. Como Fernando Rosa Ribeiro mostrou, a "antiantropologia" na África do Sul se desenvolveu em oposição à etnologia bôer que legitimou o *apartheid*, permitindo que os opositores do regime "imaginassem" sua sociedade sem "raças" ou "tribos". Viver e trabalhar com poder e prestígio em um país africano socialista independente, que negava o racismo e o tribalismo, representava para eles talvez o paraíso previsto em sua teoria. O "estado bifurcado" fora abolido por decreto.

Apesar do discurso anticolonial do Centro e da Frelimo em geral, é impossível deixar de observar que o projeto socialista para Moçambique era mais assimilacionista do que os portugueses jamais se atreveram a imaginar, e é tentador afirmar que esta é uma das razões pelas quais a elite moçambicana achou atraente o programa socialista. Do ponto de vista estrutural, havia pouca diferença entre um estado capitalista autoritário, governado por um pequeno grupo de portugueses "esclarecidos" e de "assimilados", e um estado socialista autoritário, governado por um partido de vanguarda igualmente diminuto e igualmente esclarecido.

O que aconteceu então foi que os "assimilados" dos tempos coloniais deram lugar ao Homem Novo do socialismo. Enquanto os primeiros seriam convertidos dos "usos e costumes" ao cristianismo e à "civilização", o segundo emergiria do seu passado feudal, colonial, capitalista e obscurantista, livre de desigualdades e impregnado dos valores da ciência, do trabalho coletivo e do patriotismo. O princípio, entretanto, era o mesmo, só que a "unidade mística" à qual Perry Anderson se referiu não era mais a do império português, mas a do socialismo internacional. Mas, diferentemente dos colonialistas, que acreditavam que a assimilação deveria preceder a igualdade perante a lei, os intelectuais da Frelimo acreditavam que o Homem Novo surgiria não tanto da conversão individual, mas das mudanças naquilo que foi chamado de "realidade objetiva". Como um dos ideólogos mais importantes do período de "transição ao socialismo", o sociólogo e oficial do exército, coronel Sérgio Vieira, escreveu em 1978:

O[o] Homem Novo, na perspectiva que nós definirmos, não pode surgir na sociedade burguesa ou na sociedade feudal. Retirámos a base económica para a continuação do homem feudal e do homem burguês. A partir daí, e porque destruímos isso e destruímos também a base para a continuação do homem colonizado, poderíamos fazer um esforço rentável e não um esforço de cataquese, podíamos fazer o esforço de transformação da mentalidade, porque tínhamos transformado a realidade objectiva. Podíamos fazer o esforço de introdução de novos critérios e de novos valores (Vieira, 1978, p. 33).

Portanto, a diferença entre a assimilação colonial e a socialista foi que, se na primeira havia pelo menos uma certa escolha (Duffy observou que muitos dos que poderiam ter se tornado "assimilados" não o fizeram, para evitar as obrigações desagradáveis da cidadania portuguesa, sobretudo o serviço nacional), o "Homem Novo" do socialismo era basicamente "determinado" pela "realidade objetiva", mesmo que se aceitasse que ele deveria, por seus próprios esforços, atuar "simultaneamente como agente transformador dessa sociedade, [e] agente que destrói a velha sociedade e constrói a Nova Sociedade" (ibid., p. 28). O "livre-arbítrio" do liberalismo deu lugar à noção da "responsabilidade" com o Estado. A vocação foi abolida em nome do termo onipresente "afectação". A partir da quarta série, os moçambicanos eram designados para profissões específicas, consideradas do interesse do Estado. Dessa forma, como disse João Carlos Colaço, as antigas idéias de mão-de-obra forçada voltaram, com a transferência dos moçambicanos de um lugar a outro do país, para realizar tarefas consideradas do interesse nacional (Colaço, 1997).

A ironia destes eventos e resultados reside no fato de que a crítica inicial ao colonialismo português, que vimos nas palavras de Perry Anderson mas que foi compartilhada pela Frelimo e seus aliados, resultou no estabelecimento de um estado com uma forte semelhança com o sistema que o precedeu, através de uma ideologia que, embora descrita como "científica", teria sido percebida, do ponto de vista de Perry Anderson, como tão "bizarra" e "inefável" quanto a da assimilação. O partido de vanguarda da Frelimo nunca foi muito mais numeroso do que os assimilados em 1950, pouco mais de cinco mil. Além disso, pode-se concluir que o entusiasmo com que o estado da Frelimo foi supostamente recebido, ao menos entre os privilegiados, derivou pelo menos parte da sua energia do mesmo assimilacionismo que tão veementemente criticou.[7] Max Gluckman certamente teria visto a Independência de Moçambique muito mais como uma rebelião do que como uma revolução (Gluckman, 1963).

O FIM DO SOCIALISMO

Voltei a Moçambique em 1989 não mais como um jovem pesquisador, mas um pouco mais velho e exercendo o papel de "missionário" contemporâneo da Comunidade de Desenvolvimento, como funcionário de programa da Fundação Ford, responsável pela organização do seu programa em Moçambique.

Naquela época, Moçambique estava mergulhada numa guerra violenta entre o governo da Frelimo e a Renamo. A guerra tinha se expandido para quase todas as regiões rurais de Moçambique. Só as cidades e as capitais das províncias estavam nas mãos do governo, e o único meio seguro de transporte entre elas eram os jatos das Linhas Aéreas de Moçambique (LAM). Dezenas de milhares de pessoas morreram na guerra, e centenas de milhares morreram de fome e das doenças causadas por ela. Aproximadamente quatro milhões, de uma população total de quinze milhões, estavam refugiados em países vizinhos, e muitos mais, os "internamente deslocados", procuraram asilo nas cidades. Grande parte da infra-estrutura do país fora destruída, e o Produto Interno Bruto caiu a níveis mais baixos do que os registrados antes da independência. O sistema educacional nas áreas rurais estava praticamente paralisado. Tudo isso, agravado por uma série de secas, fez de Moçambique um dos países mais pobres da Terra, com uma renda *per capita* de aproximadamente 60 dólares.

Mas a guerra não só destruiu. Também criou: novas categorias de pessoas, como os "refugiados", os "internamente deslocados" e as "crianças

---

[7]Curiosamente, os críticos da assimilação colonial não aplicam seu método estatístico para criticar o programa assimilacionista da própria Frelimo.

traumatizadas". Com eles chegaram as Nações Unidas, agências de ajuda internacional e organizações não-governamentais, redatores de relatórios e analistas em geral. Mas a guerra também provocou discussões intermináveis em escritórios do governo e em departamentos universitários, em organizações não-governamentais e na comunidade de desenvolvimento, em bares, cerimônias religiosas e na intimidade da família, sobre os caminhos da guerra, seus horrores e suas causas. Como em qualquer drama social, essas discussões revelavam muitos aspectos implícitos da sociedade moçambicana. Mas este "acontecimento crítico", para utilizarmos o interessante conceito de Veena Das (Das, 1996, p. 6) também provocou o surgimento de novas formas de pensamento, novas categorias e, enfim, uma nova definição da nação moçambicana, que representou uma ruptura radical com aquela que a Frelimo tinha construído. Não estou me referindo apenas à mudança radical do socialismo para a economia de mercado, mas também ao surgimento, no domínio público, de uma forma muito diferente de perceber e entender a diversidade lingüística e cultural e sua relação com a "modernidade". Os antigos "usos e costumes" dos tempos coloniais voltavam agora na forma da "tradição" sacralizada, percebida, na sua diversidade e sabedoria, como parte integrante da *nação como ela é*. Embora Moçambique tenha continuado a ser pensada como uma nação a ser construída, ou "desenvolvida", como o mundo prefere dizer, essa construção deixou de depender da destruição do passado. Em vez disso, a nova nação moçambicana iria se desenvolver por meio da interação harmoniosa entre a "tradição" e a "modernidade". Tornou-se possível imaginar a nação moçambicana como uma projeção do presente para o futuro, e não como algo que só poderia ser realizado através da revolução e da total conversão dos seus membros a algo diferente.

Documentarei, agora, esse processo de mudança.

A Renamo foi formada imediatamente depois da independência de Moçambique, em 1975, por meio de uma aliança entre o serviço secreto da Rodésia e um grupo de dissidentes moçambicanos da Frelimo, da região fronteiriça entre os dois países, que falavam um dialeto chishona, o chindau. Sua função, de 1975 a 1980, foi a de sabotar os guerrilheiros zimbabuanos acampados no território moçambicano e transmitir informações sobre manobras militares. Com a independência do Zimbábue, a Renamo foi herdada pelas Forças de Defesa Sul-Africanas, que a utilizaram para ajudar a desestabilizar o regime socialista da Frelimo. A partir daquele momento, a Renamo recebeu apoio material e logístico da África do Sul, de algumas igrejas fundamentalistas norte-americanas interessadas em apoiar a "democracia" contra o "comunismo", e de cidadãos portugueses interessados em recuperar suas propriedades que tinham sido nacionalizadas pelo governo da Frelimo.

Naquele tempo, a Frelimo e seus seguidores afirmavam que a Renamo não tinha qualquer programa político a não ser a destruição do socialismo em Moçambique sob as ordens dos seus financiadores. Seus soldados eram descritos como "bandidos armados" sem qualquer apoio popular, que conseguiam novos recrutas, quase sempre meninos muito novos, capturando-os e obrigando-os a cometer atrocidades contra seus parentes mais próximos. Os depoimentos de dois estrangeiros, Robert Gersony (Gersony, 1988) e William Minter (Minter, 1994), confirmaram essa análise por meio de entrevistas com ex-soldados da Renamo que foram anistiados pelo governo.[8]

Em 1990, ano em que Moçambique adotou uma nova Constituição liberal, um manuscrito, de autoria do antropólogo Christian Geffray, circulou em Maputo, descrevendo e analisando a guerra no distrito de Erati,

---

[8]Quando sugeri ao próprio Minter que as afirmações dos ex-soldados da Renamo poderiam ter sido influenciadas pelo fato de se encontrarem em prisões da Frelimo no momento, e que eu não entendia como a guerrilha pôde dominar uma área geográfica tão grande sem qualquer apoio local, ele me olhou com suspeita. Naqueles tempos da guerra fria, qualquer crítica à Frelimo era interpretada como sinal de simpatia pelo capitalismo e pelo *apartheid*. O socialismo em Moçambique tornara-se um sistema de pensamento fechado, protegido pelas "elaborações secundárias" que Evans-Pritchard descreveu para os azande. As opiniões discordantes eram rejeitadas por meio da desqualificação das pessoas que as emitiam, considerando-as simpatizantes do *apartheid* e do capitalismo internacional, os "inimigos internos" do regime socialista da Frelimo.

na província de Nampula, ao Norte do país. Geffray voltara a Nampula, onde realizara trabalho de campo antropológico anteriormente, com o objetivo de escrever um estudo etnográfico da guerra. Nesse mesmo ano, o estudo foi publicado em Paris sob o título *La Cause des Armes au Moçambique: anthropologie d'une guerre civile* (Geffray, 1990).

O livro de Geffray afirmava que, ao contrário da versão oficial, grupos inteiros, sob a liderança dos anciões de linhagens específicas, deixaram espontaneamente áreas controladas pela Frelimo para unir-se à Renamo. Ele dizia que esses grupos eram precisamente os que foram excluídos tanto pelo estado colonial quanto pelo governo da Frelimo. A Renamo deu-lhes a oportunidade de usar armas e violência para se colocarem fora do controle do que ele chamava de "Estado Aldeião", referindo-se à política de destruir a organização política e residencial prévia para construir "aldeias comunais". Segundo Geffray, num sentido mais amplo a guerra alimentou-se também da exclusão das áreas rurais em favor das cidades, que, com "seus habitantes alfabetizados, educados e lusófilos, pertenciam à Frelimo" (Ibid., p. 120).

O impacto do livro de Geffray está no primeiro capítulo, que apresenta "a teoria dos chefes sobre as origens da guerra". O povo de Erati, afirmava, interpretou seu sofrimento como resultado da fúria dos ancestrais, que foram abandonados devido à proibição do "obscurantismo" pelo regime materialista. Geffray cita uma mulher idosa, Yamazuru, "descendente de linhagem nobre na região", que expressa esta teoria de modo eloqüente:

> Foram os *mapéwé* (chefes) que deram origem à comunidade, através da *epepa* (farinha de milho oferecida aos ancestrais) (...) Graças à *epepa*, cada chefe da linhagem *humu* tem permissão de se comunicar com os ancestrais do seu grupo, e a comunidade nunca sofreu desastres. Esta guerra que sofremos foi provocada pelos "contrários". Não podíamos fazer nada: não podíamos depositar a *epepa* nem ir aos lugares sagrados, porque tínhamos medo. Quando éramos pegos depositando a *epepa*, íamos presos.

Foi por isso que deixamos de depositar a *epepa*: para deixar que os donos (Frelimo) fizessem o que quisessem, para deixar os *akunha* (brancos) fazer o que bem entendessem. Deixamos de colocar a *epepa*, e por isso a guerra, quando chegou, não pediu permissão para entrar. A comunidade antes era protegida pela *epepa*. Por isso, quando a guerra chegou... em nossa comunidade ninguém pôde evitá-la.

Chegou de surpresa, porque tínhamos medo de ir aos lugares sagrados para rezar e evitar a guerra. Mas, se tivéssemos ido rezar nesses lugares e se as autoridades tivessem encontrado a *epepa* lá, teriam nos prendido. É por isso que a guerra veio e entrou em nossa terra violentamente, chegando ao nosso povo. A gente se dispersou. A guerra nos destruiu.

Aqueles que tinham *epepa* em casa, alguém veio e a queimou. Os *ekhavete* (tambores que simbolizam o poder dos chefes da linhagem) foram quebrados... Foram os soldados da Frelimo que o fizeram.

Quando a *epepa* estava em uma garrafa, quebravam a garrafa, e o pouco que sobrava eles nos faziam diluir em água e beber. Estas foram coisas muito ruins de acontecer, e por isso esta terra está arrasada.

Ficamos muito tristes, esperávamos o fim. Porque eles destruíram todas as nossas coisas, quebraram tudo, queimaram tudo, e a guerra chegou violentamente... (citada em Geffray, ibid., p. 27, 28).

Partindo deste impressionante depoimento, Geffray afirma que a Renamo conseguiu obter o apoio de um grande número de pessoas, em sua maioria do meio rural, pela simples razão de que era a única verdadeira alternativa ao partido/governo da Frelimo, cuja política de tentar criar o "Homem" socialista nas áreas rurais causou tanto sofrimento. Nas áreas da Renamo, foi instaurado um sistema de governo indireto, que tinha os chefes de linhagem como intermediários entre a guerrilha e o povo. Como nos tempos coloniais, os chefes eram responsáveis pelo bem-estar dos seus súditos, pela transmissão de ordens dos seus superiores e pela arrecadação de impostos, neste caso, alimentos para a guerrilha.

Tendo quebrado os tabus da "autoridade tradicional", que Geffray chama cuidadosamente de "chefes de linhagem", e da religião (a teoria local), *La Cause des Armes* também pôs em debate outro assunto tabu: a etnicidade. Geffray observou o "envolvimento muito especial dos grupos populacionais das regiões ndau na guerra e na direção do exército da Renamo". Geffray observa que os ndau:

> também foram excluídos na sociedade colonial (os portugueses temiam sua agressividade) e, (...), viram a independência acontecer com a sensação de não terem representação na nova estrutura de poder, continuando a ser excluídos no estado da Frelimo. Entretanto, (...), na região ndau, há uma casta de guerrilheiros que tinham esmagado as sociedades ancestrais locais na época da conquista nguni. (...) De fato, muitos deles foram recrutados para as unidades especiais de combate do exército colonial, devido à capacidade de luta que os portugueses lhes atribuíam. Acostumados à disciplina rigorosa e à vida militar de um exército moderno, estes guerrilheiros chegaram a constituir um dos núcleos em torno dos quais, a partir de 1977, a Renamo gradualmente se formou (Ibid., p. 117).

Alex Vines concorda com esta observação de Geffray, acrescentando que o "dialeto ndau" tornou-se a língua usada pela Renamo. Ele cita um oficial da Renamo, Constantino Ramos, que teve problemas "porque não falava ndau, somente shangaan. E quando eu falava português, diziam-me que eu estava desprezando as línguas nacionais" (Vines, 1991, p. 84).

La Cause des Armes tornou-se imediatamente uma espécie de divisor de águas para distinguir, de um lado, os defensores da teoria das "forças externas", em sua maioria "pés vermelhos" aflitos, que tinham dificuldade em aceitar as conclusões de Geffray de que as políticas da Frelimo não foram tão bem aceitas quanto os planejadores imaginaram, e, do outro lado, aqueles que concordavam que as "forças externas" constituíam uma condição necessária, mas não suficiente, para a guerra. O primeiro grupo argumentava que Geffray não dera suficiente importância às "forças externas" e que a situação de Erati não era típica do país inteiro. O segundo grupo, embora aplaudisse Geffray por ter produzido o primeiro estudo etnográfico da guerra, questionava sua análise, afirmando que ele "essencializara" a cultura tradicional, "uma forma ameaçada, mas praticamente intacta, de vida tradicional" (Dinnerman, 1994, p. 569), que ele aceitara de forma acrítica a distinção entre as populações urbanas e rurais ou que ele exagerara ou interpretara mal as políticas e ações da Frelimo (O'Laughlin, 1992; McGregor, 1998).

Talvez tenham razão, mas a importância do livro de Geffray vem do fato de que ele catalisou o debate e introduziu parâmetros até então ausentes do discurso público. Dois pontos são particularmente importantes neste sentido: primeiro, tornou-se possível reconhecer fatores "internos" na guerra, em particular a pouca popularidade das políticas da Frelimo, e, segundo, que o ataque à "tradição" por parte da Frelimo teve muito a ver com essa insatisfação. A interpretação de Yamazuru sobre as causas da guerra foi considerada respeitável e foi muito difundida. Invocar a ira ancestral como interpretação não tem nada a ver com a perpetuação de uma "cultura essencializada", nem nega as várias "razões práticas" que podem ter levado algumas pessoas a apoiar a Renamo, outras a Frelimo, e outras ainda os dois lados. Isto deve ser entendido como uma afirmação significativa da importância do poder e da autoridade ancestrais no Moçambique contemporâneo do pós-guerra, e da "legitimidade" da "tradição" — "reificada", "naturalizada" e "essencializada", como a tradição sempre é.

Depois do livro de Geffray, outros escritores começaram a apontar com mais freqüência a relação entre a guerra, a história e os ancestrais. A antropóloga Alcinda Honwana, por exemplo, sugeriu que a guerra também pode ter refletido rivalidades ancestrais entre os povos do sul que falavam shangaan e que compunham a maioria da liderança da Frelimo, e os povos das províncias centrais, de fala ndau, que formaram a liderança inicial da Renamo (Honwana, 2002). Os shangaanas tinham se aliado aos conquistadores nguni e os acompanharam na conquista das terras de língua ndau, ao norte. Honwana explica que o sistema cosmológico dos povos de fala shangaan atribui um poder particular aos espíritos ndau, sobretudo aos espíritos daqueles que morreram durante a ocupação das suas terras por Gungunhane no século XIX. E acreditavam que eles ajudavam a Renamo.

Não tenho dúvidas de que a maioria dos moçambicanos tinha consciência de que os ancestrais participavam de um lado ou de outro da guerra; isto é apenas uma questão de senso comum, em um contexto cultural no qual a relação entre o sofrimento e a ira ancestral é um axioma que não se questiona. O que eu quero enfatizar é que Geffray, Honwana e outros, como autoridades antropológicas, tiraram estas opiniões do âmbito privado para colocá-las no meio do debate público respeitável. Quebraram a regra do silêncio que tinha sido imposta pelos portugueses e endossada pelo socialismo científico.

O fato é que a oposição generalizada contra as políticas da Frelimo finalmente ganhou. O marxismo desapareceu como sistema analítico e inspiração política, e uma nova Constituição liberal foi proclamada em 1990. Depois disso, a Frelimo e a Renamo sentaram-se à mesa de negociações na Comunidade de Santo Egídio, em Roma, e firmaram, em 1992, um Acordo Geral de Paz, que previa eleições gerais para o ano seguinte (que na verdade foram realizadas em 1994). Para aflição daqueles que consideravam os membros da Renamo apenas "bandidos armados" sem qualquer plano de organização, a guerra terminou logo e a reconciliação nacional avançou rapidamente, mais em conseqüência da vontade do povo — muitas pessoas afirmam — do que dos esforços das Nações Unidas e das muitas organizações não-governamentais que surgiram com o processo de democratização.

Além disso, assim que a paz chegou, chegaram as chuvas também, confirmação inquestionável da teoria ancestral. Em todos os lugares pelos quais tenho viajado em Moçambique, só os ateus mais céticos e os protestantes militantes discordaram da crença geral de que a volta das chuvas e da fertilidade foram resultado do retorno da proteção dos ancestrais.[9]

Assim, o acontecimento decisivo da guerra entre a Renamo e a Frelimo provocou uma virada de quase 180 graus nas premissas universalistas na base da administração marxista da Frelimo. Resgatados do rótulo ignominioso de "obscurantismo", os ancestrais, os "conhecimentos tradicionais" e os "doutores tradicionais" começaram a adquirir uma qualidade quase redentora. O difundido sistema de interpretação do mundo, em que os espíritos dos mortos agem como protetores benignos dos seus descendentes ou como meios de vingança contra os descendentes daqueles que lhes fizeram mal durante suas vidas, sobreviveu às políticas assimilacionistas do governo colonial e à tentativa da Frelimo de eliminar o obscurantismo. É como se as pretensões universalistas de ambas as formas de poder externo tivessem finalmente sucumbido aos imperativos dos "usos e costumes" que elas tanto detestavam.

Em suma, a guerra civil em Moçambique, como um acontecimento crítico, anunciou não apenas o fim do socialismo e sua substituição pela "democracia" e a "economia de mercado"; ela resultou também no surgimento de sérias dúvidas sobre o valor dos velhos universalismos da "assimilação" e do "marxismo-leninismo" e na introdução dos imperativos discursivos da "diversidade" e do "multiculturalismo".

Não é uma coincidência que esta mudança de direção tenha ocorrido ao mesmo tempo que a dependência de Moçambique se transferiu do bloco soviético para a Europa Ocidental e os Estados Unidos. A "comunidade"

---

[9] Além disso, e este é um argumento que eu menciono com certa precaução, há evidências que sugerem que — pelo menos na região central do país — uma das razões para que a "reconciliação" tenha sido possível depois da guerra, sem uma Comissão de Reconciliação e Verdade ou qualquer outro mecanismo similar de expiação pública, foi o entendimento de que a justiça será feita não pelos tribunais e pelo sistema legal, mas pela ação dos ancestrais ofendidos contra os descendentes dos que lhes fizeram mal. Da mesma forma que as pessoas hoje estão expiando os crimes dos seus ancestrais patrilineares durante a ocupação nguni do Moçambique central, assume-se que as futuras gerações acabarão pagando o preço pelo assassinato e a pilhagem cometidos pelos combatentes da Renamo e da Frelimo.

de desenvolvimento internacional, desiludida com as antigas estratégias de modernização universalistas, orienta-se agora para o "desenvolvimento comunitário", o "desenvolvimento sustentável", a "participação", o "empoderamento", o "multiculturalismo", a "diversidade" e o "respeito pela tradição local", valores que têm emergido a partir dos conflitos raciais e étnicos em seus países de origem. Assim, a "tradição", que hoje se tornou legítima e ficou na moda, é, evidentemente, uma parte integrante da pós-modernidade de um bom número de intelectuais e de membros da "Comunidade de Desenvolvimento", que têm um papel central em Moçambique. Nos últimos anos, a "diversidade" e o "multiculturalismo" se tornaram valores supremos, no sentido de que é quase um dogma acreditar que a verdadeira excelência é impossível sem eles. Estas idéias, evidentemente, concordam com a crença, cada vez mais difundida pelo neoliberalismo, de que as estruturas do Estado devem ser reduzidas para permitir a descentralização e o aumento da autonomia das "comunidades locais". O novo foco na descentralização e na "tradição", portanto, não é difícil de ser financiado.

Neste contexto, é importante observar que a Primeira Conferência Nacional da Cultura, realizada em Maputo em julho de 1993, foi financiada por instituições empresariais e bancárias moçambicanas, juntamente com a Agência Norueguesa de Cooperação, a Autoridade Internacional de Desenvolvimento da Suécia, a Comunidade Econômica Européia, a Comissão Nacional para a Comemoração das Descobertas Portuguesas e a Missão de Cooperação Francesa. A Conferência discutiu sete temas: "Cultura, Identidade Cultural e a Construção da Nação Moçambicana", "Cultura e Desenvolvimento", "Contribuição das Instituições de Ensino e Pesquisa para o Desenvolvimento e a Promoção da Cultura", "Cultura e Relações Internacionais", "Cultura e Esportes", "O Papel das Artes", e "O Projeto Cultural Moçambicano". A Conferência marcou, pública e oficialmente, a nova direção "multicultural" do discurso político moçambicano. Em cada sessão, a cultura africana recebeu a importância devida. Citarei apenas um caso, aquele que diz respeito a um dos aspectos mais importantes das estratégias modernas de desenvolvimento no Moçambique rural: o do "desenvolvimento sustentável". Bernardo Ferraz, último ministro do Meio Ambiente, afirmou que uma das formas de alcançar o desenvolvimento sustentável seria por meio da:

> recuperação de valores ambientais comunitários que se perderam nos últimos anos. Isto poderia realizar-se através do fortalecimento das instituições tradicionais, sobretudo as reconhecidas pelas próprias comunidades. (...) É importante que os pesquisadores e outras forças econômicas e sociais comecem a produzir um inventário das manifestações culturais das diversas comunidades dispersas através do país, que possam contribuir positivamente para a administração sustentável dos nossos recursos limitados (Ferraz, 1993).

Suas opiniões foram ouvidas. Agora, com o apoio financeiro e moral da Fundação Ford, um pequeno grupo de pesquisadores da ala de pesquisa do Arpac (Arquivo do Patrimônio Cultural) do Ministério da Cultura, em Manica, está entrevistando homens e mulheres idosos da província, para documentar os conhecimentos locais sobre o meio ambiente, enquanto funcionários locais do Ministério da Agricultura definem um projeto de turismo ecológico junto com a "comunidade" local.

Quando estes projetos se concretizarem, terão o efeito de fortalecer mais ainda as idéias que os geraram. O poder infinitamente superior dos financiadores traz à tona um discurso mimético[10] por parte dos que seriam os beneficiários, e que consolida os novos dogmas de "desenvolvimento comunitário", acoplados aos conhecimentos e às instituições tradicionais. Embora meus amigos moçambicanos afirmem que estão fortemente comprometidos com estas idéias e critiquem seus antigos chefes comunistas

---

[10]Este conceito foi desenvolvido por Eduardo Guimarães de Carvalho, num estudo de um projeto de legalização da ocupação da terra em favelas do Rio de Janeiro. (Eduardo Guimarães de Carvalho, *O negócio da terra*: A questão fundiária e a justiça. *Série Universidade*. Rio de Janeiro, Editora da UFRJ, 1991.)

da Europa Oriental, não posso deixar de me perguntar se não estarão sob o feitiço de mais uma ideologia desenvolvimentista, que eles próprios ajudaram a criar e que agora se sentem obrigados a executar. E mesmo se eles estiverem manipulando cinicamente as últimas modas das fontes de financiamento de "projetos",[11] o efeito global é criar a ilusão de que os agentes do desenvolvimento e seus beneficiários trabalham a partir das mesmas premissas, na forma de "parceiros", como diria o jargão.

Mas eu não sou apenas um narrador externo destes eventos. Como funcionário da Fundação Ford, fiz parte do sistema que estou tentando descrever e entender.

Em 1990, tive uma reunião com o embaixador norte-americano em Maputo para me informar sobre o programa Usaid em Moçambique. Durante a discussão, o embaixador disse-me que o então ministro da Administração Estatal, Aguiar Mazula, estava interessado em considerar a possibilidade de reincorporar os chefes tradicionais às estruturas administrativas do governo. Ele achava que era o tipo de projeto que a Fundação Ford poderia apoiar, e pelo qual eu, como antropólogo, poderia me interessar.

No primeiro momento, senti-me bastante ofendido por ser classificado como "antropólogo", como se só eles pudessem se interessar pela "tradição". Mais tarde, porém, ficou claro, para meu pesar, que, em Moçambique, a "antropologia" tinha se tornado metonimicamente relacionada à celebração da diferença cultural e da "tradição". Mas não foram os antropólogos coloniais que efetivamente documentaram a diversidade étnica de Moçambique? Não foram eles que descreveram os "usos e costumes"? Por que eles não deveriam voltar agora como autoridades da nova celebração das comunidades locais e da sabedoria tradicional?

---

[11] A palavra "projeto" simboliza a disponibilidade de recursos externos. Durante meu trabalho de campo, no interior da província de Manica, eu e meu companheiro, um estudante moçambicano, éramos questionados constantemente sobre o nosso "projeto". Um olhar de triste descrença cobria os rostos dos nossos interlocutores quando respondíamos que não tínhamos projeto nenhum!

Segui os conselhos do embaixador e reuni-me com o ministro, com quem tive muitas discussões fascinantes nas quais ele revelou, com orgulho, seu conhecimento e respeito pela tradição. Ele estava convencido de que a Frelimo exagerara em sua guerra contra os costumes locais e, ao fazê-lo, alienara grande número de moçambicanos. Também acreditava que a Renamo obtivera muito apoio devido a sua defesa pública da tradição e seus apelos em favor da volta dos régulos. Afirmando que uma relação harmoniosa entre a administração do Estado e o que ele chamava de "autoridades tradicionais" era uma condição necessária para a paz e a estabilidade, ele se propôs realizar uma pesquisa abrangente dos seus papéis no período colonial, no período pós-independência e no presente. Dessa forma, esperava poder avaliar a viabilidade e a relevância de trazê-los de volta às estruturas administrativas do país.

O financiamento da Fundação Ford foi liberado e, mais tarde a Usaid contribuiu com mais recursos por intermédio do Africa-America Institute. A antropóloga Iraê Lundim, nascida no Brasil, foi designada para fazer a pesquisa. Ao formar sua equipe de pesquisa, não teve dificuldade em atrair seus jovens universitários, ansiosos por colaborar para a documentação da "tradição". Durante mais de dois anos a equipe de pesquisa viajou por todo o país, entrevistando antigos régulos, funcionários de distrito e outras pessoas. O relatório final revelou um desejo público muito difundido (e não apenas entre os próprios régulos) de se "restaurarem" as "autoridades tradicionais". Os pedidos específicos eram para que os chefes fossem responsáveis pelos julgamentos da justiça, pela arrecadação de impostos, pela intermediação com a administração e pela implementação das orientações do governo. Em troca, eles pediam salários, uniformes, moradia e o direito de içar a bandeira nacional, como nos tempos coloniais. Uma minuta de legislação foi redigida e apresentada ao Conselho de Ministros em 1996. Mas, no fim, os régulos não foram reintegrados formalmente, devido à oposição na cúpula da Frelimo, fato que discutirei mais tarde. Em vez de reconduzi-los, o Ministério os reconheceu informalmente, recomendando que os administradores de distrito e as autoridades locais em geral trabalhassem com eles o máximo possível no processo de tomada de decisões sobre o desenvolvimento e sobre questões relativas à posse da terra.

Desde aquela época, em muitos distritos, as "autoridades tradicionais" foram novamente incorporadas ao governo local, desempenhando um papel mediador, que fora um aspecto estrutural do governo indireto da África britânica, representando seu povo perante o governo e o governo perante o povo. Eles agora arrecadam impostos e julgam casos, sobretudo os que envolvem feitiços, nos quais sua experiência é necessária para avaliar a pertinência das acusações e exigir reparação dos malfeitores confirmados. Estes procedimentos judiciais são financiados por pagamentos feitos pelas partes envolvidas, mas, sobretudo, por aqueles que são considerados culpados.

Os administradores de distrito também têm estimulado a realização de cerimônias religiosas sob a direção dos chefes e de especialistas religiosos. Em 1996, em Bârue, por exemplo, o administrador do distrito ajudou na realização de um grande evento para comemorar a Revolta Bârue anticolonial, como parte de uma série de cerimônias oficiais em honra dos heróis esquecidos da resistência ao colonialismo. O administrador do distrito me falou de modo convincente do seu entusiasmo pelo evento e de como, pela primeira vez em sua vida, tinha aprendido sobre a "tradição". Ele foi avisado pelo governador com apenas um mês de antecedência. Convocou o médium de Makombe, que exigiu a construção de um novo barracão e que "remédios" (droga) fossem deixados à noite em um bambu cortado pela metade, fora do barracão. Se as pegadas de um leão aparecessem durante a noite, seria um sinal de que a cerimônia podia ser realizada. "Eu não as vi e não tinha uma máquina fotográfica, mas o importante é que eles disseram que viram as pegadas. Portanto, a cerimônia podia ser realizada." As mulheres de toda a região vieram para fazer cerveja de milho e duas reses foram sacrificadas. "Foi fascinante porque aprendi muitas coisas que eu não sabia." Os dignitários visitantes incluíram o governador de Tete, o governador zimbabuano de Manicaland, o ministro da Cultura e Marcelino dos Santos, um dos arquitetos do regime socialista. Eles só puderam entrar no apertado barracão depois de terem tirado os relógios, os sapatos e os óculos. O médium falou então, de modo bastante enfático, a favor da restauração das autoridades tradicionais, aproveitando a oportunidade para dar sua opinião sobre quem era legítimo e quem não era. A descrição do administrador do seu próprio envolvimento, junto com o de muitas das autoridades do governo, sugeriu uma espécie de catarse coletiva, ao prestarem homenagem, desprovidos dos símbolos da modernidade ocidental, aos médiuns dos espíritos locais, que eles próprios tinham banido oficialmente durante tantos anos.

Acho que a restauração das "autoridades tradicionais" mostra muito nitidamente as alianças que têm sido feitas entre o Estado, por um lado, e o financiamento e o apoio intelectual ocidentais, pelo outro, para a restauração da "tradição". Elas contribuem para a consolidação de um novo conceito da nação moçambicana, que é agora entendida como se estivesse se "desenvolvendo" por meio da celebração da sua "tradição" e da sua diversidade "étnica", e não de um esforço para erradicar os "usos e costumes". A mesma filosofia está por trás das políticas públicas em todos os âmbitos. O Ministério da Saúde tem desenvolvido uma série de projetos destinados às "parteiras tradicionais" e aos "médicos tradicionais", reunidos na Ametramo — Associação de Médicos Tradicionais de Moçambique. Na província de Manica, a instância local da Associação recebeu financiamento do Unicef para um projeto destinado a "curar as feridas da guerra", envolvendo "curandeiros tradicionais" que faziam limpezas rituais em pessoas que tivessem se envolvido em casos de violência extrema.[12]

A área da educação também não é imune ao ressurgimento da "tradição". Os pedagogos estão se interessando cada vez mais pelo ensino das

---

[12]Isto deve ser comparado ao financiamento concedido nos primeiros anos da guerra para que psicanalistas europeus e norte-americanos tratassem a "síndrome de transtorno pós-traumático", diagnosticado em muitos jovens obrigados a se incorporar ao exército da Renamo e forçados a cometer atrocidades contra seus parentes mais próximos. Estes especialistas rituais preferiam as técnicas de limpeza ocidentais de reviver o trauma inicial!

línguas locais. Durante o período colonial, e desde a independência, o português tem sido a língua oficial do país e tornou-se a língua franca, considerada por muitos intelectuais moçambicanos quase moçambicana. Foi tão grande a insistência para que o português substituísse as línguas locais, chamadas significativamente de dialetos pelos portugueses, que o sistema escolar ensinava unicamente na língua oficial. Meus amigos lembram, divertidos mas sem muito rancor, que as línguas locais eram suprimidas. Em muitas escolas, o primeiro aluno que fosse ouvido falando em "dialeto" recebia uma moeda. Ele só poderia passá-la a outra pessoa que ele ouvisse falando "dialeto", e assim por diante. No fim do dia, o pobre aluno que não tivesse conseguido passar a moeda adiante era castigado! A única exceção a esta regra geral durante o período colonial foram as poucas missões protestantes que tinham permissão de atuar em Moçambique, em particular a Missão Suíça, na qual o próprio Henri Junod viveu e trabalhou, e que ensinava aos estudantes a ler e escrever em shangaan.

Hoje, no entanto, tem surgido um novo interesse pelas línguas locais. O Núcleo de Línguas de Moçambique da universidade está produzindo material nas principais línguas,[13] enquanto o Instituto para o Desenvolvimento da Educação está realizando um projeto experimental de alfabetização para adultos, que ele espera estender futuramente às crianças, acreditando que elas deveriam primeiro aprender a ler e escrever em suas "línguas maternas" antes de aprender o português. Os modelos para este sistema são o Zimbábue e a África do Sul. Mais uma vez, a comunidade internacional de desenvolvimento é um forte aliado. A Suécia oferece fundos e experiência importantes. Durante minha pesquisa em Manica, conheci duas freiras que estavam escrevendo uma gramática em chindau, afirmando que era escandaloso o fato de que as pessoas não pudessem ler e escrever em sua própria língua. Curiosamente ou não, uma é quebequense e a outra, catalã!

---

[13] A definição do que é uma língua e do que é um dialeto é um campo político minado, pois afeta o orgulho local e a distribuição de recursos.

Mas é no campo religioso que tenho visto estas idéias mais claramente expressas e dramatizadas. A Igreja Católica, que foi severamente reprimida durante os primeiros anos da Frelimo, quando o governo apropriou-se de muitas igrejas e de todas as suas escolas e seminários, está agora passando por um processo de "inculturação". Arrependidos da sua associação passada com o colonialismo, muitos sacerdotes acreditam que a Igreja mereceu os maus-tratos recebidos nas mãos da Frelimo, que tiveram um efeito "purificador". Agora, ao se aproximar da "cultura" local, tentam se tornar mais "moçambicanos". Isto envolve uma ampla campanha para atrair mais moçambicanos para o sacerdócio e para introduzir mudanças teológicas e litúrgicas com o intuito de aproximar a Igreja da cultura moçambicana. Um jornal chamado *Rumo Novo* é publicado em Beira com a participação ativa de freiras brasileiras impregnadas da Teologia da Libertação. As inovações, até agora, incluem a realização de cerimônias de iniciação com um formato baseado nas obras antropológicas clássicas de Arnold van Gennep (Gennep, 1969) e Victor Turner (Turner, 1974) e mudanças no formato das missas. Na Catedral neogótica de Chimoio, construída na década de 1950, mulheres vestidas com *capulanas*, o vestido "tradicional" das mulheres em Moçambique, realizam, durante o ofertório, o que parecem ser danças tradicionais assexuadas, acompanhadas de percussão e cantos. No momento da consagração do pão e do vinho, uma mulher ulula e um homem bate palmas ao estilo da etiqueta padrão shona.

Mas é também no campo religioso que a oposição à "tradicionalização" de Moçambique manifesta-se mais claramente. Ao mesmo tempo em que a Igreja Católica desfruta um retorno considerável de adeptos, as igrejas protestantes, pentecostais e neopentecostais se multiplicam, sem falar das ramificações do movimento zionista sul-africano, que também se define como protestante. A atitude de todas estas igrejas é o extremo oposto da comunidade de desenvolvimento e da Igreja Católica, e lembra, inclusive, o antiobscurantismo fanático da Frelimo nos primeiros anos da independência. Para eles, a "tradição" é o Diabo em pessoa, e são feitos todos os esforços para "libertar" seus adeptos de qualquer contato com os ancestrais e outros espíritos, mas, sobretudo, com os adivinhos (*madzinganga*). No caso das igrejas zionistas, que no passado estiveram associadas à resistência contra a dominação colonial, fiquei surpreso de encontrar os mesmos sentimentos, ainda que os ancestrais irados (*mudzimu wakapfukwa*) sejam invocados durante as cerimônias para explicar as razões da sua ira, para, em seguida, serem enxotados dramaticamente pelo Espírito Santo. Mas, curiosamente, a "tradição" dos protestantes difere da dos intelectuais católicos e da comunidade de desenvolvimento como um todo. Estes últimos, como seus antecessores, escolheram os aspectos da tradição que eles podem admirar, particularmente, os ancestrais, os rituais de iniciação e os "conhecimentos tradicionais", ignorando aquilo que os portugueses proibiram, como as crenças e as acusações de feitiçaria. Os protestantes, entretanto, caracterizam a cosmologia tradicional como perigosamente perturbadora, pois é baseada no que eles descrevem como uma série interminável de acusações e contra-acusações de feitiçaria entre parentes e amigos. Eles comparam essa "tradição" à do cristianismo, na qual a ênfase está na solidariedade da "família cristã", protegida não pelos ancestrais, mas pelo Espírito Santo.[14]

Dir-se-ia que, pelo menos no campo religioso, os que são mais favoráveis à "tradição" são os que mais têm se afastado dela, aqueles que estão mais intimamente vinculados ao mundo global, com sua ideologia de multiculturalismo e "diversidade". Ao mesmo tempo, os que não tiveram esse privilégio desejam tê-lo.[15]

---

[14]Para meu grande embaraço, descobri que a rejeição a estes aspectos da "tradição" é tão forte quanto a admiração pela "civilização", da qual eu era visto como representante. Uma vez ou outra, ouvi narrativas autodepreciativas dos males da "tradição" e da sua admiração pelos "europeus", os quais, livres da feitiçaria e de ancestrais enraivecidos, podiam viver em paz, em harmonia e em cooperação.

[15]Lembrei-me de observações muito semelhantes feitas por David Lehmann sobre o Brasil: "O catolicismo basista mostra uma imagem idealizada da cultura popular, frente à qual seus ativistas e teóricos prostram-se de forma quase reverente: o resultado é que eles tentam, com muita freqüência, adquirir os hábitos e a linguagem desta cultura popular, para, segundo eles, aproximar a religião católica do povo e também para reformar o próprio catolicismo na direção do 'ponto de vista dos pobres'. (...) Os pentecostais, por sua parte, transcendem esta dialética: (...) em vez de adotarem uma atitude servil perante a cultura das classes populares, eles atacam muitos dos seus principais elementos, sobretudo os seus rituais" (Lehmann, 1996: 18).

Os protestantes não são os únicos a desejar a "modernidade" e a "civilização". De fato, enquanto os intelectuais se orgulham do seu apoio aos "médicos tradicionais" (que têm prosperado durante séculos sem financiamento externo!), a maioria das pessoas comuns que encontrei, tanto nas cidades como nas áreas rurais, preferem serviços de saúde mais profissionais e acessíveis, baseados no modelo biomédico. Os pais de crianças que estão na escola têm mais interesse em que seus filhos aprendam o português e, com mais freqüência, o inglês, do que as "línguas que eles já conhecem".[16]

Mas a oposição ao que, de forma pejorativa, se chama de "neotradicionalismo" não se limita aos protestantes e às pessoas que desejam os benefícios da educação. Ela vem também daqueles que acreditam firmemente que há uma contradição básica entre muitas práticas "tradicionais" e a "democracia" e os "direitos humanos". Estes argumentos vieram à tona muito explicitamente durante as discussões sobre a possível reinstauração das "autoridades tradicionais", em que quais muitos moçambicanos manifestaram sua preocupação a respeito do que acreditavam ser uma incompatibilidade entre a organização política e social "tradicional" e os princípios da democracia e dos direitos humanos. Entre eles, destaca-se o sociólogo, escritor, parlamentarista, soldado e ex-ministro da Frelimo Sérgio Vieira, que argumentou que a volta dos régulos introduziria uma instituição não-democrática e reproduziria o antigo sistema colonial de governo indireto.[17] Suas opiniões são compartilhadas pela hierarquia superior da Frelimo, razão pela qual os chefes não foram reconduzidos formalmente às suas antigas funções. Mas também são compartilhadas por muitos jovens que não querem ver seu processo de modernização amea-

---

[16]Não deixa de haver ironia no relato de um funcionário do governo, sobre uma reunião realizada na sua província natal, em que ele exaltou as virtudes da língua local. Quando terminou seu discurso, uma mulher levantou-se e perguntou ao visitante se tinha estudado. Quando ele respondeu que, de fato, tinha estudado para o seu doutorado, ela lhe perguntou em que língua ele escrevera a sua tese. O pobre homem teve de confessar que ele a escrevera em inglês.
[17]Sérgio Vieira, in *Notícias* (1997).

çado. A decisão do governo de conceder um reconhecimento informal, e não formal, aos régulos, pode, portanto, ser interpretada como uma forma politicamente aceitável de tentar satisfazer tanto os "neotradicionalistas" quanto os "universalistas". Como mostrei anteriormente, isto permitiu a manutenção de uma ordem formal estritamente democrática que não se opõe à atuação das "autoridades tradicionais" em atividades específicas.

De longe, o maior grupo de moçambicanos que se sentem confortáveis com a coexistência da "tradição" e da "modernidade" é o dos profissionais urbanos e dos intelectuais. Eles incorporam a "tradição" na sua análise de Moçambique, defendem seu "valor prático" no processo de desenvolvimento, e muitos deles estão pessoalmente envolvidos na fundação de um grande número de ONGs locais, geralmente chamadas "Os Amigos de Tal e Tal Lugar", por intermédio das quais tentam canalizar recursos para o desenvolvimento dos seus locais rurais de origem.

Ao mesmo tempo, porém, de modo algum deixaram de lado seu comprometimento com a vida cosmopolita e com a erudição. O Ministério da Educação já aprovou a reintrodução do francês e da filosofia no currículo do ensino secundário, para que seja novamente o que foi durante o período colonial. O português é a língua do lar da família desses intelectuais, e seus filhos são aconselhados a evitar as ruas para não terem *demasiada* familiaridade com as línguas locais. São transferidos de uma instituição de ensino para outra, a fim de adquirirem capital social e cultural cosmopolita, que ainda é valorizado por razões simbólicas e práticas. Ele os distingue socialmente e lhes dá as qualificações necessárias para obter empregos prestigiosos e lucrativos. Mas não são proibidos, como no passado, de falar as línguas locais. Pelo contrário. Os moçambicanos que não falam qualquer língua local começam a sentir esse fato não como sinal de um duvidoso prestígio social como no passado, mas como uma lacuna em seu desenvolvimento.

As mudanças na definição da nação moçambicana têm provocado mudanças nas noções do indivíduo moçambicano também. Na época do colonialismo, os africanos consideravam-se presos a uma trajetória que acabaria por convertê-los inevitavelmente em cidadãos portugueses plenos, deixando para trás seus "usos e costumes". Aqueles que se desviavam do caminho eram rebaixados ao "status de indígena". Não havia lugar para ambos. No governo da Frelimo, todos seriam transformados no Homem Novo socialista. Neste período de pós-guerra, o moçambicano idealizado pela elite urbana é, ao mesmo tempo, cosmopolita *e* local, abrigando nele estes dois componentes da nacionalidade moçambicana. Ele pode falar português e inglês e estar familiarizado com os conhecimentos e valores cosmopolitas. Mas também deve falar pelo menos uma das línguas locais (que não são mais chamadas de "dialetos") e participar de projetos destinados a desenvolver seus parentes rurais. Pode, também, homenagear seus ancestrais em plena luz do dia, e não na maneira clandestina que se tornara norma durante o período colonial e nos primeiros anos da independência. Além disso — e neste sentido tenho poucas evidências —, parece que um número crescente de intelectuais entende que sua base existencial mais profunda encontra-se "em casa". Talvez tenha sido sempre assim. A diferença é que agora este fato pode e deve ser reconhecido e celebrado publicamente.

De um modo ou de outro, os moçambicanos de regiões, níveis sociais e cores diferentes estão construindo uma sociedade na qual os dilemas criados pela confluência das idéias e exigências cosmopolitas e locais têm se tornado mais agudos e visíveis, em grande parte devido às mudanças violentas de ideologia e de práticas governamentais durante os últimos cem anos, que culminaram na pavorosa guerra entre a Renamo e a Frelimo. Não surpreende, portanto, que muitas das soluções que estão sendo testadas tenham sido experimentadas anteriormente, de uma forma ou outra, durante o colonialismo ou durante o estado marxista da Frelimo. É menos surpreendente ainda se considerarmos que as próprias representações do que significam a "civilização" e a "cultura africana" e a sua relação podem ter sido construídas por meio do processo histórico de colonização e do período pós-colonial. Mas a realidade das classificações sociais é que elas só passam a ser aceitas e aceitáveis quando se tornam "naturais". É por isso que elas são percebidas como distintas e também "essencializadas".

As idéias do general Smuts eram, ou se tornaram, "naturais" no contexto do Império Britânico, na medida em que elas adquiriram gradativamente o *status* de premissas implícitas, que acabaram dando origem às formas mais extremas de segregação racial no *apartheid* sul-africano e no Zimbábue colonial, onde as tentativas de uma "parceria", durante a efêmera Federação da Rodésia e Niassalândia, voltaram rapidamente à antiga e conhecida segregação. Essas idéias foram também fundamentais no nascimento do intenso chauvinismo étnico e racial que caracteriza o Zimbábue moderno, mas que é muito menos presente no Moçambique contemporâneo.[18]

Parece-me que o Zimbábue e a África do Sul, herdeiros da ordem colonial baseada na celebração da raça e da cultura, e Moçambique, que herdou as tradições de assimilação, primeiro da cultura portuguesa e depois do socialismo, enfrentam as questões do cosmopolitismo e do localismo a partir de pontos de vista radicalmente diferentes. Enquanto Moçambique caminha em direção a um interesse e uma preocupação crescentes com a "diversidade", a África do Sul caminha de modo muito experimental em direção à universalidade que a sua experiência colonial rejeitou de modo tão sistemático. Mas essa comparação pode se ampliar muito, pois na virada do século XXI o governo do Zimbábue, chefiado pelo presidente Robert Mugabe, continua com políticas inspiradas na crença de que há

---

[18]No Zimbábue, os estudantes universitários dividem-se em dois blocos, a "Nose Brigade" (Brigada do Nariz) minoritária, chamada assim porque, aparentemente, seus membros gostam de falar o inglês pelo nariz, e os SRBs — Strong Rural Background (Forte Origem Rural) —, cujos membros preferem falar nas línguas africanas locais, mantendo o inglês como uma espécie de código externo, utilizado na falta de melhor opção. Os primeiros são desprezados pelos segundos, da mesma forma que os britânicos desprezavam os "pseudo-europeus", enquanto os Brigadistas do Nariz não têm tempo a perder com os SRBs, que são vistos como desnecessariamente chauvinistas e "atrasados". Em 1992, uma jovem, que usava uma minissaia no *campus* universitário, foi atacada por um grupo de SRBs, que afirmava que "essa não é a nossa cultura". Ela foi defendida pelos Brigadistas do Nariz, que reconheceram seu direito de ser diferente. Na Universidade Eduardo Mondlane, em Maputo, não existe uma Brigada do Nariz, ou, talvez, o estabelecimento inteiro o seja! O único lugar onde podem ser ouvidas as línguas africanas é no Núcleo de Estudo das Línguas Moçambicanas!

uma diferença intransponível entre "brancos" e "negros", entre "europeus" e "africanos". A recente entrada de Moçambique na Commonwealth consolida os vínculos com seus países vizinhos. Mas também poderia aproximar Moçambique ainda mais das premissas multiculturais que podem ser vistas como os herdeiros legítimos do governo indireto e do estado bifurcado. Isto só pode fortalecer a tendência do retorno à "tradição". Duvido que a experiência moçambicana tenha ressonância no mundo de fala inglesa. Dada a fraqueza política e econômica de Moçambique em relação à África do Sul, ao Zimbábue e ao resto da Commonwealth, e dada a antiga arrogância britânica em relação à colonização portuguesa, herdada pelos habitantes da África pós-colonial anglófona,[19] é pouco provável que a celebração moçambicana do cosmopolitismo seja levada suficientemente a sério para servir de contraponto produtivo às premissas implícitas das antigas colônias britânicas e da própria Grã-Bretanha, onde a "devolução" de poderes a distritos longínquos e a "minorias étnicas" é a tendência atual.

Bibliografia

Anderson, P. *Portugal e o fim do ultracolonialismo*. Rio de Janeiro: Civilização Brasileira. 1966.

Buchan, J. *Prester John*. Harmondsworth: Penguin Books. 1956[1910].

Carvalho, E. G. D. *O negócio da terra: A questão fundiária e a justiça*. Rio de Janeiro: Editora da UFRJ. 1991 (*Série Universidade*).

Colaço, J. C. *Trabalho como política em Moçambique: Do período colonial ao regime socialista*. (Mestrado). Instituto de Filosofia e Ciências Sociais/PPGS, Universidade Federal do Rio de Janeiro, Rio de Janeiro, 1997.

---

[19]Em geral, os zimbabuanos e os sul-africanos têm uma imagem muito negativa de Moçambique como um país "subdesenvolvido".

Cronjé, G. *'n Tuiste vir die Nageslag: Die Bluwende Oplossing van Suid-Afrika se Rassevraagstukke*. Johannesburg: Publicité. 1945.

Das, V. *Critical Events An Anthropological Perspective on Contemporary India*. Delhi: Oxford University Press. 1996.

Dinerman, A. "In Search of Mozambique: The Imaginings of Christian Geffray in La Cause des Armes au Mozambique. Antropologie d'une Guerre Civile." *Journal of Southern African Studies*, v. 20, n. 4, p. 569-586. 1994.

Duffy, J. *A Question of Slavery*. Oxford: Clarendon Press. 1967.

Ferraz, B. *Cultura e meio ambiente*. Conferência Nacional sobre Cultura. Maputo, 1993. p.

Freitas, R. I. F. D. *Conquista da adesão das populações*. Serviço de Centralização e Coordenação de Informações. Lourenço Marques: 1965.

Fry, P. "Feijoada e Soul Food: notas sobre símbolos étnicos e nacionais." *Ensaios de Opinião*, v. 4. 1976.

Geffray, C. "Fragments d'un discours du pouvoir (1975-1985): du bon usage d'une méconnaissance scientifique." In: (org.). *Politique Africaine (idéologie)*. *1988*.

———. *La Cause des Armes au Mozambique: Anthropologie d'une Guerre Civile*. Nairobi/Paris: Credu-Karthala. 1990.

Gennep, A. V. *The Rites of Passage*. Chicago: The University of Chicago Press. 1969.

Gersony, R. *Summary of Mozambican Refugee Accounts of Principally Conflict-Related Experience in Mozambique: Report submitted to Ambassador Jonathan Moore and Dr. Chester A. Crocker*. Department of State, Bureau for Refugee Problems. Washington: 1988.

Gluckman, M. *Order and Rebellion in Tribal Africa*. Londres: Cohen & West. 1963.

Honwana, A. *Espírito vivos, tradições modernas: possessão de espíritos e reintegração social pós-guerra no sul de Moçambique*. Maputo: Promedia. 2002.

Lehmann, D. *Struggle for the Spirit: Religious Transformation and Popular Culture in Brazil and Latin America*. Cambridge: Polity Press. 1996.

Macagno, L. *Os paradoxos do assimilacionismo: "usos e costumes" do colonialismo português em Moçambique*. (Mestrado). Programa de Pós-Graduação em Sociologia, UFRJ, Rio Janeiro. 1996.

Mamdani, M. *Citizen and Subject Contemporary Africa and the Legacy of Late Colonialism*. Londres: James Curry. 1996.

Mcgregor, J. "Violence and Social Change in a Border Economy: War in the Maputo Hinterland, 1984-1992." *Journal of Southern African Studies*, v. 24, n. 1, p. 37-60. 1998.

Minter, W. *Apartheid's Contras: An Inquiry Into the Roots of War in Angola and Mozambique*. Londres: Zed Books. 1994.

O'laughlin, B. A base social da guerra em Moçambique. Análise de "A causa das armas em Moçambique", Antropologia de uma guerra Civil, de, C. Geffray. *Estudos Moçambicanos*. 1992.

Penvenne, J. 'We are all Portuguese!' Challenging the Political Economy of Assimilation: Lourenço Marques, 1870-1933". In: L. Vail (org.). *The Creation of Tribalism in Southern Africa*. London: James Curry, 1989. 'We are all Portuguese!' Challenging the Political Economy of Assimilation: Lourenço Marques, 1870-1933".

Ribeiro, F. R. *'Apartheid' and 'Democracia Racial': South Africa and Brazil in Contrast*. (Doutorado). Universiteit Utrecht, Utrecht, 1995. 155 p.

Roberts, A., org. *Tanzania Before 1900*. Seven Area Histories. Nairobi: East African Publishing House, Seven Area Historiesed. 1968.

Smuts, J. C. *Africa and Some World Problems, Including the Rhodes Memorial Lectures Delivered in Michaelman Term, 1029*. Oxford: Clarendon Press. 1929.

Spitzer, L. *Vidas no entremeio: assimilação e marginalização na Áustria, no Brasil na África Ocidental 1780-1945*. Rio de Janeiro: Eduerj. 2001.

Turner, V. *O processo ritual*. Petrópolis: Vozes. 1974.

Vieira, S. "O homem novo é um processo". *Tempo*: 12 p. 1978.

Vines, A. *Renamo: Terrorism in Mozambique*. Londres: Indiana University Press. 1991.

CAPÍTULO 2

Cecil Rhodes e a Demarcação da Rodésia[1]

[1]Resenha de Terence Ranger "Voices from the Rocks: Nature, Culture & History in the Matopos Hills of Zimbabwe Harare": Baobab, Bloomington & Indianapolis: Indiana University Press, Oxford: James Curry, publicado no *Times Literary Supplement*, nº 5.062, 2000.

Cecil John Rhodes foi enterrado em 1902 numa cova aberta no cume arredondado de granito nos Morros de Matopos, no sudoeste do Zimbábue. Se chegar até lá, você saberá o motivo: enormes pedras redondas estão espalhadas numa plataforma alta de rocha; de três lados o terreno desce para o planalto. A disposição das rochas produz uma impressão monumental. Os nativos chamam este lugar de Malindudzimu. Os colonos britânicos o chamam de Vista do Mundo (*World's View*). Foi o próprio Rhodes quem escolheu este lugar quando esteve lá pela primeira vez, em 1896, para negociar a paz com o povo Ndebele, que tinha se revoltado contra os brancos recém-chegados. O túmulo de Rhodes é marcado por um bloco retangular de bronze onde são escritas as palavras: "Aqui jazem os restos de Cecil John Rhodes." Não há referência a qualquer divindade. Rhodes, filho de um padre inglês da zona rural, tinha deixado de fazer reverência ao Deus dos seus antepassados havia algum tempo.

Em meados da década de 1960, ainda no período colonial, quando desenvolvi minha pesquisa de campo na Rodésia, ficava comovido pela ironia deste fato. Afinal, Rhodes era o herói da Rodésia branca, uma Rodésia que Ian Smith lutava para manter nas mãos dos brancos em nome do que ele chamava de "Padrões Cristãos Ocidentais Civilizados." Mas fiquei ainda mais tocado em 1992, doze anos após a independência do Zimbábue, quando, numa visita ao túmulo, encontrei um grupo de alunos negros, suas mães e professoras, todos com suas roupas de domingo, agrupados em atitude reverente em volta do bloco de bronze, exatamente como tinham feito os rodesianos brancos do passado colonial. Quando desci o morro, parei para comprar um refrigerante num botequim rural e perguntei ao balconista por que crianças negras iam ver a tumba de Rhodes. "Cecil Rhodes foi um grande homem." "Mas", perguntei, "os Africanos não tinham lutado uma guerra longa e sangrenta para se livrar da dominação branca?" "Sim", ele respondeu, "mas você deve entender que foi Cecil Rhodes que fundou este país!"

Evidentemente, o balconista tinha razão, no sentido de que foram de fato Rhodes e sua Companhia Britânica da África do Sul que demarcaram as fronteiras em volta de vários grupos culturais e políticos, incluindo-os, portanto, numa nova ordem política, no início Rodésia, e, desde 1980, Zimbábue. Sem Rhodes, não teria existido uma nação para os nativos reivindicarem como sendo deles.

Mas nem todos os zimbabuanos concordam com o balconista. Em 28 de agosto de 1998, o *South African Mail and Guardian*, um jornal "progressista" da África do Sul, publicou uma reportagem sobre uma discussão a respeito do significado do túmulo de Rhodes, provocada por um movimento na capital zimbabuana (Harare) chamado *Sangano Munhumutapa*. (Sangano significa encontro, enquanto Munhumutapa se refere ao império seiscentista africano do mesmo nome). O presidente do Sangano, Lawrence "Warlord" Chakaredza, guiado por um médium chamado Mathisa, exigia que os britânicos retirassem do Zimbábue os ossos, e o espírito, de Rhodes. Se não o fizessem, anunciou, ele os jogaria no Rio Zambeze. Ao mesmo tempo, ele reivindicou a restauração dos santuários do deus Mwali, também localizados nos Morros Matopos. A mediunidade é um aspecto importante da vida cultural e política do Zimbábue, e o animado debate que se seguiu revelou alguma coisa a respeito das diversas interpretações da história e também das divisões étnicas no Zimbábue.

"Muita gente em Bulawayo [a segunda maior cidade do Zimbábue, localizada perto do World's View]," escreveu o repórter do *Mail and Guardian*, "insiste que o período colonial faz parte da identidade do Zimbábue e que Rhodes faz parte do ambiente cultural." Um homem de Bulawayo afirmou que moradores de Harare simplesmente tinham ciúmes, pelo fato de que o santuário de Matopos fica perto de Bulawayo," uma referência à rivalidade entre as duas cidades, que, por sua vez, reflete a divisão política maior em Zimbábue entre os integrantes das duas comunidades lingüísticas principais, chishona em Harare e nos seus arredores, e sindebele, na região de Bulawayo. Faz apenas onze anos que dez mil "dissidentes", na maioria Ndebele, foram massacrados pela Quinta Brigada do Exército de Zimbábue. "A história não pode ser simplesmente posta debaixo do tapete", comentou um habitante de Bulawayo, acrescentando: "Vamos reconhecer as maldades do passado, aprender com elas e construir um futuro melhor." Na polêmica, os habitantes dos Morros Matopos ficaram divididos entre os que temiam perder a renda proporcionada pelos turistas e aqueles que gostariam de ver o fim do Parque Nacional para poderem voltar a arar a terra dos seus antepassados.

Voices from the Rocks mostra que os Morros Matopos têm sido o foco de uma intensa luta simbólica durante pelo menos cem anos, com escolas das missões cristãs construídas ao pé de cada santuário para Mwali, e com o túmulo de Cecil Rhodes permanecendo até hoje como símbolo da pretensão branca de capturar e incorporar o espírito da terra. Estes morros misteriosos, com seus vales fechados, têm sido o centro de dois grandes sistemas simbólicos, cada qual proclamando o seu mito da história sagrada dos Matopos.

Assim, afirma Ranger, não foi por acaso que Rhodes quis ser enterrado a apenas algumas centenas de metros de Entumbane, onde fica o túmulo de Mzilikazi, fundador da nação Ndebele. Mas os morros não são alvo apenas de contenda simbólica. Têm sido também uma arena para confrontos violentos de luta armada. Em 1896, eles foram bastiões para os regimentos do estado de Ndebele. Durante a década de 1970, abrigaram os dois exércitos nacionalistas que lutavam pela independência. Na década de 1980, testemunharam muitos confrontos entre "dissidentes" e forças governamentais. Assim, os Morros Matopos foram o centro nevrálgico tanto da Rodésia quando do Zimbábue, ou, como disse um dos interlocutores de Ranger: "São a fontanela da nação."

Este livro de Terence Ranger seria um estudo comparativo entre Matopos e o distrito de fala Chishona Makoni, que é o tema do seu *Peasant Consciousness and Guerrilla War in Zimbáu* (1985). Mas acabou sendo um estudo sobre os próprios morros ao longo dos últimos cem anos. Como tal, pode ser considerado mais como uma continuação do primeiro livro de Ranger, *Revolt in Southern Rhodesia, 1896-7* (1967), que conta a história das rebeliões Shona e Ndebele nos primeiros anos de colonização. É claro que obras de história podem nos revelar tanto sobre seus autores e seu contexto cultural e político quanto do passado em si. *Revolt in Southern Rhodesia*, que foi publicado em 1969, num período em que Ranger estava muito envolvido em ativismo político contra a dominação branca na então Rodésia do Sul, conta a história dramática do primeiro confronto armado por parte dos africanos recém-colonizados, que foram inspirados e organizados pelas vozes dos seus antepassados heróicos por intermédio de médiuns e das grutas nos Morros Matopos. O livro e seu autor rapidamente se tornaram símbolos de resistência ao governo colonial.

Assim como *Revolt in Southern Rhodesia* se concentrou na análise das complexas relações entre política e religião na cosmologia da rebelião e sua articulação militar, *Voices from the Rocks* examina as relações entre política, religião e guerra, do final da rebelião ao longo do período colonial e durante os primeiros vinte anos do Zimbábue pós-colonial. Mas *Voices from the Rocks* reflete um desapontamento bem maior com os rumos políticos e econômicos do Zimbábue pós-independência. Portanto, ao mesmo tempo, um relato eloqüente da resistência africana às políticas segregacionistas durante o período colonial, políticas estas que expulsaram os africanos das Fazendas Européias e dos Parques Nacionais, e uma crítica pungente aos novos donos do país.

Ranger acrescentou uma nova e importante dimensão a este estudo, ou seja, as discussões sobre a natureza da própria natureza. As vozes das rochas que Ranger ouviu incluem não só as dos sacerdotes dos santuários, missionários, políticos, administradores, fazendeiros e soldados, mas também as dos especialistas na preservação do meio ambiente. Os Morros Matopos adquirem *status* como *landscape* e Parque Nacional da maneira como foram percebidos pelo estado colonial. Os ambientalistas coloniais brancos proclamaram a autoridade da sua ciência para transformar os Morros em Parque Nacional e para expulsar os fazendeiros africanos com seus "métodos tradicionais perdulários". Como Ranger explica, eles queriam "salvar a natureza da humanidade africana". Hoje em dia, são os ambientalistas africanos que querem retirar os habitantes da única área que continuou sendo cultivada pelos africanos. A Área Comunal Matobo fica "em cima da faixa das áreas que especialistas em meio ambiente insistem em livrar de habitantes humanos".

O livro, então, entra num debate bem mais amplo, ficando do lado dos defensores de "desenvolvimento sustentável". E propõe uma certa acomodação com aquilo que eles definem como "tradição", em oposição aos defensores mais radicais da conservação *tout court*.

Por mais que *Revolt in Southern Rhodesia* e *Voices from the Rocks* reflitam mudanças em atitudes acadêmicas e em posições políticas ao longo dos últimos trinta anos, eles compartilham a mesma visão do mundo, uma empatia e um desejo de compreender aqueles que são vítimas do poder, do dinheiro e do Estado. Os livros também compartilham um método e um estilo. O uso constante de material de arquivo e um trabalho de campo "antropológico" formam a base para a construção de uma narrativa que é verossímil, mesmo que o autor seja o primeiro a concordar que a sua interpretação é apenas uma entre muitas interpretações possíveis. Para Ranger, a natureza é uma construção social, como também o são as figuras históricas que freqüentam sua narrativa, como o próprio Cecil John Rhodes. Rhodes foi firmemente invocado como aliado pelas organizações que surgiram entre os africanos nos Morros Matopos e em Bulawayo para se defenderem das expulsões perpetradas por um Estado cada vez mais segregacionista. A aliança com Rhodes foi baseada na lembrança do encontro com os Ndebele em 1896, quando viu pela primeira vez o lugar onde iria querer ser enterrado. Para garantir a paz e tirar os guerrilheiros africanos dos seus esconderijos nos Morros Matopos, Rhodes lhes prometeu um lugar para viver nas suas próprias terras, imensas áreas que ficavam adjacentes aos Morros, ao norte e a sudoeste. A identidade dos Ndebele foi até certo ponto construída através da resistência às expulsões, e esta resistência foi baseada na lembrança da aliança com Cecil Rhodes. Em 1946, C.S. Hlagbangana, presidente da Matabeleland Home Society, um dos primeiro movimentos africanos, disse aos peregrinos que iam ao túmulo de Mzilikazi: "Aqui nos Matopos, o destino providenciou um lugar para dois defensores da liberdade — C.J. Rhodes, que acreditava que a liberdade maior só era possível sob o domínio dos britânicos, e o rei Mzilikazi, que buscou aquela liberdade que lhe foi negada pelo rei Chaka [dos Zulus]. ... Nós ficamos [aqui] para sermos livres."

A demonização de Rhodes como construtor de impérios, como ícone do colonialismo foi, de fato, um acontecimento relativamente tardio no Zimbábue. Foi o crescimento do nacionalismo zimbabuano na década de 1950 que o demonizou na imaginação anticolonial. Em 1961, Robert Mugabe, presidente de Zimbábuedesde a sua independência, em 1980, disse em uma reunião que Cecil Rhodes tinha roubado o país dos africanos e que ele, Mugabe, pretendia exumar o corpo de Rhodes e mandá-lo para a Inglaterra. No mesmo período, outro grande líder político da época, Joshua Nkomo, comandou o processo de restauração do túmulo de Mzilikazi e também a retomada do interesse pelos santuários de Mwali. Estes, por sua vez, emprestaram-lhe a legitimidade que desejava ter. À medida que o protesto político evoluiu para uma guerra na década de 1970, os santuários e médiuns serviram para inspirar a luta armada, como tinham inspirado as rebeliões do século anterior. Mais tarde, a rivalidade entre os dois movimentos de libertação, a Zapu (Zimbabwe African People's Union) e a Zanu (Zimbabwe African National Union), que foram liderados respectivamente por Joshua Nkomo e Robert Mugabe, deu nova significação aos santuários. Os Morros Matopos foram mais uma vez dominados pelo terror quando a Quinta Brigada do governo da Zanu entrou em ação contra os "dissidentes" da Zapu. O santuário de Njelele foi invadido pelo exército, ação que foi considerada culpada pela seca continuada daqueles anos. Sitwayana Ncube, que reivindicava a condição de guardião do santuário, foi expulso pelos "dissidentes." Mas, com o passar do tempo, mostra Ranger, os santuários e seus guardiães fugiram de qualquer aliança, inclusive com Joshua Nkomo, e afirmaram sua autonomia em relação à política nacional. Refugiando-se nas controvérsias da política local, era como se eles tivessem perdido a esperança de uma redenção nacional.

Voices from the Rocks é a história de disputas pelo controle da terra e do poder entre indivíduos e grupos, e dos idiomas, no sentido mais amplo, nos quais estas disputas seriam (e são) conduzidas. Um dos mais importantes destes idiomas envolve, no Zimbábue como em muitos outros lugares da África, o poder dos mortos em relação aos vivos. Terence Ranger relata como ele próprio foi absorvido por esta cosmovisão. Escalando uma elevação nos Morros Matopos em 1996 com (felizmente) um amigo médico e sua mulher, Ranger sofreu um infarto. Mais tarde, na cama do hospital, ele refletiu sobre as causas da sua doença. Primeiro pensou que o infarto tivesse ocorrido longe demais do túmulo de Rhodes para ser a vingança do fundador da Rodésia. Ele também rejeitou a teoria de que a doença poderia ter sido causada por Mwali para punir mais um intruso, branco. Quando um sacerdote cristão visitou-o no hospital, disse-lhe que Deus não o estava punindo, mas apenas dando-lhe um aviso de que poderia fazer coisas ainda mais importantes com Ele do que sem Ele. Ranger concordou que esta era de fato a mensagem de Deus, "na sua manifestação de Mwali".

Ranger imediatamente abandonou tudo para escrever *Voices from the Rocks*, e é certamente apropriado dizer que, quando o lançou em Bulawayo em 1999, ele foi investido da regalia de um *induna* (guerreiro) Ndebele, enquanto o livro foi celebrado como um triunfo para Matabeleland. É um triunfo também para Ranger e para todos aqueles que se interessam por uma história cada vez mais matizada do encontro entre colonizadores e colonizados e suas seqüelas.

CAPÍTULO 3 O Espírito Santo contra o Feitiço e os Espíritos Revoltados: "civilização" e "tradição" em Moçambique[1]

[1]Publicado originalmente em *Mana*, vol. 6, nº 2, 2000.

Em pesquisa sobre a religiosidade na cidade de Chimoio, capital da província central de Manica, Moçambique, detectei forte movimento nas igrejas pentecostais, em particular, e protestantes, em geral, contra a feitiçaria e os espíritos malignos do que é chamado de "tradição africana".[2] Encontrei a expressão mais radical desse movimento em uma igreja zionista,[3] a Igreja Bethlehem de Moçambique, cujo líder, bispo John,[4] me apresentou uma interpretação poligenista do livro do *Gênesis*, postulando que Deus criou negros e brancos separadamente, condenando os primeiros a uma vida assolada pela ambição e pela inveja, manifestadas e postas em prática por meio do feitiço e da ação de "espíritos revoltados". A oposição entre "tradição" e "civilização" fundamenta uma reflexão sobre as causas do sofrimento humano, inclusive a recente guerra civil em Moçambique. A crítica à "tradição" está na base de uma teologia talhada para "libertar" os cristãos dos males da ambição e da inveja, que são as culpadas pelos infortúnios do país.

Evidentemente, os conceitos de "tradição" e "civilização" são categorias do pensamento social dos meus interlocutores, um tanto distantes da

[2] Agradeço à Fundação Ford e ao CNPq o financiamento desta pesquisa, ao Arquivo do Patrimônio Cultural de Moçambique, que me apoiou ao longo da minha estada em Chimoio, e aos muitos bispos, pastores, profetas e curandeiros, que gastaram seu tempo comigo de setembro de 1997 a janeiro de 1998. Agradeço também a oportunidade de discutir algumas destas idéias com Omar Thomaz e seus alunos no Cebrap. Evidentemente, eles não têm nenhuma responsabilidade pela minha análise.
[3] As igrejas denominadas zionistas surgiram na África do Sul a partir do início do século XX, com a chegada de um missionário americano da Igreja Cristã Apostólica em Zion, sediada em Chicago.
[4] Troquei os nomes dos personagens e das suas igrejas.

maneira como são utilizados por outros setores — os *bien pensants*, por assim dizer — da sociedade moçambicana. Para os intelectuais das organizações não-governamentais e setores importantes da Igreja Católica, por exemplo, a "tradição moçambicana" tem um valor positivo, algo que deve ser "respeitado" e "resgatado" da pressão da "globalização". Para eles, os homens e as mulheres adivinhos não são semeadores de discórdia e ódio por intermédio dos espíritos e da feitiçaria; eles são "médicos tradicionais", detentores de "conhecimento indígena". "Civilização" e "modernidade" são, neste contexto, termos que devem ser evitados, suspeitos de embutir etnocentrismos nocivos. No mundo social dos agentes do "desenvolvimento sustentável", o conceito de multiculturalismo reina como panacéia para a dramaticamente triste situação pós-colonial. Mas os sentidos desses conceitos também diferem dos sentidos a eles atribuídos pela sociologia clássica e pela teoria da modernização, por exemplo, nas quais aparecem carregados de valores nem sempre explicitados. Assim, por esta razão, neste ensaio esses termos serão banidos do meu vocabulário analítico. Meu intuito é entender sua atuação como base de uma crítica social.

Começo com a descrição de uma cerimônia religiosa promovida pela Igreja Bethlehem e as circunstâncias em que apareceu a exegese poligenista do livro do *Gênesis*. Em seguida, passo a arrolar os argumentos utilizados pelos meus interlocutores, cristãos e não-cristãos, para compreender a crítica à "tradição" em favor do Espírito Santo e da "civilização". Esses argumentos expressam uma crítica ao conceito da desigualdade social contida na cosmologia nativa, conceito baseado na crença de que a felicidade é um recurso limitado, e que um ganho para um indivíduo implica, necessariamente, um nível igual de sofrimento para outro. A família cristã é representada como um modo de vida que permite aos indivíduos um cotidiano e até o enriquecimento livres da cobiça dos outros e de acusações de feitiçaria. Termino meu ensaio retomando a questão dos limites do relativismo diante da persistência de crenças em racialismo e feitiçaria.

UMA CERIMÔNIA PARA TRATAR A INFERTILIDADE QUE REVELA UM MITO DE ORIGEM PRÉ-ADÂMICA E POLIGENISTA DO *HOMO SAPIENS SAPIENS*

Na sexta-feira, 26 de outubro de 1997, o bispo John convidou-me para participar de uma cerimônia na casa do senhor Manuel, dono de uma frota de vans que transporta passageiros entre Chimoio e a cidade de Beira, capital da província de Sofala, na costa do oceano Índico. A cerimônia era para resolver um problema muito sério com a mulher do dono das vans: casados havia mais de dez anos, ainda não tinham filhos. A causa do problema, explicou-me o bispo, era o "espírito revoltado" de uma pessoa que teria sido morta por um antepassado patrilinear de Manuel.[5] Espíritos zangados desse tipo voltam para afligir (*kupfuka*) os descendentes dos seus algozes até obterem uma retribuição, tradicionalmente recebendo uma mulher cujos filhos levarão o seu nome. A igreja do bispo John promete uma solução diferente para esse tipo de problema. A cerimônia, na qual será sacrificado um animal para o espírito vexado, o afastará para sempre.

Chego à casa do bispo, num bairro popular no lado norte da cidade, e em seguida saio com ele, sua mulher, o juiz da igreja — que é responsável pela ordem na instituição — e a esposa. Atravessamos o centro para chegar a um dos bairros mais imponentes da cidade, onde vivem estrangeiros que trabalham nas organizações não-governamentais e os moçambicanos considerados ricos. Lá pelas dez horas da noite, aproximamo-nos da casa imensa de Manuel e entramos por um portão de ferro. Fomos recebidos com entusiasmo e reverência, e convidados a entrar na sala onde eram servidos sanduíches e Coca-Cola. Sinal dos tempos, pois a fábrica de Coca-Cola do Chimoio abrira alguns meses antes, uma indicação tangível do fim da guerra civil que assolou o país de 1980 a 1992, e do socialismo também.[6]

---

[5]Nas províncias centrais de Manica e Sofala predomina um sistema de parentesco patrilinear.
[6]Logo depois da Independência, em 1975, Moçambique declarou-se um país de orientação marxista-leninista. Em seguida, o governo teve que enfrentar um exército de guerrilheiros, a Resistência Nacional Moçambicana, que, apoiada pela África do Sul, procurava desestablizar o regime moçambicano em nome da democracia e do capitalismo.

Fora da casa, a grande área de cimento se enche de gente da igreja, homens, mulheres e crianças. Os anciãos acomodam-se em cadeiras no fundo da área. O bispo senta-se no meio deles, tendo uma pequena mesa à sua frente. Sou instalado em um lugar de honra, entre o bispo e o juiz da igreja, responsável pela solução das desavenças entre os fiéis. À nossa direita sentam-se os outros homens, também em cadeiras, enquanto à nossa esquerda as mulheres se ajeitam em esteiras no chão. A maioria dos presentes veste-se com roupas comuns, salvo o bispo, que usa uma batina vermelha amarrada com um cordão, e algumas mulheres, entre elas as mulheres do bispo e do juiz, que usam panos verdes ou brancos na cabeça, com cruzes vermelhas na frente. No centro da ferradura humana, dois rapazes, em pé, tocam tambores pendurados nos seus pescoços. Os membros da igreja dançam em volta deles. No início, o ritmo cadenciado acompanha uma dança relaxada, quase um andar estilizado em volta dos tocadores. À medida que o ritmo se acelera, a dança suave torna-se mais acrobática e dionisíaca, os mais jovens pulando cada vez mais alto a cada rodada. A um sinal do bispo, os tambores silenciam, os participantes voltam aos seus lugares e começa a prece coletiva, cada um dirigindo suas palavras a Deus. De vez em quando, uma ou outra mulher estremece, sinal de iminente possessão pelo Espírito Santo. Quando tudo fica em silêncio novamente, um ancião da igreja se levanta e pede a leitura de um trecho da Bíblia, principalmente do Antigo Testamento, começando em seguida a exegese. Assim, ao longo da noite sucedem-se dança, canto, prece e pregação.

Lá pelas quatro horas, um punhado de areia é trazido e colocado no centro do espaço, em frente ao bispo, que, com seu bastão, forma sete partes, cada uma com uma cavidade. Ato contínuo, um bode enorme e fedorento é arrastado, contra a sua vontade, para o espaço entre o bispo e o altar de areia. O bispo convoca Manuel e pergunta o motivo da cerimônia. Manuel aparenta uma certa perplexidade e permanece mudo. Finalmente, balbucia apenas que está com "problemas". O bispo continua pregando e fala longamente sobre Elisabeth, que, apesar de velha, concebeu um filho. Assim, refere-se indiretamente ao "problema" de Manuel.

Nesse momento, os donos da casa são chamados para o centro, entre o altar e a mesa do bispo, onde seguram o bode pelos chifres. O bispo corta o pescoço do animal. Enquanto isso, um ancião lê o Levítico 3, 12, que descreve como deve ser sacrificado um bode:

> 12. Mas, se a sua oferta for uma cabra, perante o Senhor a oferecerá.
> 13. Porá a mão sobre a sua cabeça e a degolará diante da tenda da congregação. Então os filhos de Arão espargirão o seu sangue sobre o altar em redor.

Sinto-me transportado para dentro do Antigo Testamento, que parece uma etnografia da situação que observo. O bicho é suspenso sobre o altar de areia e o sangue respinga nos sete buracos previamente preparados. O restante do sangue é despejado numa bacia de plástico verde e misturado com água e sal. A dança continua e o canto também, tudo muito bem-humorado. Depois, o superintendente da igreja, auxiliar imediato do bispo, leva outra bacia com água, sal, cinzas e sangue. Passa de casa em casa em volta da área, lançando o líquido com a corda que tira da cintura. Enquanto isso, o bispo me explica que a corda na cintura espanta os maus espíritos, e é por isso que os padres a usam também. Quando chegamos à casa principal, uma senhora da igreja é dramaticamente possuída por um espírito, que, fico sabendo depois, é do bisavô de Manuel. Interpelado pelo bispo, o antepassado reclama que a casa está sendo muito maltratada por um espírito de *madzviti*, um soldado do regimento zulu que conquistou essa zona no século XIX sob o comando de Gungunhane, e que ele teria matado para ficar com sua mulher.[7] O bispo acalma o espírito e avisa que estão sendo tomadas as medidas necessárias para o seu apaziguamento.

---

[7] Durante o século XIX, o território de Moçambique foi invadido pelo guerreiro Shoshangane que, junto com outros zulus, desafetos do regime de Shaka, rumou para o norte. Gungunhane, neto de Shoshangane, expandiu o controle do seu império de Gaza até a atual província de Manica, estabelecendo a sua capital na atual vila de Espungabeira. Os chefes locais tornaram-se vassalos do imperador. Gungunhane foi preso pelos portugueses na batalha de Chaimite, em 1892, sendo em seguida deportado para as Ilhas dos Açores, onde morreu.

Em seguida, é preparado um fogo em cima do altar de areia e o leitor retoma o Levítico:

14. Depois trará dela a sua oferta, por oferta queimada ao Senhor, a gordura que cobre a fressura, sim, toda a gordura que está sobre ela.
15. Os dois rins e a gordura que está sobre eles, e a que está junto aos lombos, e o redenho que está sobre o fígado, juntamente com os rins, ele os trará.
16. O sacerdote queimará isso sobre o altar; é o alimento da oferta queimada, de cheiro suave. Toda a gordura será do Senhor.

O bispo segue os passos da receita bíblica e a fumaça sobe até o céu estrelado. Quando não há mais fumaça, o bispo cobre o restante do fogo com uma lata. O que sobra do bicho vai para as panelas, onde será cozido pelas mulheres e oferecido aos fiéis para compensar essa noite de tanto "trabalho".

No final da cerimônia, o sol já no céu, a família de Manuel instala-se em uma esteira diante da nossa mesa. Os vários anciãos passam atrás, colocando suas mãos nas cabeças de toda a família, falando baixo e tremendo. Uma mulher da casa responde à bênção com um forte tremor e cai possuída. Apesar da sua brava resistência, ela é levada para uma das extremidades da área onde o espírito zangado que a possui é mandado embora. Manuel chora e treme, balança sua cabeça como se ele próprio estivesse próximo ao transe, e balbucia "Jesus, Jesus...".

Nesse momento, o juiz vira-se em minha direção e peremptoriamente começa a falar sobre a diferença entre os brancos e os africanos. Ele opina que são os espíritos malignos o grande problema da África, e que a Europa não os tem. Disse eu que tinha. "Sim", ele retrucou, "mas são bastante mais fracos." Concordo. Ele continua me explicando que Deus tirou a razão e a inteligência dos africanos, mandado-as para a Europa e para os brancos, pois o Jardim do Éden estava de fato na África. "O nosso subsolo", ele fala, "é muito rico, mas não podemos ver. Deus tirou a nossa visão.

Estávamos bem, mas pecamos. Estamos a pagar os pecados dos antepassados." O juiz insiste na inferioridade dos negros apesar de todos os meus esforços para convencê-lo do contrário. Pergunta se um africano já tinha inventado algo como um avião, e, como prova do seu argumento, comenta que a volta dos portugueses é muito positiva, pois eles sabem gerir negócios. A fábrica têxtil, que após a Independência e durante a guerra civil tinha quase parado a sua produção, não estava funcionando novamente graças à volta do senhor Magalhães, seu antigo gerente português? Atribui todos os males da Moçambique pós-colonial ao fato de os portugueses terem sido "corridos" do país na época da Independência, em 1975. É inútil o meu esforço para apresentar outras explicações, como as secas terríveis e a guerra fratricida patrocinada pela África do Sul durante toda a década de 1980. Meu interlocutor mantém sua posição. Insiste em que a pobreza e a desorganização da África se devem à "tradição" africana: o ciúme, a inveja, a feitiçaria e os espíritos zangados. "Vocês se ajudam. Nós não conseguimos nos ajudar", são as suas palavras finais e definitivas.

Depois disso, os anciãos e eu fomos chamados para dentro da casa principal, onde a mesa está fartamente coberta de arroz, galinha assada e bode ensopado. Fico espantado com a quantidade de arroz que os meus amigos parecem querer comer. Eu aceito muito, mas mesmo assim comentam que é pouco. Tudo é regado a Coca-Cola. Depois, voltamos exaustos para nossas casas.

A EXEGESE DO BISPO

Alguns dias mais tarde, em visita à casa do bispo, perguntei-lhe mais detalhes sobre o que o juiz me dissera. Em primeiro lugar, ele confirmou que o Jardim do Éden ficava de fato na África. Leu o *Gênesis* 2.10-14 e disse que, dos quatro rios que saíam do Jardim, o Gihon é o rio Zambesi e o Tigirisi é o rio Limpopo. Tudo bem perto! Mas também afirmou, com um brilho nos olhos, que as diferenças entre negros e brancos estavam escritas no livro do *Gênesis*. Quando respondi que não me lembrava de nenhuma referência à cor das pessoas que Deus criou, o bispo me deu a sua Bíblia e me mandou ler do *Gênesis* 1.26 em diante:

27. Assim Deus criou o homem à sua imagem, à imagem de Deus o criou, macho e fêmea os criou.
28. Deus os abençoou e lhes disse: Frutificai e multiplicai-vos; enchei a terra, e sujeitai-a. Dominai sobre todos os peixes do mar; sobre todas as aves dos céus e sobre todos os animais que se arrastam sobre a terra.

E fui lendo até chegar aos versos 7 e 8 do segundo capítulo:

7. Formou o Senhor Deus o homem do pó da terra, e soprou-lhe nas narinas o fôlego da vida, e o homem tornou-se alma vivente.
8. Ora, plantou o Senhor Deus um jardim no Éden, ao oriente, e pôs ali o homem que tinha formado.

Quando cheguei ao *Gênesis* 2.22, em que Deus criou Eva da costela de Adão, o bispo ordenou que eu parasse e lançou-me um olhar triunfante. Mas tive de confessar que ainda não entendia o que ele estava tentando me mostrar. Mandou-me ler de novo. E de novo. Eu ainda não percebia. Finalmente, o bispo perguntou-me: "Então, Deus não criou os homens duas vezes? Não criou o homem (*Gênesis* 1.26) e depois criou Adão e Eva no Jardim do Éden (*Gênesis* 2.8 e 21-25)?". Apesar dos meus protestos sobre a falta de evidência, o bispo insistiu que os primeiros a serem criados foram os negros, enquanto Adão e Eva foram os primeiros brancos. Em seguida, perguntou-me quem era a serpente. Como não consegui responder, ele explicou, com a satisfação de quem domina a lógica e a verdade, que a serpente simbolizava os primeiros homens negros que sabiam muito bem se multiplicar. O homem negro levou uma criança no colo para mostrar a Eva. Ela, curiosa, quis saber como fazer uma coisa tão bonita. O homem negro/serpente ensinou-lhe. Em seguida, Eva ensinou a Adão e os dois foram expulsos do Jardim por um Deus furioso. O primeiro filho de Eva, Caim, fruto da sua primeira experiência sexual com um homem negro, nasceu, evidentemente, "misto", mulato. O segundo, Abel, branco. O primeiro era sovina e ofereceu um sacrifício pequeno a Deus (o bispo utilizou o termo "cerimônia" para evocar os ritos religiosos africanos contemporâneos), enquanto seu irmão Abel foi generoso. Deus favoreceu o segundo, que foi morto pelo irmão mulato por ciúme. Rejeitado e expulso pelos pais, Caim saiu para morar com os negros, parentes do seu genitor. Seus descendentes são os profetas. Em seguida nasceu Seth, que, mantendo relações sexuais com suas irmãs, tornou-se o antepassado de todos os brancos.

O mito relatado pelo bispo me foi transmitido como uma história verdadeira que torna inteligível a situação atual do mundo. Esse mito é, como diria Malinowski, uma "carta" que explica e legitima a ordem social vigente. Portanto, é como tal que devemos compreender a história que conta. Mas, como qualquer mito, a exegese do bispo é uma elaboração a respeito de um tema universal, ou seja, a relação entre a vida e a morte, entre os que morreram e os que vivem. Como tal, ela é construída sobre uma série de oposições binárias: Deus/homem, vida/morte, homem/mulher, branco/negro, forasteiro/autóctone, e assim por diante. A estrutura do mito transmite, portanto, mensagens não muito conscientes sobre a estruturação das vidas intelectual e social do seu narrador e de seus ouvintes. E, finalmente, como uma bricolagem de conceitos, relações e idéias que perpassam a longa duração das sociedades africanas em contato com as sociedades européias, a exegese excita curiosidades filogenéticas. Lançando mão de todas essas dimensões, espero poder entender pelo menos parte do seu significado genérico e da sua importância contemporânea.

O bispo revelou-se um poligenista de longa linhagem. No século XVI, Paracelso sugeriu que os indígenas das ilhas americanas descendiam "de outro Adão," enquanto Giordano Bruno "atribuiu ao gênero humano três grandes antepassados, Enoque, Leviatã e Adão, sendo este último o procriador apenas dos judeus, que assim se tornaram o grupo humano, a 'raça' mais jovem" (Poliakov 1974:106). No século XVII, o defensor da teoria pré-adâmica foi La Preyère, que Poliakov descreve como um cripto-judeu francês que em 1655 publicou *Systema Theologicum ex Preadami-taram Hypotesi*, afirmando que os brancos eram descendentes de Adão, mas que as outras "raças" tinham uma origem anterior a Adão. De acordo com Poliakov, o livro causou sensação e ganhou adeptos. La Preyère foi preso por suas opiniões heréticas e confessou seu erro, tendo declarado: "Um católico que compreende a necessidade de seguir a opinião geral dos santos padres evita o perigo de se perder." (Cohen 1980:12)

Mas a exegese bíblica do bispo introduz inovações importantes em relação à versão de La Preyère. Para começar, os primeiros habitantes do mundo são os negros, criados para "se multiplicar." Os primeiros bran-cos, Adão e Eva, são assexuados. Desta forma, a história do bispo reitera as velhas e batidas representações coloniais sobre a "lascívia sexual" dos africanos em contraste com o controle sobre o sexualidade que seria uma suposta característica dos seus colonizadores. Mas, na história do bispo, são os negros sexuados a fonte da perda da inocência de Eva. Os negros, detentores do conhecimento sobre sexo, em aliança (literalmente) com a primeira mulher branca (é ela quem faz a mediação entre os autóctones e os forasteiros), são também causa da ira de Deus e da expulsão dos bran-cos do Jardim do Éden, que, como vimos, se situava na África austral. Fica implícito que são esses mesmos brancos que muito tempo depois irão voltar ao seu lugar de origem para dominar os homens primitivos por meio de sua técnica e sua organização social superiores.[8]

---

[8]Há nisso uma ironia profunda, pois os antropólogos físicos de hoje defendem a tese de que o *homo sapiens sapiens* de fato se originou na África, alguns milhares de quilômetros ao norte da Moçambique atual, e que um pequeno grupo rumou para o norte. Lá, livres das doenças tropicais que evoluíram junto com os primeiros homens e abençoados por um ambiente mais propício, desenvolveram técnicas e formas de organização social que fizeram com que, milha-res de anos mais tarde, pudessem voltar para dominar os descendentes daqueles que ficaram na África (Reader, 1998). Voltando ao mito, pode-se especular que a expulsão do Jardim de Éden é resultado do conhecimento do sexo oriundo dos negros, o que fará com que os bran-cos possam finalmente voltar para se vingar das causas primordiais de terem caído em pecado.

Mas o mito contado pelo bispo contém ainda outro elemento inovador em relação aos pré-adâmicos europeus: a paternidade de Caim que, sendo o primeiro filho de Eva com a "serpente" negra, é de cor "mista". Adão é o seu *pater*, mas não o seu genitor. São os mulatos que carregam a maldição de Caim e também a proteção de Deus, pois sobrevivem e são da linhagem dos profetas. É tentador reconhecer nessa parte do mito a ambivalência que caracteriza as representações sobre os "mistos" na atualidade em Moçambique. "Assimilados" à cultura dos seus pais brancos, não deixam de ser vistos como marcados pela herança materna africana, homens e mulheres intersticiais das duas "culturas" e das duas "raças". Sua ambivalência ou ambigüidade coloca-os simbolicamente em um lugar adequado para os poderes mágicos e a profecia, como também no lugar da trapaça e da malandragem do seu suposto antepassado Caim.[9]

O discurso poligenista do bispo zionista sugere uma predestinação racial inexorável e, portanto, sem remédio. Na sua prática social, porém, o bispo é um fervoroso anti-racista e várias vezes caracterizou o protestantismo como um protesto contra o racismo da Igreja Católica no período colonial, quando manteve os negros em posição subordinada, sem acesso aos textos sagrados. Penso, portanto, que a sua versão do *Gênesis* deve ser entendida apenas como uma versão particularmente radical da crítica social à inveja e à ambição desenfreadas manifestadas na suposta prática da feitiçaria.

A EXTENSÃO SOCIAL DO MITO

Durante minha permanência na África, acostumei-me a ouvir brancos expressarem os seus pontos de vista sobre as supostas diferenças entre eles

---

[9]É interessante especular sobre a relação entre o mulato, intermediário entre os pólos branco e negro, e a profecia. De fato, não encontrei nenhuma outra referência a esta relação durante a pesquisa, mas mesmo assim é tentador imaginar uma relação entre essa categoria intersticial e os poderes mágicos, relação bastante presente na literatura antropológica (Douglas, 1966; Turner, 1970).

e os negros. Na África do Sul, a Igreja Holandesa Reformada contribuiu para a ideologia do *apartheid* com um outro mito bíblico, o da maldição de Cam. De acordo com a exegese de Edmund Leach no seu já clássico ensaio *Genesis as Myth* (Leach, 1969), Cam foi amaldiçoado por seu pai, Noé, quando ele descobriu que este seu filho mantivera relações sexuais com ele enquanto dormia após uma bebedeira. O negro Cam e seus descendentes foram condenados a serem sempre os servos dos descendentes dos seus irmãos brancos, Jafé e Sem.[10] Esta foi a primeira vez, porém, que ouvi um mito bíblico enunciado por um africano negro. Mas não foi a primeira vez que ouvira outras comparações entre negros e brancos idênticas às que ouvira com regularidade dos brancos do *apartheid* na África do Sul e da segregação rodesiana. Por várias vezes, durante as minhas estadas em Moçambique, fui testemunha de comentários do tipo "nós, negros, não prestamos". Por mais que argumentasse no sentido contrário, muitos interlocutores insistiam em que os brancos não eram dominados pela bruxaria, pela feitiçaria e pelos curandeiros. Enquanto os brancos ajudavam uns aos outros, alegavam, os negros, consumidos pela ambição e pela inveja, se destruíam mutuamente com as armas materiais e/ou espirituais à sua disposição.

Evidentemente, este ponto de vista não é generalizado em Moçambique nem uniforme no campo religioso propriamente dito, e por isso, antes de prosseguir, acho que é necessária uma breve pincelada sobre esse campo, resumindo o que já mencionei em artigo anterior (Fry, 1998b).

No centro da cidade de Chimoio, na "cidade de cimento", há dois edifícios religiosos imponentes: a catedral católica em estilo neogótico suburbano, perto da sede do governo e dos bancos, e uma mesquita enorme com quatro minaretes em verde e branco, na zona mais comercial. Faz sentido. O catolicismo era a religião oficial do Estado antes da Independência, enquanto o islamismo era, e continua sendo, a religião dos des-

---

[10]Este mito também sustentava a naturalidade dos estamentos do velho regime francês, sendo Cam o antepassado dos servos; Jafé, dos nobres; e Sem, dos burocratas (Cohen, 1980:11).

cendentes de indianos, a maioria comerciantes.[11] Nos "bairros", ou seja, nas zonas que se espalham a partir da cidade de cimento em infinitas ruelas de chão batido, entre casas de construção "tradicional" na sua maior parte, encontra-se uma quantidade enorme de pequenas igrejas e mesquitas de vários tamanhos, estilos e nomes. O Departamento de Assuntos Religiosos do Ministério do Interior forneceu-me uma lista com 84 igrejas formalmente registradas, mas o número é, obviamente, bem maior. No cinema da cidade instalou-se a brasileira Deus é Amor. Invisíveis são os incontáveis "curandeiros" e "profetas" que, à exceção do escritório da Associação dos Médicos Tradicionais de Moçambique, preferem não se exibir publicamente.

No campo religioso distingue-se primeiro quem "reza" e quem "não reza". Estes são considerados os que continuam no mundo da "tradição" dos "curandeiros" (*madzinganga*), embora deva ser dito que, na prática, a linha divisória não parece tão clara assim. Entre os que rezam há uma divisão fundamental entre cristãos e muçulmanos. São mundos à parte e estranhos entre si.

Entre os cristãos, distingue-se, primordialmente, os "católicos" dos "protestantes". Entre os protestantes há três categorias básicas: os "históricos", como os anglicanos e metodistas, para os quais o Espírito Santo não se manifesta; os pentecostais, para os quais o Espírito Santo apenas se manifesta; e os "espiritualistas", que acreditam que o Espírito Santo se manifesta e "profetiza". É nesta última categoria que se encontram os zionistas da Igreja Bethlehem de Moçambique. Os *mazione*, como são chamados na região, são os descendentes de um movimento religioso que surgiu na África do Sul no início do século XX, com a chegada de um missionário americano da Igreja Cristã Apostólica em Zion, sediada em Chicago. Milenarista nas suas origens, com ênfase na cura por meio do exorcismo, o movimento zionista proliferou entre os trabalhadores negros

---

[11]Nas províncias de Niassa, Cabo Delgado e Zambézia, que durante séculos tiveram contato com os comerciantes árabes, o islamismo é a religião da maioria da população.

da África do Sul por um processo de sucessivas divisões que resultaram na formação de múltiplas igrejas autônomas. Trabalhadores migrantes moçambicanos, ao voltarem ao seu país, introduziram o movimento em Moçambique. Embora antitradicionalista, no sentido de combater os males da feitiçaria de hoje e de ontem, ele é considerado pelas outras igrejas como o que mais incorporou elementos religiosos "tradicionais", como o uso de tambores, a dança e a profecia através da possessão.[12]

Levando em conta essas categorias mais amplas, cada igreja se define em relação às outras por uma série de sinais diacríticos constituídos por sua "disciplina" (*murairo*), que se refere basicamente a regras sartoriais e àquelas concernentes à alimentação, ao casamento e à medicina. Pertencer a uma igreja implica, principalmente, obedecer a essas regras. A "dureza" da disciplina aumenta com a distância da Igreja Católica, que é vista como a mais tolerante de todas. Mas o rigor da disciplina também aumenta entre os protestantes, dos "históricos" para os mais "espiritualistas". Vi um ou outro metodista bebendo cerveja, por exemplo. Mas os pentecostais, como no Brasil, evitam bebida, tabaco, espetáculos etc. Os "espiritualistas", como os zionistas, bastante orientados pelo Antigo Testamento, acrescentam também as proibições do Levítico, próprias dos judeus e muçulmanos. John reconhece que a disciplina da sua igreja é muito dura, o que afugenta os crentes menos perseverantes.

É importante frisar que a diferenciação religiosa em Chimoio corresponde aproximadamente à diferenciação socioeconômica da população. A Igreja Católica é associada ao *establishment*,[13] as igrejas protestantes históricas, a pessoas mais letradas e bem-sucedidas economicamente, enquanto as igrejas espiritualistas parecem recrutar seus membros entre as pessoas mais pobres e menos instruídas.

---

[12]Um padre católico questionou a condição de cristãos dos *mazione*.

[13]O que não quer dizer que todos os seus participantes sejam da elite, antes pelo contrário. A Igreja Católica é muito católica neste sentido, agregando, mais que todas as outras igrejas, pessoas de todos os segmentos sociais.

A racialização das diferenças culturais, dramatizada no mito de origem enunciado pelo bispo zionista, era mais acentuada nas igrejas protestantes "espiritualistas" do que nas igrejas que mais se aproximavam do *mainstream* evangélico. Nestas, como certas Assembléias de Deus, por exemplo, a ênfase recai na cultura. Os pastores dessas igrejas criticavam não os "negros" ou "africanos" em si, mas "os nossos usos e costumes" ou a "tradição africana". Ao falar em "tradição", referiam-se à feitiçaria e aos curandeiros.

Vale aqui lembrar que a posição crítica em relação aos curandeiros coloca todas as igrejas protestantes em contraste com a Igreja Católica, que é acusada de simplesmente tolerar (ignorar) tudo que acontece fora dos seus muros. De fato, os intelectuais sucessores da teologia da libertação cultivam ativamente a "tradição africana", por meio da noção de "inculturação", em forte contraste com o rigor de certos setores da Igreja no período colonial, como os franciscanos, por exemplo. Essa "tradição africana", ao contrário da "tradição" dos pentecostais, ignora a feitiçaria em favor dos rituais de solidariedade, como ritos de passagem, o conhecimento da natureza e expressões artísticas, como dança e música.

A crítica à "tradição africana" encontra-se, portanto, mais explícita nas igrejas pentecostais, que em anos recentes têm proliferado exponencialmente na África Austral em geral e em Moçambique em particular. Portanto, compreender o significado da crítica à tradição implica entender o imenso apelo das igrejas pentecostais de todos os matizes em Chimoio.

O desafio, portanto — e aqui me vejo inspirado pelo livro recente de Clara Mafra (Mafra, 2002) —, é achar interpretações que levem em consideração o alastramento global das igrejas pentecostais e sua ressonância especial em cada local específico. Meu argumento é baseado naqueles dos próprios moçambicanos que, membros ou não de uma ou outra igreja cristã ou seguidores do islamismo, refletem constantemente sobre o fenômeno do crescimento das igrejas protestantes, principalmente os pentecostais e os neopentecostais. Minha tarefa é "traduzir" a própria reflexão moçambicana para uma linguagem mais ou menos condizente com a tradição da antropologia e acrescentar dados para ressaltar ou questionar a plausibilidade de cada uma dessas interpretações.

Elas são de três tipos. A primeira, que chamo de "funcionalista", atribui a força das igrejas à necessidade que a população sente de viver em "comunidade" após a desintegração social provocada pela guerra civil. A segunda, a "manipuladora", atribui o sucesso das igrejas à esperteza e ambição política e econômica dos pastores e bispos. A terceira interpretação é estritamente teológica e parte de dentro do campo protestante. Afirma que o Espírito Santo é mais poderoso que todos os outros espíritos e que somente ele pode aliviar de modo eficaz e permanente o sofrimento humano.

A INTERPRETAÇÃO FUNCIONALISTA

O crescimento das igrejas protestantes e pentecostais é interpretado aqui como uma resposta à necessidade dos agentes sociais de construírem redes de solidariedade e de se agarrarem a valores novos para enfrentar a desintegração ocasionada pela guerra civil, que só terminou em 1992.

A intenção da política socialista do governo da Frente para a Libertação de Moçambique (Frelimo) a partir da Independência, em 1975, foi modernizar o país num período de dez anos. Isto seria feito mediante a nacionalização dos meios de produção e, nas áreas rurais de economia de subsistência, pela construção de "aldeias comunais". Ao mesmo tempo, lançou-se uma acirrada campanha contra o capitalismo, o colonialismo e a "tradição". Os chefes tradicionais foram substituídos por jovens membros do partido organizados em Grupos Dinamizadores. Os curandeiros eram reprimidos como expoentes do "obscurantismo". Obscurantistas eram também os cristãos e muçulmanos, que, embora tolerados, sofreram muitas restrições à sua liberdade de ação.[14] Em princípio, cristãos praticantes não poderiam ser membros do Partido da Frelimo, o que os afastou do acesso ao poder e das benesses do regime socialista. Embora seja fácil exagerar o efeito concreto dessas políticas na vida social, não há dúvida de que elas tiveram um impacto tão grande quanto as dos colonialistas que os antecederam. Elas também foram centradas na "conversão" dos africanos à cultura européia por meio de uma política de assimilação, mas, ao reconhecerem que esse processo seria longo, seus idealizadores se conformaram efetivamente com o que chamaram de "usos e costumes" africanos, que tiveram que tolerar em nome da governança possível.

A ideologia e a prática da Frelimo procuravam solapar as instituições "tradicionais" no sentido de criar um "homem novo" em uma sociedade nova. Tiveram, contudo, pouco tempo para provar sua eficácia, pois logo em seguida à Independência, um movimento guerrilheiro, a Resistência Nacional Moçambicana (Renamo), iniciou uma brutal guerra de guerrilha contra o governo da Frelimo. Formada por um grupo de dissidentes da Frelimo e apoiada pelo governo racista de Ian Smith na Rodésia, a Renamo começou sua carreira sabotando a luta pela libertação do Zimbábue. Quando a Rodésia se tornou Zimbábue em 1980, a Renamo foi "herdada" pelas forças de segurança da África do Sul, que viam nela o caminho mais rápido para a destruição do governo da Frelimo. Nessa época de guerra fria, a Renamo procurou legitimar suas atividades afirmando atuar em nome da democracia. Como vimos no capítulo 1, até o final da década de 1980, a guerra tinha tomado conta de quase todas as zonas rurais de

---

[14]São fortes as evidências de que há uma diferença significativa entre o tratamento dado aos católicos e aquele dispensado aos protestantes e muçulmanos. Os primeiros foram mais expostos a toda sorte de perseguições e coações por serem considerados representantes do colonialismo e nunca terem feito o *mea culpa* desejado por Samora Machel. Omar Thomaz (comunicação pessoal) confirma esta diferença baseando-se não apenas nos relatos que recolheu entre católicos, mas também nos documentos do Partido da Frelimo (Encontros de 1978, 1982 e 1987) sobre as religiões de Moçambique.

Moçambique, trazendo morte e destruição e forçando milhões de moçambicanos a abandonarem as suas residências.

No dia em que foi assinado o acordo de paz de Roma, em outubro de 1992, a guerra cessou por completo. Com o fim das hostilidades, o processo de reconciliação entre as partes foi rápido e bem-sucedido, surpreendendo até os mais otimistas. Milhares de refugiados retornaram a suas aldeias, a atividade econômica foi retomada, as missões católicas voltaram a funcionar e as igrejas protestantes começaram a proliferar. É nessa relação entre a paz e a vitalidade da vida religiosa que os "funcionalistas" baseiam seus argumentos. A ruptura dos laços de parentesco e das instituições "tradicionais" de ajuda mútua teria produzido a necessidade de estabelecer valores e instituições sociais alternativos.

Outro argumento dos funcionalistas, elaborado sobretudo por antigos frelimistas, é que a inadequação dos serviços de saúde e a predominância da miséria generalizada, exacerbada pela política neoliberal do governo pós-socialista, produzem a "necessidade" de se procurarem formas alternativas de cura e de resolução de problemas.

A MANIPULAÇÃO

A interpretação mais cínica da expansão das igrejas protestantes é que ela se deve à manipulação inescrupulosa, por parte de pastores e bispos, de uma população "ignorante" e facilmente iludível. Ela se origina, principalmente, dentro da Igreja Católica, de alguns quadros da Frelimo e de algumas lideranças muçulmanas, ainda não conformados com a derrota do "socialismo científico" e do seu monopólio sobre o pensamento correto. Não são apenas os não-pentecostais que atribuem a alguns pastores e bispos uma cínica manipulação; dentro do pentecostalismo não faltam acusações mútuas de manipulação religiosa para fins escusos.

EFICÁCIA COSMOLÓGICA

A explicação mais generalizada que os pentecostais e espiritualistas me deram para a popularidade de suas igrejas é que o poder do Espírito Santo, sendo maior que o de todos os demais espíritos, é capaz de vencê-los *definitivamente*. Basta acolher o Espírito Santo e obedecer às regras da Igreja para se tornar imune à feitiçaria e aos espíritos "malignos" ou "revoltados".

Para entender este ponto, torna-se necessária uma breve discussão sobre as interpretações de infortúnio de acordo com o que se chama de "tradição". Aqui estamos em terreno movediço. O que é "tradição" para alguns não o é para outros. É um termo cujos sentidos são contestados em uma sociedade que agora, mais do que nunca, põe indivíduos, que antes viviam em comunidades culturais e lingüísticas *relativamente* homogêneas, em situações sociais bastante diferenciadas. Mesmo assim, um conjunto de preceitos e práticas comanda um consenso bastante amplo.

Em primeiro lugar, nenhum infortúnio é casual. A cosmologia "tradicional" oferece explicações para o "como" e o "porquê" da cada evento, para utilizar os termos de Evans-Pritchard. Hoje em dia, a ciência ocidental acrescentou muito às respostas de *como* ocorre um infortúnio, mas é a cosmologia local que, ao mesmo tempo, exige e providencia uma resposta ao *porquê* de cada acontecimento específico. Como em todas as cosmologias africanas, a aflição é sempre atribuída a algum mal-estar nas relações sociais, incluindo vivos e mortos. Só raramente uma doença ou uma morte são atribuídas à vontade do Criador. Cada aflição provoca, portanto, uma reflexão sobre as relações sociais do sofredor no sentido de achar uma explicação possível. Em seguida, visita-se um adivinho que, por intermédio do espírito que se apossa dele ou de um aparato físico de adivinhação, se pronuncia sobre as causas em questão. Muitos adivinhos podem ser consultados para confirmar o diagnóstico ou para achar a explicação que mais convém aos consulentes.

Para cada aflição há uma infinidade de causas possíveis, porém as mais comuns que encontrei têm origem na bruxaria, na feitiçaria ou na vingança espiritual. Acredita-se que a feitiçaria é empregada por um inimigo movido pela inveja, pelo ciúme ou pelo desejo de enriquecer. Acredita-se que a inveja leva os indivíduos a desejarem o mal para os seus inimigos. Este desejo em si é capaz de trazer aflição para a pessoa invejada, sobretudo se o invejoso possui um espírito de feitiçaria (*shai yo uroyi*), o que corresponde à noção de bruxaria entre os Azande, como um poder inato ao indivíduo. As bruxas (*varoyi*) encontram-se à noite para matar e comer a carne humana. Mas, assim como entre os Azande, as pessoas de Chimoio reconhecem que qualquer um pode causar danos às pessoas que inveja por meio da feitiçaria, que pode ser obtida por intermédio de um adivinho (*nganga*). Há diversos mecanismos que um *nganga* pode recomendar, mas em todos os casos o preço pago pelo mandante é muito alto. São necessários sacrifícios regulares para que o feitiço não volte para atacar seu controlador, causando doença ou até a morte do mandante ou de um parente próximo.

A feitiçaria não é utilizada apenas por causa de inveja. Trata-se de uma arma importante para satisfazer uma outra emoção, a ambição de enriquecer. De novo, há várias maneiras de agir, porém a mais comum é se apossar do espírito de uma pessoa morta. Este espírito pode ser "comprado" de um curandeiro ou pode ser adquirido pela pessoa ambiciosa que, para tanto, precisa matar alguém, de preferência um parente próximo, por meio de feitiço. O espírito em questão exige sacrifícios regulares, sem os quais fica "revoltado", trazendo sofrimento ao seu controlador e a seus parentes. Depois da morte do assassino ou comprador de espíritos, a "dívida" é herdada pelos seus descendentes, que serão castigados com doença e morte pelos espíritos dos mortos até o pagamento da retribuição. Foi essa a causa atribuída à esterilidade de Manuel e de sua mulher que encontramos no início deste ensaio e que fora revelada pelo Espírito Santo por intermédio de uma das mulheres da Igreja Bethlehem.

A retribuição, como mencionei acima, era feita no passado mediante o oferecimento de uma mulher para o espírito em questão, com o qual ela efetivamente se casava. Essa mulher nunca se casa de modo convencional, mas mantém relações sexuais com quem quiser, e os filhos levam o nome do morto.

Dessa forma, o morto e sua linhagem são compensados pela morte de um dos seus membros, que foi impedido de gerar filhos. Essa contabilidade revela a lógica da economia política do sistema social pré-colonial, baseado na acumulação de riqueza e poder por meio da acumulação de esposas, que contribuíam com seu trabalho para a produção de alimentos e com a sua fertilidade para a produção de filhos. Hoje em dia, com a monetarização crescente da economia, a mulher pode ser substituída por uma soma em dinheiro que, em princípio, deve ser utilizada para a obtenção de uma mulher para a linhagem ofendida, como esposa para o homem morto.

Mas a recente guerra civil também aumentou o perigo que vem dos antepassados zangados. No caso do dono das vans do início deste ensaio, a aflição dele e de sua esposa fora atribuída à ação de um soldado de Gungunhane, morto pelo antepassado de Manuel com o objetivo de roubar sua mulher, que ele invejava. Ou seja, os vivos ainda estão se acomodando às maldades cometidas mais de cem anos atrás. A guerra civil entre a Renamo e a Frelimo é muito mais recente, mas as oportunidades que proporcionou para assassinatos motivados por rixas pessoais e por inveja fizeram com que haja agora uma multidão de espíritos zangados, prontos para exigir compensação dos vivos. De acordo com o *nganga* Benedito, os espíritos dos mortos dessa guerra recente já começaram a provocar doenças e outros sofrimentos para obter compensação. A reconciliação pós-guerra não exclui a eventual compensação pelos males cometidos, não por intermédio dos tribunais, mas sim dos espíritos dos mortos que, mais dia, menos dia, exigirão sua justa recompensa dos vivos. A guerra, então, não causou apenas morte e desintegração social, ela pôs em marcha um processo de acerto de contas que levará tanto tempo para ser efetuado quanto a guerra de Gungunhane. Ela deixou os sobreviventes perigosamente expostos à vingança daqueles que foram mortos pelos seus parentes.[15]

---

[15] Os moçambicanos e os observadores de Moçambique ficaram impressionados com a rapidez da reconciliação após o término da guerra civil entre a Frelimo e a Renamo. Os mais sagazes sabem, porém, que as contas um dia serão pagas mediante a cobrança dos espíritos revoltados.

Há, portanto, na base desse sistema, uma contabilidade de longo prazo na qual as colunas do bem e do mal deverão, cedo ou tarde, se equilibrar. Como disse o bispo John:

> A pessoa faz o mal para conseguir o bem. Se todos fossem maus, não haveria bom, só haveria mau. Se todos fossem bons, haveria bons, não haveria problemas. Esta diferença é a origem. É como entrevistar as pessoas: quem matou uma pessoa, há de apanhar a razão é boa para ele, ou porque queria arrancar algum dinheiro para cuidar dos filhos; sempre há um motivo que provocou uma morte, e esse motivo é para beneficiar alguém. [...] Todo o bem que se faz é mal para o outro. É por causa disso que, quando ele promove um grupo de músicos, é boa coisa, porque é diversão, aparecem adversários. Você promove uma equipe de boxe, aparecem adversários; você pode fazer o bem com toda a vontade, mas o seu bem é um mal para o outro. Se você andar bem vestido na rua, isto é mau para o outro. É mau, É mau. Andar bem vestido é mau, andar malvestido é mau.

Para o senhor Benedito, só os adivinhos podem resolver todos esses problemas. Os homens e as mulheres das igrejas, porém, não concordam. Eles argumentam que os adivinhos nunca poderão apaziguar definitivamente os espíritos revoltados. Não há como garantir, segundo eles, que a própria pessoa assassinada não teria assassinado uma outra pessoa cujo espírito também poderá mais tarde exigir compensação, não da linhagem do assassino, mas do assassino do assassino. É como se cada dívida resolvida revelasse apenas mais dívidas a serem saldadas, de modo contínuo e sem fim. Dessa forma, os vivos nunca conseguem se livrar dos atos dos seus antepassados. Além disso, acusam os adivinhos até de inventarem espíritos malignos para poderem aumentar suas receitas. O bispo John insiste em que, além da sua eficácia, o cristianismo custa muito menos!

De acordo com os cristãos, as aflições resultantes da feitiçaria e da cobrança de dívidas de curto e longo prazos só podem ser resolvidas definitivamente pela ação do Espírito Santo. Mais poderoso do que todos os outros espíritos, só ele pode garantir a permanente imunidade dos vivos contra a vingança dos mortos ofendidos e do feitiço dos vivos. Para que o Espírito Santo possa atuar nesse sentido, o indivíduo deve se filiar a uma igreja, juntando-se à "família de Cristo".

O bispo John e todos os protestantes deixam claro que a conversão a uma igreja protestante de qualquer matiz implica uma reorientação radical da vida. O fiel é obrigado, primeiramente, a rejeitar a "tradição", ou seja, as cerimônias para os antepassados e as visitas aos adivinhos. Depois, ele deve "entrar para a família de Cristo", freqüentando várias reuniões por semana e contribuindo regularmente com seu dízimo. Nesta "família de Cristo", o que impera são as leis cristãs reveladas pela palavra de Deus, escrita primeiro por Moisés e mais tarde pelos apóstolos. A lei e a noção de pecado tornam-se fundamentais, e vários pastores comentaram comigo que foi a vinda da palavra de Deus que trouxe a concomitante responsabilidade dos indivíduos.

REFLEXÕES ANALÍTICAS

Depois de enumerar as interpretações dos meus interlocutores de Chimoio sobre a guerra dos cristãos contra a "tradição", cabe agora avaliá-las à luz das minhas próprias observações. Em primeiro lugar, não há como negar que a interpretação funcionalista tem lá os seus méritos. Afinal, as igrejas são de fato comunidades funcionais, oferecendo, sim, apoio intelectual, social e emocional aos seus adeptos. Mas esta interpretação, como qualquer interpretação funcionalista, não consegue dar conta dos motivos para essa forma bastante específica de sociabilidade. Além disso, não há como negar que, apesar de a engenharia social e ideológica da Frelimo e, sobretudo, a destruição causada pela guerra terem provocado uma desintegração social sem precedentes, a solidariedade social antiga não foi inteiramente destruída. Redes de parentesco continuaram a proporcionar meios de fuga e de ajuda mútua; grupos religiosos reduzidos a semiclandestinos continuaram a funcionar. Além disso, e apesar das investidas contra o "obscurantismo", as calamidades de cada um continuaram a ser compreendidas em termos das ações dos espíritos e do feitiço. Os relatos que colhi sobre a experiência de guerra referem-se mais a uma infinidade de disputas pessoais do que a uma batalha campal entre exércitos e ideologias. Como entender por que tanta gente opta pela "família de Cristo" quando as redes de parentesco ainda existem e podem sempre ser ativadas? Vale ressaltar aqui que o convite pentecostal à conversão não oferece ao novo adepto uma família que ele não tem; oferece uma família *a mais*.

O raciocínio também funcionalista de que as pessoas procuram explicações "místicas" para suas doenças por falta de hospitais e médicos é o famoso e batido argumento de *faute de mieux* para explicar a produção de formas "não-racionais" para a solução de infortúnio. O que essa interpretação não leva em conta é que, do ponto de vista da maioria de moçambicanos, a ciência médica ocidental nunca foi e não é vista como *alternativa* às interpretações e aos remédios "espirituais" oferecidos pelas igrejas e pelos curandeiros. Como os Azande, a grande maioria dos moçambicanos com quem me encontrei recorre a dois modos de interpretação. Mesmo que Moçambique tivesse uma rede de hospitais capaz de atender a toda a população, as instituições que oferecem interpretações e soluções "espirituais" para cada aflição continuariam incólumes. Basta olhar para o Brasil.

A interpretação cínica da manipulação só pode ser levada a sério caso se negue qualquer senso crítico da população como um todo. Foi contra o argumento do africano ignorante, facilmente enganado por adivinhos, profetas e líderes políticos sem escrúpulos, utilizado com cansativa freqüência pelos detratores das culturas colonizadas, pelos missionários, administradores e políticos, que boa parte da antropologia do período colonial se desenvolveu. Evidentemente, o alastramento de um movimento religioso não podia ser compreendido em termos do voluntarismo de profetas cínicos. A antropologia funcionalista inglesa, por exemplo, demonstrava a coerência das crenças e a sua estreita relação com a "estrutura social". O carisma de líderes religiosos derivaria da sua capacidade não de enganar os seus seguidores, mas captar os anseios destes e formulá-los em um idioma condizente com a sua experiência cultural. Basta pensar nas análises de Peter Worsley (1968) dos *cargo cults*, de Ernest Gellner (1969) sobre os profetas berberes e do historiador Terence Ranger (1967) sobre os médiuns Shona que articularam a rebelião contra os primeiros colonizadores da Rodésia, em 1896-97. No meu estudo sobre o nacionalismo cultural no final do regime colonial na Rodésia, afirmei que os médiuns dos antepassados efetivamente transformaram a *vox populi* em *vox dei* (Fry, 1976). Meus interlocutores nunca questionaram as premissas da cosmologia nativa, mas, como os Azande, não eram crédulos a ponto de aceitar qualquer interpretação dos seus infortúnios, somente aquelas que pareciam social e politicamente plausíveis.

Essa perspectiva não nega, de fato, a existência de manipulação. Afinal, não tenho dúvida de que muitos profetas e adivinhos bem-sucedidos estão bastante conscientes dos mecanismos em jogo. Lembro-me de Quesalid, por exemplo (Lévi-Strauss, 1963). Hoje em dia, com a explicação "científica" das técnicas de persuasão, creio que as possibilidades de manipulação consciente aumentam. Embora não haja nenhuma prova cabal da utilização de "modernas" técnicas de persuasão pela Igreja Universal do Reino de Deus, por exemplo, não faltam indícios fortes de que elas existam. Mas como essas técnicas também se baseiam em um conhecimento prévio da *vox populi*, concluo que a presença ou não da manipulação consciente e cínica não é relevante para uma interpretação do alastramento do *conjunto* das igrejas pentecostais. Neste sentido, a interpretação em termos de manipulação também teria que explicar a relação entre o discurso das igrejas e os contextos sociológico e cultural dos seus membros.

Se as interpretações, em termos das supostas funções das igrejas ou da manipulação cínica dos pastores, não são suficientes para explicar o fenômeno que descrevo, temos que levar a sério a interpretação cosmológica, que aponta para o poder superior do Espírito Santo sobre a "tradição".

Em primeiro lugar, é preciso aprofundar um pouco mais a caracterização da natureza da "tradição" que é representada na fala dos cristãos e dos outros. Nas acepções do senhor Benedito e no discurso quase estruturalista do bispo John, é como se se tratasse de um jogo de soma zero. A felicidade humana é finita. O bem de um é o mal do outro. Para cada ganho por parte de um indivíduo há uma correspondente perda por parte de um outro intimamente ligado a ele. Para ambos, portanto, as representações que têm a respeito da "tradição" se assemelham muito às que Foster desenvolveu para o que ele chama de "sociedades de privação" (*deprivation societies*), em que comportamentos invejosos são particularmente evidentes. Sociedades de privação seriam aquelas caracterizadas não por pobreza simplesmente ou pela ausência de recursos materiais e o poder a eles associados, *"but rather to societies in which some people are poor while others are not, in which the well-being and power of those with plenty is visible to, and resented by, those with little."* (Foster, 1972:168). Sociedades de privação, particularmente sociedades camponesas, são caracterizadas, segundo Foster, pela "imagem do bem limitado", *"as societies in which life is played as a zero-sum game, in which one player's advantage is at the expense of the other"* (Foster, 1972:168). Continua:

> The important point in such societies is that all resources — all of the good things in life — are seen as constituting a closed system, finite in quantity as far as the group is concerned, incapable of expansion or growth. Hence, any advantage achieved by one individual or family is seen as a loss to others, and the person who makes what the Western world lauds as 'progress' is viewed as a threat to the stability of the entire community. [...] In these societies, social health is seen as based on shared poverty, a delicate equilibrium in which relative positions are changed as little as possible. Although in zero-sum game societies anyone who has food, health, children and a modicum of material well-being is envied, this envy becomes aggravated when either of two situations develops: (1) somebody, or some family, rises significantly above the average, or (2) somebody, or some family, falls significantly below the average (Foster, 1972:169).

A situação que descrevo se assemelha menos às sociedades camponesas e mais a um outro *locus* das "sociedades de privação" apontado por Foster, ou seja, segmentos de sociedades complexas que estão e sentem que estão em desvantagem em relação a outros segmentos.

> Throughout history, peasants have been the deprived people par excellence, but deprivation behavior similar to that of peasants seems to characterize Negro ghetto life, American Indian society, Chicano communities, prisoner-of-war camps, and other situations in which deprived people know that they are discriminated against. (Foster, 1972:168)

Mas há uma diferença importante entre a situação que descrevo e as observações de Foster. Em primeiro lugar, as pessoas com quem conversei não se sentem discriminadas, e certamente não o são pelos brancos, que representam uma parcela muito pequena da população. Em segundo lugar, não sou eu quem identifica um jogo de soma zero: são os próprios protestantes negros. São eles — e não o analista — que produzem a crítica à "tradição", formando uma oposição entre as representações que têm dos "brancos" e dos "negros", entre o que eles chamam de "civilização" e "tradição".

Resta agora tentar indagar sobre o motivo da plausibilidade dessas representações. Em primeiro lugar, não há dúvida de que não são coincidências as representações dos protestantes negros de Chimoio e os velhos preconceitos dos seus antigos colonizadores. Assim como a exegese do bispo é de longa linhagem, também o são as representações sobre o "misticismo" dos africanos. Além disso, a "assimilação" à civilização portuguesa foi a política oficial dos governos moçambicanos pelo menos a partir da virada do século XX. E, como vimos, a Frelimo deu continuidade a esta política, combatendo o "obscurantismo" e estimulando a guinada para a "modernidade" na sua versão socialista (Cabaço, 1995).

Mas afirmar que meus interlocutores de Chimoio apenas reproduzem idéias "hegemônicas", por assim dizer, não procede, sobretudo porque outras idéias radicalmente diferentes também estão disponíveis e porque isto conferiria a eles pouca reflexividade. Afinal, seria uma explicação muito simplista! Meus interlocutores também foram expostos a outras idéias sobre "raça", não menos do que ao radical anti-racismo da Frente para a Libertação de Moçambique. Samora Machel insistia sempre nessa postura anti-racista, incentivando a população a combater o colonialismo e o imperialismo, e não os brancos como tal. Mais recentemente, surgiu também em Moçambique um forte nacionalismo cultural, que prega os valores da "tradição" como contraponto a um desenvolvimento baseado no neoliberalismo promovido a partir do Consenso de Washington.

A vitalidade da postura antitradicionalista deve ser interpretada, portanto, em termos da avaliação que os meus interlocutores fazem da situação em que vivem, uma avaliação evidentemente elaborada a partir dos conceitos e argumentos disponíveis. Em primeiro lugar, parece que a transição da "tradição" para a "civilização" representa a celebração da ideologia individualista associada por Louis Dumont às sociedades ocidentais modernas.

Como vimos, dentro do protestantismo as aflições não serão mais interpretadas em termos da micropolítica familiar e atribuídas à maldade alheia, mas em termos dos pecados do próprio sofredor, que é considerado responsável pelo êxito ou fracasso da sua vida. Os múltiplos inimigos da "tradição", como os feiticeiros e os espíritos revoltados, são reinterpretados como emissários de um único inimigo, o demônio. Os múltiplos amigos da "tradição", ou seja, os antepassados, cedem lugar a um único poder protetor, Deus e o Espírito Santo. Como vimos, a conversão a uma igreja como a do bispo John implica uma reorientação radical da vida. Acredita-se que quem obedece às novas regras da Igreja se imuniza contra as ações do demônio, ou seja, contra a ambição e a inveja alheias e contra a ira dos espíritos dos mortos. Assim, o infortúnio é agora interpretado não apenas em termos da micropolítica do sofredor, mas também, e sobretudo, pela sua incapacidade de observar as regras da sua igreja. Seu infortúnio é interpretado como punição de Deus. O que as igrejas oferecem, portanto, é um santuário seguro contra a inveja e o ódio, contra o feitiço e os espíritos, enfim, libertação, como dizem os pastores, dos males da "tradição".

A interpretação cosmológica do êxito do protestantismo em Chimoio parece, portanto, ser uma interpretação também sociológica, pois sugere a supremacia do "indivíduo" autônomo, íntegro e responsável sobre a "pessoa" da "tradição". Sugere a supremacia de leis universais de explicação da distribuição da felicidade e do sofrimento no mundo sobre o particularismo da "tradição". No protestantismo, esse "indivíduo", como ser único e autônomo, sofre ou é feliz dependendo da sua capacidade de seguir a "doutrina" da sua igreja, doutrina essa que é compartilhada por todos os outros membros da "família de Cristo". Na "tradição", a felicidade e o sofrimento resultam da situação das relações sociais que o indivíduo, como "personalidade social" (Radcliffe-Brown, 1965), mantém com seus parentes vivos e mortos e com seus vizinhos e outros conhecidos. Evidentemente, portanto, a "tradição", que enfatiza o particularismo da micropolítica das *pessoas*, opõe-se logicamente à "civilização" das igrejas, que ressalta o universalismo da relação do indivíduo com a "doutrina" da sua igreja.

Mas essa interpretação por si não basta. Como vimos, o sofrimento do senhor Manuel e de sua esposa foi atribuído às conseqüências não da sua desobediência às regras da Igreja, mas das ações de um antepassado patrilinear. Mesmo que seja verdade que há uma ênfase acentuada na responsabilidade de cada indivíduo de garantir o seu bem-estar por meio da sua adesão aos ensinamentos da sua igreja, é também verdade que esta adesão em si não é suficiente para protegê-lo contra os efeitos retardados dos pecados dos antepassados patrilineares. Por mais que a igreja do bispo John pregue a luta contra a "tradição", a primeira se encontra sempre à mercê da última. A "tradição" continua rondando os *indivíduos*, lembrando-lhes sempre que também são *pessoas* com responsabilidades decorrentes dos grupos de parentesco aos quais pertencem. A realidade do poder dos antepassados nunca é questionada, e tampouco são os indivíduos aliviados da responsabilidade advinda de sua filiação.[16]

---

[16]Uma igreja "espiritualista" mas não zionista, a Igreja dos Apóstolos achou uma solução engenhosa para esse problema. Prega que o indivíduo, ao se converter à igreja, automaticamente converte os seus antepassados, que, por terem vivido antes da chegada da palavra de Deus, não puderam converter-se.

Efetivamente, portanto, a viagem para a "família de Cristo" não representa um rompimento com a família de origem do indivíduo, que continua pai, irmão, marido, primo, trabalhador etc... A conversão ao protestantismo também não representa um rompimento definitivo com as crenças da "tradição", pois o demônio se manifesta justamente *através* da feitiçaria e dos espíritos revoltados. Ou seja, o demônio nada mais é do que a ambição e a inveja, que são constitutivas das relações sociais primárias do indivíduo em questão transportadas para um plano em princípio universalista. Se é verdade que as igrejas combatem os males da "tradição", é também verdade que atestam a sua vitalidade. Como os pastores enfatizaram, trata-se de uma guerra, e uma guerra sem fim.

REFLEXÕES FINAIS

É lugar-comum na antropologia que as viagens de pesquisa deveriam provocar mudanças no autoconhecimento do pesquisador. Gostaria, portanto, de terminar este capítulo com uma breve reflexão, que espero desenvolver com mais profundidade em trabalhos futuros, sobre os dilemas das metáforas raciais no mundo contemporâneo e sobre o *status* social e epistemológico da feitiçaria.

As afirmações sobre a superioridade da cultura dos brancos abalaram-me profundamente. Foi difícil acreditar no que estava ouvindo depois de tanto sofrimento com a guerra de independência, que visava livrar o país do racismo. Além disso, doeu-me ouvir opiniões que pareciam idênticas às dos próprios colonizadores sobre os "usos e costumes" dos africanos, particularmente a feitiçaria. Doeu tanto, que pensei seriamente em suprimir tudo.

Mas, com o tempo, fui percebendo que assistia apenas a mais um exemplo da concepção de conhecimentos e práticas como se fossem "propriedades" de uma ou outra "raça", transmitidas através do "sangue". Fui obrigado a deduzir que a autodepreciação racial obedecia à mesma lógica racista da autopromoção. Os dois procedimentos atestam a vitalidade do racismo, apesar do anti-racismo secular da antropologia moderna e das ideologias anti-racistas dos movimentos de descolonização. As ideologias racistas são muito mais fortes e arraigadas do que a razão que as contesta.

No que diz respeito à religião e à feitiçaria, fui obrigado a reconhecer não só a minha descrença na capacidade de agentes sociais de ferir ou matar seus inimigos através de métodos "sobrenaturais", como o meu desgosto com a idéia de que possam fazê-lo. De fato, esse desgosto veio inicialmente das minhas pesquisas sobre umbanda, macumba e candomblé na década de 1970, quando percebi que, embora os trabalhos exegéticos clássicos (ver, p. ex., Bastide, 1961; Santos, 1993) dêem pouca atenção à teoria e à prática da feitiçaria, ela é parte fundamental de todas essas denominações[17] e, como mostra magistralmente Yvonne Maggie (1992), da sociedade brasileira como um todo. Na época, argumentava que as crenças em feitiçaria não "exprimem" simplesmente tensões sociais e a insegurança dos indivíduos; elas também as impulsionam. Ao fornecerem motivos de sobra para se ver em cada infortúnio a maldade alheia, elas constituem uma verdadeira "cosmologia da paranóia" (Fry, 1998a).

Em artigo sobre um violento movimento contra feiticeiros comandado por padres da Igreja Católica entre os Lele da República do Congo, Mary Douglas levanta exatamente essa questão. Vale a pena citá-la:

> A crença em feitiçaria não é rara; ao contrário, é comum nas religiões africanas tradicionais, em países islâmicos ou cristianizados, bem como no chamado Terceiro Mundo. Entre os antropólogos, afirma-se que rejeitar algo tão fundamental como a feitiçaria significa impor sub-repticiamente, ao povo que se pretende estudar, as crenças que sustentam nossa própria cultura. Até mesmo a descrença na capacidade do feiticeiro de causar dano

---

[17] Um conceituado pai-de-santo da Bahia, ao receber mais um cliente, comentou: "Noventa por cento do tempo de um pai-de-santo é gasto em desfazer a maldade alheia. Cada vez que um orixá ou espírito fala comigo, avisa sobre a minha necessidade de me 'proteger'." O trabalho de Yvonne Maggie é fundamental para essa discussão (Maggie, 1992).

revelaria um desrespeito, uma falha na objetividade. A questão obriga-me a explicar e justificar minha descrença. Não duvido da possível existência de magos e feiticeiros, nem mais nem menos do que da existência de anjos, almas imortais ou demônios, mas duvido que feiticeiros tenham poderes sobrenaturais autônomos capazes de ferir ou matar terceiros. E, pessoalmente, não acho justo que alguém seja processado por um malefício do qual não existe nenhuma prova possível. Minhas simpatias são liberais e surgem em favor daqueles que são acusados (quase sempre com má intenção) de terem feito coisas impossíveis; estes, normalmente, não têm meios de provar sua inocência. E não é uma boa estratégia afirmar que essas pessoas estão sendo acusadas de coisas fisicamente impossíveis de se realizar, pois a própria impossibilidade é considerada mais uma prova de seus poderes ocultos. (Douglas, 1999:7-8.)

Mas que antropologia é essa que Mary Douglas critica?

Nos primórdios da colonização e da antropologia social, quando ainda era possível se pensar em sociedades e culturas relativamente autônomas e integradas, as crenças em feitiçaria eram analisadas como sistemas de interpretação coerentes (Evans-Pritchard, 1978) com importantes funções sociais: de manter a "boa moral", de exprimir as tensões sociais (Marwick, 1970; Turner, 1957). Os primeiros administradores coloniais e missionários acreditavam que as crenças em feitiçaria minguariam perante a ciência e a religião ocidentais. Mas não demorou muito para que constatassem que a crença em feitiçaria era muito resistente. Os antropólogos, a partir do trabalho pioneiro de Evans-Pritchard entre os Azande, encontraram uma explicação bastante convincente. Afirmavam que a ciência e a crença em feitiçaria não entravam em contradição porque respondiam a perguntas distintas. A ciência, assim como o senso comum, procura explicar o "como" dos eventos, enquanto a crença em feitiçaria explica o "porquê" dos mesmos. Em outras palavras, a ciência fala de taxas e a crença em feitiçaria em "incidência". A partir da idéia de situação social que foi enunciada por Evans-Pritchard e que assumiu mais importância ainda nos trabalhos da Escola de Manchester, argumentava-se que a "modernidade" da ciência e a "tradição" da feitiçaria poderiam coexistir facilmente na África contemporânea sem que isso tivesse qualquer efeito significativo sobre os indivíduos ou a sociedade. Os indivíduos lançariam mão das crenças em feitiçaria para compreender a incidência de fatos desagradáveis, mas empregariam a "ciência" como profissionais e cidadãos. É como se os dois sistemas de pensamento ocupassem compartimentos mentais estanques sem que um contaminasse o outro. O sofrimento decorrente do medo do feitiço e das acusações de feitiçaria aparecia apenas nas análises dos movimentos cíclicos de caça aos bruxos e feiticeiros que surgiriam como mecanismos homeostáticos para restaurar o equilíbrio anterior, quando a feitiçaria parecia escapar ao controle.

A crítica à feitiçaria que constatei entre os membros da igreja do bispo John e outros protestantes de Chimoio sugere que, pelo menos para eles, a feitiçaria não tem qualquer função positiva, e que as instituições "tradicionais", longe de poderem controlá-la, têm o efeito perverso de exacerbá-la, já que cada caso resolvido apenas revela um outro a ser equacionado, e assim por diante. Mas eles não questionam a realidade da feitiçaria; pelo contrário. O que prometem é uma solução definitiva para os seus efeitos, sem — e isso é muito importante — lançarem mão de acusações contra supostos feiticeiros, como fizeram os padres da Igreja Católica entre os Lele. O movimento protestante ganha adeptos pela sua promessa de enfrentar o mal da feitiçaria por meio de um projeto de adesão às regras cristãs que garantem a proteção do Espírito Santo e a solidariedade social das igrejas. Neste sentido, a "modernidade" das igrejas não questiona a realidade da "tradição"; apenas se apresenta como uma forma mais eficiente e definitiva de se resguardar contra as exigências de compensação por parte dos mortos e de se proteger dos inimigos que não deixam de lançar mão da feitiçaria. Esta acepção de "modernidade", como antítese da "tradição", parece ser, de fato, uma interpretação do cristianismo a partir da lógica básica da própria "tradição". A tensão entre interpretações universalistas e particularistas para o infortúnio existe, portanto, não apenas entre cristãos e curandeiros, mas dentro das próprias igrejas. Mais que uma mudança definitiva de um paradigma (a "tradição") para outro (a "civilização"), a conversão a igrejas como a do bispo John representa uma acomodação entre uma e outra, na qual a universalidade do Espírito Santo está com seu maior *poder* em relação às demais forças espirituais.

Mas o problema persiste. Um leitor atento a uma versão anterior deste ensaio observou que o meu mal-estar estava ligado não tanto às duas aversões (à feitiçaria e ao racismo), mas talvez à relação entre elas. "Afinal, como lutar contra a 'tradição', quando ela encarna a crença na feitiçaria, sem com isso reproduzir o discurso racista dos brancos?"[18] Isto só é possível quando não se percebem a feitiçaria e a cultura em geral como propriedades genéticas de "raças". Esta é a posição da antropologia, mas não, evidentemente, do bispo John, e tampouco dos intelectuais católicos que mantêm a relação entre "raça" e "cultura", adotando uma versão mais aceitável, por assim dizer, da "tradição africana", em que se enfatizam os aspectos "positivos" como ritos de passagem, ignorando por completo a feitiçaria. O mal-estar, então, está na contradição, no mundo contemporâneo, entre duas crenças irreconciliáveis: a crença do antropólogo no fundamento social daquilo que é considerado natural pelos "nativos" e a crença muito mais disseminada de que formas de conhecimento são propriedades inerentes de "raças". Algumas igrejas que visitei, e sobre as quais não tenho espaço para tecer considerações neste capítulo, têm efetuado uma cisão entre "raça" e "crença", fazendo uma nítida distinção não entre negros e brancos, mas entre os cristãos e os outros. Nestes casos, o Espírito Santo deixa de ter cor e raça! Mas, em todo caso, tanto entre os "culturalistas" como entre os "racialistas", há um grande consenso sobre o valor da "civilização" cristã como o lugar das regras universais e da solidariedade. Quem dera que fosse.

---

[18]Observação do parecerista deste artigo.

Bibliografia

Bastide, Roger. *O candomblé da Bahia*. São Paulo: Companhia Editora Nacional. 1961.

Cabaço, José Luís. *A longa estrada da democracia em Moçambique*. 1995.

Cohen, William B. *The French Encounter with Africans*. Bloomington & Londres: Indiana University Press. 1980.

Douglas, Mary. *Purity and Danger: An Analysis of Concepts of Pollution and Taboo*. Londres: Routledge & Kegan Paul. 1966.

———. "Os Lele revisitados, 1987: Acusações de feitiçaria à solta". *Mana*, 5(2):7-30. 1999.

Evans-Pritchard, E. E. *Bruxaria, oráculos e magia entre os Azande*. Rio de Janeiro: Zahar Editores. 1978.

Foster, George M. "The Anatomy of Envy: A Study in Symbolic Behavior". *Current Anthropology*, 13(2):165-169. 1972.

Fry, Peter. *Spirits of Protest: Spirit-Mediums and the Articulation of Consensus among the Zezuru of Southern Rhodesia (Zimbabwe)*. Cambridge: Cambridge University Press. 1976.

———. "As religiões africanas fora da África: O caso do Brasil". *Povos e Culturas*, 6:439-471. 1998a.

———. "Carta de Moçambique". *Religião e sociedade*, 18(2):29-42. 1998b.

Gellner, Ernest. *Saints of the Atlas*. Londres: Weidenfeld and Nicolson. 1969.

Leach, Edmund. *Genesis as Myth and Other Essays*. Londres: Cape Editions. 1969.

Lévi-Strauss, Claude. *Structural Anthropology*. Nova York: Basic Books. 1963.

Mafra, Clara. Na posse da palavra: Religião, conversão e liberdade pessoal em dois contextos nacionais. Lisboa: Universidade de Lisboa, Instituto de Ciências Sociais. 2002.

Maggie, Yvonne. *Medo do feitiço: relações entre magia e poder no Brasil*. Rio de Janeiro: Ministério da Justiça. 1992.

Marwick, M. G. *Sorcery in its Social Setting: A Study of the Northern Rhodesia Cewa*. Manchester: Manchester University Press. 1970 [1965].

Poliakov, Léon. *O mito ariano*. São Paulo: Perspectiva/Edusp. 1974.

Radcliffe-Brown, A. R. *Structure and Function in Primitive Society*. Nova York: The Free Press. 1965.

Ranger, T.O. *Revolt in Southern Rhodesia 1896-7: A Study in African Resistance*. Londres: Heinemann. 1967.

Reader, John. *Africa: Biography of a Continent*. Harmondsworth: Penguin Books. 1998.

Santos, Juanita Elbein dos. *Os Nagô e a morte*. Petrópolis, RJ: Vozes. 1993.

Turner, V. W. *Schism and Continuity in an African Society: A Study of Ndembu Village Life*. Manchester: Manchester University Press. 1957.

——. *The Ritual Process: Structure and Anti-Structure*. Chicago: Aldine Publishing Company. 1970.

Worsley, Peter. *The Trumpet Shall Sound: A Study of "Cargo" Cults in Melanesia*. Londres: Macgibbon & Kee. 1968.

PARTE 2   Brasil

CAPÍTULO 4   "Feijoada e *soul food*" 25 anos depois[1]

[1]Publicado em Esterci, N., P. Fry, *et al.*, orgs. (2001). *Fazendo antropologia no Brasil*. Rio de janeiro, DP&A editora.

Em 1976 recebi um convite da professora Eunice Durham para participar de uma mesa-redonda sobre "Mudança Cultural na Sociedade Moderna" na XXVIII reunião anual da Sociedade Brasileira para o Progresso da Ciência — SBPC —, em Brasília. Vejamos o momento. A ditadura militar estava no auge. As reuniões da SBPC tinham se tornado rituais de resistência por parte dos cientistas brasileiros, ou seja, fundamentalmente professores e estudantes universitários. E naquele ano a reunião seria em Brasília, o centro geográfico e político do regime!

Até a véspera da reunião, por uma mistura de medo e minha já costumeira incapacidade de me antecipar aos prazos, nada tinha escrito. Mas naquele dia, no último momento, tive uma pequena inspiração e esbocei rapidamente a minha intervenção em inglês. Comecei com uma descrição da minha tentativa de cozinhar o prato nacional do Brasil em Nova York para uma turma de negros do sul dos Estados Unidos que moravam na cidade. Em vez de se maravilharem com a feijoada (e meu considerável esforço para produzi-la), olharam para ela com uma familiaridade ancestral, considerando-a apenas *soul food*, comida típica dos negros norte-americanos. Arrasado, tentei entender o que tinha acontecido. De fato, era vítima de um mal-entendido tão caro aos antropólogos: nada é constante; o sentido nunca é universal, mas sim atribuído por sistemas culturais em situações concretas. O que era prato nacional num lugar era prato de negro em outro. Mas, se era assim, por que tanta diferença entre as duas sociedades, ambas construídas sobre o escravidão? Era esta a minha pergunta.

O medo que senti antes da mesa-redonda acabou sendo infundado. A mesa foi muito bem recebida e a minha contribuição, em tradução da própria Eunice Durham, saiu publicada no ano seguinte nos *Cadernos de Opinião*, uma revista conceituadíssima nos meios intelectuais da época (Fry 1976). Fiquei bastante envaidecido com a receptividade que o artigo teve e o incluí numa coletânea de trabalhos meus publicada na coleção "Antropologia Social", organizada pelo professor Gilberto Velho na editora Zahar (Fry, 1982).

Com o passar dos anos, fui descobrindo que, para algumas pessoas, aquele pequeno ensaio representava um "achado" importante na denúncia do racismo à brasileira. Para outros, é o único texto meu que conhecem. Mas, para mim mesmo, foi se tornando uma espécie de embaraço. E quando o reli recentemente, me dei conta de que ele de fato representa um bom exemplo da mais ingênua interpretação do racismo neste país, a que tenho combatido numa série de artigos ao longo dos últimos anos.

Resolvi incluí-lo neste livro de textos junto com estas considerações críticas porque olhar para as mudanças de interpretação entre 1976 e 2001 permite pensar sobre os limites da nossa objetividade e o quanto somos moldados pelo contexto histórico no qual estamos inseridos. E, também, porque, por mais que o Brasil tenha mudado nos últimos 25 anos, e por mais que eu tenha mudado também, há algo insistentemente familiar nas minhas duas interpretações. Isto sugere que a mudança social, cultural e individual é um processo cumulativo que, por mais que negue o passado, constrói-se sobre ele. Ainda considero importante perguntar por que a minha feijoada se tornou *soul food* nos Estados Unidos.

Mas vamos primeiro ao texto original:[2]

---

[2]Mantive o texto exatamente como foi publicado em 1976, apenas atualizando algumas das referências bibliográficas.

FEIJOADA E *SOUL FOOD*; NOTAS SOBRE A MANIPULAÇÃO DE SÍMBOLOS ÉTNICOS E NACIONAIS

Em julho último [1975], em Nova York, decidi oferecer a meus amigos um prato típico brasileiro. Com muita dificuldade consegui encontrar feijão-preto, costeletas de porco defumadas, couve e outros produtos, e assim pude preparar uma feijoada, que servi com a devida pompa. Foi aí que um de meus amigos, um preto do Alabama, depois de ter olhado e cheirado atentamente a travessa, acabou com todo o suspense ao comentar que se tratava simplesmente de comida à qual estava acostumado desde criança. O que no Brasil é um prato nacional, nos Estados Unidos é soul food.

Está claro que a origem do prato é a mesma nos dois países, pois em ambos este item da cultura culinária foi elaborado pelos escravos utilizando as sobras do porco desprezadas por seus senhores. A diferença está no significado simbólico do prato. Na situação brasileira, a feijoada foi incorporada como símbolo da nacionalidade, enquanto nos Estados Unidos tornou-se símbolo de negritude, no contexto do movimento de liberação negra.

Mas a feijoada não é o único exemplo de assimilação, por parte da sociedade brasileira como um todo, de itens culturais elaborados pelos negros. O samba e o candomblé também são, em maior ou menor grau, utilizados como símbolos nacionais brasileiros e, como tal, exibidos em cartazes e guias turísticos. Além disso, todos esses itens "produzidos" e elaborados pelos negros em situação de dominação foram absorvidos pelos "produtores" da "cultura de massa" e incorporados em filmes, discos, livros e revistas.

Gilberto Freyre usa esses exemplos, entre outros, para demonstrar que a colonização foi, no Brasil, um processo essencialmente harmônico, marcado pela ausência de preconceito racial. Tratando a cultura como se fosse geneticamente transmissível, Freyre opõe a experiência colonial portuguesa à francesa, à inglesa e à alemã, as quais, por motivos culturais, *seriam mais contaminadas pelo preconceito racial. Esse argumento chega ao extremo em* A integração portuguesa nos trópicos, *de 1961 (Freyre, 1961). Nesse livro são desculpadas quaisquer práticas racistas porventura existentes em Moçambique como sendo "erros lamentáveis", decorrentes de uma imitação do "arianismo" em voga entre outros povos, inclusive entre os sul-africanos da facção bôer-calvinista mais etnocêntrica (Freyre, op. cit.: 36), como se os portugueses tivessem sido atacados por uma doença contagiosa, conforme a imagem utilizada por Eunice Durham.*

Como se sabe, a aparente ausência de práticas racistas em Moçambique era ilusória. O maior grau de miscigenação, por exemplo, foi mais um resultado da falta de mulheres brancas portuguesas e da necessidade de estabelecer alianças com os potentados negros locais do que conseqüência de pretensos traços culturais não-raciais dos quais os portugueses pudessem ser portadores. Gilberto Freyre comete o erro imperdoável de considerar os traços culturais como variáveis independentes, abandonando a análise da situação na qual se desenvolvem. É muito significativo que essa análise pseudocientífica da colonização portuguesa *tenha sido incorporada à ideologia oficial, pois "provando" desse modo que a colonização portuguesa era intrinsecamente diferente das demais, podia-se manter o argumento de que os territórios portugueses ultramarinos eram províncias da metrópole.*

Neste breve artigo, gostaria de examinar mais de perto o candomblé e o samba. Uso como ponto de partida a observação de Eunice Durham de que "o grupo que reelabora e utiliza o produto cultural acabado tende a ser dependente daquele que o produziu. Estando a distinção entre produtores e consumidores de cultura presa a uma distinção de classe, a relação entre eles assume necessariamente uma conotação política, isto é, ela tem implicação em termos de poder."

No caso dos traços culturais que mencionei, os produtores originais foram os grupos dominados. Será interessante, portanto, examinar o modo como foram assimilados, reelaborados ou rejeitados pelos outros grupos sociais, tendo em vista a sugestão de Eunice Durham de que "as diferenças culturais aparecem não como simples expressão *de particularidades do modo de vida, mas como manifestações de oposições ou aceitações que implicam um constante reposicionamento dos grupos sociais na dinâmica das relações de classe".*

CANDOMBLÉ

Como todos sabem, o candomblé nasceu da escravidão negra. Proibidos de praticar sua religião tradicional, os escravos desenvolveram uma forma religiosa na qual divindades africanas podiam se esconder atrás de máscaras de santos católicos. Mas, desde o início, o candomblé foi reprimido pela elite dirigente. Todos os autores mais antigos que escreveram sobre o assunto enfatizam a violência da repressão policial e o fato de que os centros de culto estavam escondidos em "lugares ermos e de difícil acesso" (Rodrigues, 1953:63). Mas a situação não era simplesmente a de uma oposição total, uma vez que os ogãs dos centros de culto, posições honoríficas que conferiam certos direitos e privilégios, eram geralmente recrutados na própria elite repressora. Esses ogãs ofereciam sua proteção e, em troca, recebiam votos e outros serviços. Já nessa época o candomblé, embora produzido pelos negros, dependia para sua existência, pelo menos em certa medida, da elite branca.

Situação semelhante existia no Rio de Janeiro no final do século passado. João do Rio descreve os centros de culto nos morros e mostra também como muitos freqüentadores eram membros da elite branca que buscavam comprar serviços mágicos a fim de derrubar rivais políticos ou conseguir amantes. Ele descreve metaforicamente essa relação nos seguintes termos: "Somos nós que lhes asseguramos a existência, com o carinho de um negociante por uma amante atriz" (Rio, 1906:26). Mais uma vez, os cultos, embora estigmatizados pela classe dominante, eram usados por ela e se tornaram, de certo modo, dependentes dela. Sinto-me tentado a interpretar essa relação em termos da teoria de Mary Douglas sobre poluição e sujeira (Douglas, 1966). Mary Douglas observa que as partes da sociedade e da natureza classificadas *como excluídas da estrutura formal de poder são consideradas sujas e poluidoras. Mas, ao mesmo tempo, são dotadas necessariamente de certos poderes e cercadas de perigos. Acho, portanto, que o poder mágico atribuído à macumba e ao candomblé é um corolário da posição socialmente marginal de seus produtores.*

A situação obviamente mudou desde essa época: muitos centros de culto emergiam de seus esconderijos em "lugares ermos e de difícil acesso" para se exibirem sob os holofotes das máquinas fotográficas de turistas e diretores de filmes, incorporando-se à literatura popular e erudita. Há poucos meses, a Igreja Católica abriu suas portas à comunidade do candomblé baiano, e a notícia foi devidamente divulgada pelas revistas de luxo. Agora não é mais perigoso entrar para o candomblé — é chique. *O que parece ter acontecido é que alguns dos terreiros mais conhecidos e tradicionais foram absorvidos não só pelos produtores da "cultura de massa", mas pelos intelectuais, especialmente pelos antropólogos, que foram os responsáveis, em grande parte, pela glorificação dos cultos de origem ioruba, em detrimento dos de origem banto e daqueles que adotaram práticas rituais da umbanda em expansão. Desde o início do estudo científico sobre os candomblés, os antropólogos com tendência a dar explicações em termos de genética cultural classificaram os terreiros de suposta origem ioruba como sendo, de algum modo, mais "puros" que os de origem banto (aliás, a própria categoria banto não tem nenhum sentido neste contexto, pois refere-se a um grupo lingüístico e não cultural). Os que tinham absorvido práticas não-ioruba foram classificados como "impuros ou deturpados" (para uma discussão deste problema, consultar Velho, 1975). Não querendo entrar em detalhes, acredito ser razoável afirmar que escritores, cantores e intelectuais contribuíram muito para o desenvolvimento desses centros de culto, cujos nomes é desnecessário mencionar, por serem sobejamente conhecidos (o que, por si só, já é bastante significativo). Desse modo, nesses centros o controle absoluto exercido por seus "produtores" originais foi reduzido e esses candomblés não são mais a expressão de pequenos grupos localizados, mas de uma verdadeira cultura nacional.*

Em São Paulo e no Rio de Janeiro a história é um pouco diferente. Aí também os cultos foram reprimidos e estigmatizados e tendiam a se localizar em fundos de quintal dos subúrbios. Em São Paulo havia um pelotão policial especial, ligado à Delegacia de Costumes, encarregado da repressão ao "baixo espiritismo". Entretanto, como mostrou Diana Brown (Brown, 1986), no Rio de Janeiro (e penso que também em São Paulo) os cultos que "saíram dos esconderijos" foram aqueles que tinham uma forte liderança de classe média e que adotaram medidas para "purificar" o culto de seus aspectos "africanos" mais óbvios. Esses líderes formaram federações que lhes permitiram eleger-se deputados e senadores durante a fase populista da política brasileira. É interessante notar que em São Paulo e no Rio de Janeiro (e provavelmente em outras cidades também) as variedades de cultos afro-brasileiros aceitáveis e aceitas eram justamente as que eram inaceitáveis na Bahia. A Bahia optou pela "pureza" da tradição africana, enquanto as cidades mais ao sul escolheram a "pureza" das inovações de classe média.

Novas mudanças se produziram depois dos acontecimentos de março de 1964. Mas é interessante notar que um dos meios de que o governo de São Paulo lançou mão para adquirir uma certa legitimidade post hoc *foi promover festivais de umbanda. Isto ocorreu particularmente durante o governo de Laudo Natel, quando os órgãos oficiais providenciaram locais públicos para os festivais em honra de Ogum (São Jorge) e Oxóssi (São Sebastião). Mas, se o governo favorecia essa estratégia, o mesmo não acontecia com outros setores da população. O jornal* O Estado de S. Paulo, *representante da respeitabilidade burguesa, sentiu-se no dever de publicar veementes editoriais que denunciavam o escândalo representado pelo apoio do governo estadual a esse "fenômeno brasileiro de regressão cultural". O mesmo jornal manifestava igualmente seu desprezo por certos "simuladores da cultura, quase sempre 'intelectuais de esquerda' que tentam, para estas manifestações de primarismo, ousadas explicações sociológicas"* (O Estado de S. Paulo, 1º/4/73).

Entretanto, apesar da oposição que ainda possa existir em relação aos cultos (e que não deve ser subestimada, pois os cultos são ainda bastante estigmatizados), está claro que o que era originalmente domínio dos negros de classe baixa foi transformado, em parte, pelos brancos das classes média e alta. Os produtores originais deste item cultural foram, em certa medida, destituídos de seu papel de liderança e relegados à condição de "extras" adicionais.

SAMBA

Não sou de modo algum um entendido em matéria de samba e sei que estou me arriscando a ferir suscetibilidades. Entretanto, os dados apresentados por Maria Júlia Goldwasser em seu livro sobre a Mangueira (Goldwasser, 1975) parecem-me suficientes para os objetivos deste artigo. Goldwasser mostra a estreita relação que existe entre samba e candomblé. Originalmente, quando o samba era produzido e consumido pelo povo do morro, era severamente reprimido pela polícia e obrigado a se esconder no candomblé, então considerado um pouco mais aceitável. Mas, com o tempo, a importância cada vez maior do carnaval provocou a transformação da repressão em apoio explícito. As escolas de samba desceram legitimamente para as avenidas e o samba passou a ser consumido por uma população que ultrapassava em muito as fronteiras do morro, do Rio de Janeiro ou mesmo do Brasil. O carnaval se tornou uma atração turística lucrativa. Goldwasser acredita que, apesar de tudo isso, a escola de samba da Mangueira ainda é produzida pelos mangueirenses. Entretanto, os dados que ela apresenta sugerem outra interpretação. Durante o período populista, a Mangueira ganhou um terreno onde podia fazer os ensaios. Mais tarde, esse terreno foi vendido à escola que, assim, endividou-se com o capital. Mais tarde, a Mangueira decidiu construir seu Palácio do Samba. O projeto foi desenhado, financiado e executado pela "Zona Sul". Desde então, a Mangueira tem se preocupado tanto com o pagamento de suas prestações quanto com a produção de um desfile de carnaval vitorioso. Agora, o an-

tigo período de "entressafra", entre um carnaval e outro, está todo ocupado com "ensaios" que atraem "turistas" da Zona Sul, que, por sua vez, fornecem o dinheiro necessário ao pagamento da dívida contraída com a Zona Sul. A autonomia da Mangueira como produtora de sambas e desfiles foi, portanto, afetada pelos produtores da "cultura de massa" que, talvez sem querer, usaram seus recursos financeiros para garantir que o samba seja produzido do modo como desejam, quando desejam. Goldwasser insiste que os mangueirenses ainda são "donos de si mesmos", mas tenho a impressão de que isto é uma ilusão. A interpretação que me parece mais adequada é a de que, embora a gente da Mangueira aparentemente ainda produza seu próprio samba e seu desfile, essa produção se faz no interesse de outro grupo, que denominei metaforicamente de "Zona Sul". Como ocorreu com o candomblé na Bahia, o samba não é mais simplesmente a expressão cultural de um pequeno grupo localizado. Transformou-se num símbolo nacional, e isto não apenas pela infiltração da Zona Sul em atividades puramente culturais, mas pela sutil manipulação do capital. Quem está financeiramente endividado torna-se politicamente dependente.

Até agora, enfatizei deliberadamente um lado da moeda. Tentei mostrar de modo muito esquemático como dois itens culturais, produzidos originalmente por negros, foram sutilmente adotados pela burguesia branca e transformados em instituições nacionais lucrativas (tanto econômica quanto politicamente). Sugeri que os produtores originais desses itens culturais se transformaram, de certo modo, em empregados dos novos produtores e estimuladores da "cultura de massa". Naturalmente, reconheço que esta visão simplificada não faz justiça a uma realidade que é muito mais complexa. Nem todos os candomblés da Bahia estão sob as luzes da publicidade — na verdade, a maioria continua a funcionar sem o conhecimento (e o reconhecimento) da elite cultural baiana e dos turistas — e o samba ainda é produzido localmente, sem interesses financeiros diretos de fora. Além do mais, e nisso concordo com Goldwasser, seria ingênuo supor que o povo da Mangueira perdeu toda a sua autonomia política e artística.

Voltando agora à anedota que contei no início deste artigo, cabe per-

guntar por que é que, no Brasil, os produtores de símbolos nacionais e da cultura de massa escolheram itens culturais produzidos originalmente por grupos dominados? E por que isto não ocorreu nos EUA e em outras sociedades capitalistas? Os símbolos nacionais da Inglaterra não se originaram na cultura das classes populares, e na Rodésia não foram os brancos que adotaram o Zimbábue como seu símbolo cultural nacional.

Para falar a verdade, acho difícil responder a estas questões. Uma possibilidade é que o candomblé e o samba representavam os produtos culturais mais originais do Brasil e eram, portanto, capazes de distinguir simbolicamente o Brasil de outras nações latino-americanas e do mundo desenvolvido. Outra interpretação possível, e a que realmente prefiro, é que a adoção desses símbolos era politicamente conveniente, um instrumento para garantir a dominação, mascarando-a sob outro nome. Assim, o casamento entre colonizadores portugueses e princesas negras em Moçambique, uma sagaz manobra política, foi interpretado pelos apologistas do colonialismo português como prova da ausência de preconceitos raciais. Gilberto Freyre, o supremo expoente da lusotropicologia, deduz da troca aparentemente livre de traços culturais entre vários grupos étnicos a natureza essencialmente democrática da estrutura social brasileira. Penso, ao contrário, que a conversão de símbolos étnicos em símbolos nacionais não só oculta uma situação de dominação racial, mas torna muito mais difícil a tarefa de denunciá-la. Quando se convertem símbolos de "fronteiras" étnicas em símbolos que afirmam os limites da nacionalidade, converte-se o que era originalmente perigoso em algo "limpo", "seguro" e "domesticado". Agora que o candomblé e o samba são considerados "chiques" e respeitáveis, perderam o poder que antes possuíam. Não existe soul food *no Brasil.*

COMENTÁRIOS 25 ANOS DEPOIS

Nos anos 1970, a Unicamp era um oásis de relativa liberdade de expressão num oceano de conformismo e conformidade com o governo militar.

O reitor, Zeferino Vaz, mantinha relações estreitas com os poderes constituídos, por meio dos quais "protegia" seus professores e alunos na melhor tradição do coronelismo local.

Um aspecto interessante da constituição deste oásis é que a liberdade de expressão era tanta que as bibliografias dos cursos de graduação só continham livros e autores proibidos em outros lugares. Posso estar exagerando um pouco, mas lembro-me de que os autores prediletos dos nossos colegas e alunos de ciência política, sociologia e economia eram V.I. Lênin, Karl Marx, Louis Althusser, Rosa Luxemburgo, Leon Trotski, M. Poulantsas etc.... Nós, antropólogos, éramos considerados, por muitos, "empiristas" na melhor das hipóteses e cientistas burgueses na pior. Minha perplexidade era grande. Afinal, era recém-chegado do "gueto" da antropologia britânica e não tinha familiaridade com estes autores. Puse a lê-los, mas com bastante dificuldade, confesso.

O resultado era uma espécie de fusão entre o marxismo vigente na Unicamp e a antropologia social britânica. Se o primeiro falava da subordinação da superestrutura à infra-estrutura, a antropologia social britânica, herdeira sobretudo do durkheimianismo importado por Radcliffe-Brown, subordinava o mundo do espírito (a cultura) ao mundo concreto e real das relações sociais, ou a "estrutura social." Tanto uma tradição como a outra queriam explicar a cultura em função de algo considerado mais "real"; no caso do marxismo, a infra-estrutura econômica; no caso da antropologia social, a "estrutura social." Quem tentava inverter esta relação era acusado de "culturalista."

Nada estranho, portanto, que eu entenda a feijoada de 1975/76 como algo que pertence ao mundo da "cultura" e que deveria ser entendido em função das relações concretas, no caso, entre o que eu chamava ora de "produtores de símbolos nacionais e da cultura de massa," ora de "elite dominante", ora de "membros brancos das classes média e alta". De certa forma, esta explicação decorria da maneira como tinha colocado minha pergunta inicial. Em vez de me perguntar apenas por que a feijoada era prato nacional no Brasil e prato de negros nos Estados Unidos, perguntei:

"por que é que, no Brasil, **os produtores de símbolos nacionais e da cultura de massa** escolheram itens culturais produzidos originalmente por grupos dominados? E por que isto não ocorreu nos EUA e em outras sociedades capitalistas? Os símbolos nacionais da Inglaterra não se originaram na cultura das classes populares, e na Rodésia não foram os brancos que adotaram o Zimbábue como seu símbolo cultural nacional" (grifo meu). Esta pergunta não era teórica e ideologicamente inocente. Continha as sementes da sua resposta; era uma profecia que se cumpria na sua resposta; era uma tautologia perfeita. Eu era levado a pensar a sociedade brasileira como dividida em dois atores coletivos, os poderosos brancos e os fracos negros, cada qual tentando tirar as vantagens possíveis a partir de um racionalismo supostamente universal.

A diferença observada entre os Estados Unidos e o Brasil seria interpretada em função de diferenças de ordem material entre uma dominação mais forte que a outra. Os colonizadores britânicos, com seu poderio econômico e técnico, não precisavam fazer aliança com seus conquistados. Os colonizadores portugueses, por outro lado, por causa da sua relativa fraqueza e pela falta de mulheres, eram obrigados a dominar por meio de casamentos com seus conquistados. Não conseguindo impor sua cultura sobre os dominados, seriam obrigados a optar pelo subterfúgio de transformar a cultura dos dominados em cultura nacional. Portanto, a diferença entre os significados do mesmo prato, supostamente oriundo das mesmas circunstâncias da escravidão,[3] seria explicada pelas diferenças de poder entre a colonização portuguesa e a colonização britânica.

Meu artigo de 1976 agradou bastante. Afinal, parecia ser até marxista na sua orientação (de fato, esta ilusão foi criada pelo uso de termos como "o capital," "elite dominante" e coisas do gênero), e ao mesmo tempo sugeria pistas para o moderno movimento negro que apareceria dois anos mais tarde com a fundação do Movimento Negro Unificado.

---

[3] Roberto DaMatta, numa resenha deste meu artigo, observou corretamente que a estrutura da feijoada é de fato de origem portuguesa!

Além disso, agradava por não poupar críticas ao então arquiinimigo dos intelectuais paulistas, Gilberto Freyre. Este, considerado um "culturalista" além da conta e defensor da "democracia racial," teria que ser o anátema dos marxistas. Mas, no meu caso, havia ainda mais um motivo de crítica, pois conheci este autor na década de 1960 através do que talvez seja a sua publicação mais ideológica, *Portuguese Integration in the Tropics*. Este livro, publicado em Lisboa, explora a idéia de lusotropicalismo para justificar a permanência da colonização portuguesa na África. Tendo estado em Moçambique e me identificado com o movimento anticolonial no país vizinho da Rodésia (agora Zimbábue), o livro de Freyre era o ícone de tudo que era ruim na política portuguesa na África. É por isso, certamente, que eu aderia com tanta facilidade e entusiasmo ao coro basicamente paulista contra as idéias de Gilberto Freyre.

Espero ter deixado claro que a minha maneira de compreender os dois sentidos da feijoada se afinava com o meio social em que vivia na época ao mesmo tempo que me mantinha fiel também à tradição antropológica da qual fazia parte. "Feijoada e *soul food*"[4] é uma adaptação da antropologia britânica estrutural-funcionalista ao marxismo do subtrópico campineiro[5] da década de 1970. No fim das contas, a adoção da feijoada, do candomblé e do samba como símbolos da identidade nacional brasileira seria nada mais que um ato maquiavélico da sua elite branca dominante para "ocultar" a realidade da dominação econômica e racial. A "função" da feijoada era manter o *status quo*, impedindo a percepção do racismo e, por conseqüência, o seu combate.

Com o passar dos anos, conservei o meu interesse pelas relações raciais no Brasil e pelas diferenças entre o que observava no Brasil e em terras colonizadas pelos britânicos. Esta comparação tornou-se ainda mais

---

[4]De agora em diante apenas "Feijoada..."
[5]Atravessa-se o Trópico de Capricórnio nas estradas que ligam São Paulo a Campinas.

obsessiva quando, em 1989, fui morar por quatro anos no Zimbábue.[6] Cada vez que ia a Moçambique, chegava ao aeroporto de Maputo com se estivesse chegando ao Rio de Janeiro. No Zimbábue, a linha entre as "raças" era muito clara. Tive que me conformar em ser visto apenas como homem branco, ponto. Em Moçambique, a linha era um pouco mais confusa e me senti um homem branco, vírgula. Nesse período escrevi um pequeno texto tentando comparar o Zimbábue com Moçambique, fazendo o paralelo com uma comparação entre os Estados Unidos e o Brasil que apresentei na 43a. Reunião Anual da Sociedade Brasileira para o Progresso da Ciência, no Rio de Janeiro, em 1990 (Fry, 1991).

Mas este trabalho é bastante diferente de "Feijoada e *soul food*", pois desta vez a "cultura" não aparece como epifenômeno da "estrutura social" ou da economia, mas como instauradora de modos específicos de colonização. Em vez de considerar a colonização portuguesa apenas como uma versão mais pobre da colonização britânica, afirmei que as duas colonizações obedeciam a lógicas distintas. Se a ênfase nas colônias britânicas recaía na *segregação racial*, a ênfase formal nas colônias portuguesas recaía na *assimilação*. Desta forma, me aproximava da minha antiga nêmesis, Gilberto Freyre.[7]

Por que esta mudança? Em primeiro lugar, o fim da ditadura militar no Brasil, e o colapso do bloco soviético traziam novos ares ao mundo e possibilitavam um olhar bem menos complacente com o "socialismo real." Mas, ao mesmo tempo, confesso que preferia a sociedade moçambicana à sociedade zimbabuana. A primeira parecia permitir o estabelecimento de uma identidade individualizada, em contraste com a segunda, em que me sentia constantemente prisioneiro da minha suposta "raça." Se meu arti-

---

[6]Neste período, chefiei a filial do Zimbábue do escritório da Fundação Ford em Nairobi. Era responsável também pelo programa de educação, cultura e direitos humanos da Fundação em Moçambique.

[7]Creio que fiz as pazes com Gilberto Freyre num artigo recente sobre a mesma problemática. Fry, P. (2000). "Cultures of Difference: the aftermath of Portuguese and British colonial policies in Southern Africa." *Social Anthropology* 8(2): 117-144.

go de 1975/6 contém uma mal disfarçada crítica à sociedade brasileira, o de 1991 parece bem mais crítico em relação à empreitada colonial britânica. Como observou corretamente Fernando Rosa Ribeiro na época, eu me tornara um "nacionalista" brasileiro![8] Mas, principalmente, penso que o que mais tinha mudado era a minha maneira de fazer antropologia. Tendo emigrado da Inglaterra para o Brasil, tive contato não só com o marxismo campineiro da década de 1970, mas também com a antropologia estrutural francesa e os trabalhos de Marshall Sahlins, que estudei com entusiasmo durante os anos de 1982/3, quando fui professor visitante no Museu Nacional do Rio de Janeiro. Cheguei a dar, junto com Yvonne Maggie, um curso de teoria antropológica, no qual acompanhamos a carreira de Sahlins, que começa num determinismo ecológico e prossegue, depois de um período com Claude Lévi-Strauss em Paris, rumo a uma antropologia cada vez menos presa às determinações da infra-estrutura. Ao mesmo tempo, tive o prazer de me familiarizar com os trabalhos de Louis Dumont, que me tornaram muito mais radical nas minhas comparações. Tentava, ao menos, evitar interpretar o Brasil por meio das categorias do mundo anglo-saxão! Mais tarde prossegui neste caminho, escrevendo um artigo sobre os perigos de se misturar categorias "nativas" com categorias "analíticas" na análise do racismo à brasileira (capítulo 6). No mesmo ano, escrevi uma resenha do livro sobre o movimento negro brasileiro do americano Michael Hanchard (capítulo 5), em que desenvolvi a mesma crítica ao trabalho dele que agora faço ao meu "Feijoada e *soul food*".

Mas há outros acontecimentos que contribuíram para esta mudança de perspectiva, em particular a crescente sofisticação na análise de duas instituições que são fundamentais para o meu argumento em "Feijoada...", especificamente o samba e o candomblé. Beatriz Góes Dantas, que era nossa aluna na Unicamp, escreveu sua tese de mestrado, mais tarde publicada em

---

[8]Na época não concordei com Fernando, ficando até bastante aborrecido com o seu comentário. Agora reconheço que a minha tentativa de enxergar positividade no arranjo brasileiro tem algo a ver com a minha opção de viver e fazer carreira neste país.

livro (Dantas, 1988) sobre as religiões afro-brasileiras, comparando a cidade de Laranjeiras, em Sergipe, com a cidade de Salvador, na Bahia. Observando que noções de pureza e de mistura diferem radicalmente de um lugar para outro, ela afirma que o campo afro-brasileiro se constrói na *relação* entre os negros e os brancos dominantes, tanto governantes quanto intelectuais, tanto "repressores" quanto adeptos. Mais tarde, Yvonne Maggie, que já tinha observado a relação entre os intelectuais e a consolidação da "pureza nagô" como padrão no campo religioso afro-brasileiro (Velho, 1975), aprofundou o estudo sobre a relação entre os cultos afro-brasileiros e a sociedade que os envolve, estudando a *repressão* e a *defesa* de determinados praticantes e terreiros na justiça carioca na virada do século XIX. Em *Medo do feitiço* (Maggie 1992), Maggie afirma que a crença no candomblé é generalizada na sociedade. Aprendemos como juízes, advogados e praticantes do espiritismo e do candomblé compartilham as mesmas crenças e como todos têm o mesmo interesse em extirpar os "charlatães", deixando intocados os praticantes supostamente honestos. Apoiando-se nas etnografias de Nina Rodrigues e de João do Rio, Maggie mostra como eu estava errado ao sugerir que a "elite dominante" brasileira transformava, cínica e conscientemente, o candomblé em símbolo nacional. Fazia parte! Como afirmava Nina Rodrigues, os políticos baianos iam aos terreiros não só atrás de votos de cabresto, mas, e sobretudo, atrás da proteção dos orixás, que consideravam absolutamente fundamentais para qualquer vitória.

Ou seja, após os trabalhos de Dantas e Maggie, era impossível continuar a pensar o Brasil como um país composto de dois atores coletivos estanques (elite/povo ou brancos/negros), cada qual com os seus interesses, que determinavam os contornos da "cultura nacional". Evidentemente, tratava-se de uma sociedade em que todos compartilhavam conceitos e premissas culturais básicos. Os candomblés, as macumbas, os espiritismos contemporâneos são o resultado de embates e negociações entre elite e povo, brancos e negros, letrados e iletrados ao longo do anos.

Esta perspectiva analítica foi desenvolvida de modo muito feliz no reino do samba por Hermano Vianna no seu livro *O mistério do samba* (Vianna,

1995). Começando com uma leve (poderia ter sido bem mais pesada) crítica de "Feijoada", Vianna mantém a pergunta (por que o samba se tornou música nacional?), mas faz uma análise radicalmente diferente. "Pretendo mostrar como a transformação do samba em música nacional não foi um acontecimento repentino, indo da repressão à louvação em menos de uma década, mas sim o coroamento de uma tradição secular de contatos [...] entre vários grupos sociais na tentativa de inventar a identidade e a cultura popular brasileiras. Não é minha intenção negar a existência da repressão a determinados aspectos dessa cultura popular (ou dessas culturas populares), mas apenas mostrar como a repressão convivia com outros tipos de integração social, alguns deles até mesmo contrários à repressão". (Vianna, op. cit., p. 34).

Creio que a grande diferença entre os autores que citei e meu próprio trabalho mais recente, por um lado, e "Feijoada...", por outro, está na maneira de lidar com a "mestiçagem" cultural e biológica no Brasil. Em "Feijoada...", a mistura e a ideologia do não-racialismo são tratados como mentiras que "ocultam" uma realidade mais concreta. Nos trabalhos dos autores que citei e nos meus trabalhos mais recentes, os ideais de mistura e de não-racialismo são tão concretos e reais quanto os desejos de pureza e racismo. No final de "Feijoada...", conclui que "a conversão de símbolos étnicos em símbolos nacionais não apenas *oculta* uma situação de dominação racial mas torna muito mais difícil a tarefa de denunciá-la. Quando se convertem símbolos de "fronteiras" étnicas em símbolos que afirmam os limites da nacionalidade, converte-se o que era originalmente perigoso em algo "limpo", "seguro" e "domesticado"" (minha ênfase agora). Nós todos sabemos agora que nada "ocultou" o racismo no Brasil. Todos as pesquisas recentes indicam que mais de 90 por cento dos brasileiros de todos os matizes reconhecem a existência de racismo no país.[9]

---

[9]Veja, por exemplo, uma pesquisa promovida pelo jornal *Folha de S. Paulo*. Turra, C. e G. Venturi, org. (1995). *Racismo cordial: A mais completa análise sobre o preconceito de cor no Brasil*. São Paulo, Editora Ática.

Também não tem sido difícil denunciar o racismo, se levarmos em conta o crescimento do número de organizações dedicadas ao combate ao racismo no país, e se lembrarmos que o próprio governo agora reconhece o racismo no Brasil (Cardoso, 1995). Então, se a incorporação de "coisas" supostamente de origem africana na hagiografia brasileira não esconde nada, o que é que revela? Revela, penso eu, que o Brasil vive uma tensão constante entre os ideais da mistura e do não-racialismo (ou seja, a recusa em reconhecer "raça" como categoria de significação na distribuição de juízos morais ou de bens e privilégios) por um lado, e as velhas hierarquias raciais que datam do século XIX do outro. O primeiro ideal, freqüentemente chamado de "democracia racial," é considerado politicamente correto (ninguém quer ser chamado de racista). A outra idéia, a da inferioridade dos negros, é considerado nefasta, porém reconhecida como largamente difundida. Esta tensão nos ajuda a pensar na co-existência da repressão e da paixão pelo candomblé e pelo samba ao longo da história recente do país. Visto desta maneira, a democracia racial é um mito no sentido antropológico do termo: uma afirmação ritualizada de princípios considerados fundamentais à constituição da ordem social. E, como todos os mitos, não deixa de ser desmentido com uma freqüência lamentável.

Se fiquei convencido de que a interpretação em "Feijoada..." é basicamente falha, não nego que, para a maior parte do movimento negro e para grande parte dos intelectuais interessados no tema das relações raciais, ela continua mais ou menos aceitável. Eles continuam pensando que os arranjos brasileiros de "mistura" e "democracia racial" apenas escondem uma "realidade" que fica muito próxima da "realidade" racial dos Estados Unidos. Um exemplo clássico da hegemonia desta forma de interpretação é um coletânea de artigos que saiu no ano passado com o título *Tirando a máscara: ensaios sobre o racismo no Brasil* (Guimarães & Huntley, 2000). A máscara é, sem dúvida, a "democracia racial", que, como a feijoada, o candomblé e o samba, "oculta" a opressão racial no Brasil.

Eles podem estar certos. Afinal, o que este artigo procura mostrar é que as interpretações vão e voltam, e que a "verdade" fica em algum lugar difícil de achar. Quero terminar com um sentimento que provém da experiência de conviver com ingleses, americanos, brasileiros e africanos ao longo de uma vida de já quase sessenta anos. Os *ideais* de não-racialismo e da libertação do indivíduo de qualquer determinação "racial," que no Brasil se tornaram a ideologia oficial por muitos anos e que formam a visão de mundo de muitos brasileiros até hoje, são valores cada vez mais raros no mundo contemporâneo. Contra as obsessões étnicas e raciais que têm produzido os mais terríveis conflitos e a maior mortandade humana na história recente, vale a pena levar estes ideais a sério.

Bibliografia

Brown, D.D. *Umbanda: Religion and Politics in Urban Brazil.* Nova York: Columbia University Press. 1986.

Cardoso, F.H. "Discurso do Senhor Presidente da República." In *Direitos humanos: novo nome da liberdade e da democracia.* Brasília: Presidência da República. 1995.

Dantas, B.G. *Vovó Nagô e Papai Branco: usos e abusos da África no Brasil.* Rio de Janeiro: Graal. 1988.

Douglas, M. *Purity and Danger: An Analysis of Concepts of Pollution and Taboo.* Londres: Routledge & Kegan Paul. 1966.

Freyre, G. *Portuguese Integration In The Tropics.* Lisboa. 1961.

Fry, P. "Feijoada e *Soul Food*: notas sobre símbolos étnicos e nacionais." *Cadernos de Opinião* 4. 1976.

——. *Para inglês ver: identidade e política na cultura brasileira.* Coleção Antropologia Social), Rio de Janeiro: Zahar Editores. 1982.

——. "Politicamente correto num lugar, incorreto no outro? (relações raciais no Brasil, nos Estados Unidos, em Moçambique e no Zimbábue)." *Estudos Afro-Asiáticos,* 167-97. 1991.

——. "O que a Cinderela Negra tem a dizer sobre a 'Política Racial' no Brasil." *Revista USP* 28, 122-135. 1995a.

——. "Why Brazil is Different." *Times Literary Supplement*, 6-7. 1995b.

——. "Cultures of Difference: the Aftermath of Portuguese and British Colonial Policies in Southern Africa." *Social Anthropology* 8, 117-144. 2000.

Goldwasser, M.J. *O palácio do samba: estudo antropológico da Escola de Samba Estação Primeira da Mangueira*. Rio de Janeiro: Zahar Editores. 1975.

Guimarães, A.S. & L. Huntley (eds). *Tirando a máscara: ensaios sobre o racismo no Brasil*. São Paulo: Editora Paz e Terra. 2000.

Maggie, Y. *Medo do feitiço: Relações entre magia e poder no Brasil*. Rio de Janeiro: Ministério da Justiça. 1992.

Turra, C. & G. Venturi (eds). *Racismo cordial: A mais completa análise sobre o preconceito de cor no Brasil*. São Paulo: Editora Ática. 1995.

Velho, Y.M.A. *Guerra de orixá: Um estudo de ritual e conflito*. (Coleção Antropologia Social). Rio de Janeiro: Zahar Editores. 1975.

Vianna, H. *O mistério do samba* (Coleção Antropologia Social). Rio de Janeiro: Editora UFRJ/Jorge Zahar Editora. 1995.

CAPÍTULO 5   Por que o Brasil é diferente?[1]

[1]Publicado originalmente no *Times Literary Supplement*, nº 4.836, 1995. Em português na *Revista das Ciências Sociais*, 31, 1996, p. 178-182.

Em 1995, foram publicados nos Estados Unidos dois livros importantes sobre a movimentação política em torno da questão "racial" no Brasil, *Orpheus and Power: The "Movimento Negro" of Rio de Janeiro and São Paulo, Brazil, 1945-1968*, do cientista político norte-americano Michael Hanchard, e *Slave Rebellion in Brazil: The Muslim uprising of 1835 in Bahia*, do historiador brasileiro João José Reis. O contraste entre os dois livros e as situações que descrevem levaram-me a pensar sobre a antiga construção argumentativa das diferenças e semelhanças entre o Brasil e os Estados Unidos no que diz respeito à escravidão e à subseqüente elaboração e administração das diferenças supostamente raciais.

Do início do século XX até a década de 1940, negros americanos que visitavam o Brasil voltavam fazendo grandes elogios ao país. Michael George Hanchard observa, por exemplo, que líderes como Booker T. Washington e W. E. B. DuBois descreveram de modo positivo a impressão que tiveram dos negros brasileiros, enquanto o líder nacionalista negro Henry McNeal Turner e o jornalista de esquerda Cyril Biggs chegaram a defender a idéia da imigração para o Brasil, onde encontrariam refúgio contra a opressão vivida em seu país. Mas a experiência de Hanchard cinqüenta anos depois foi muito diferente. Assim que chegou ao Brasil em 1988, ao sair de um supermercado foi abordado por um empregado da loja, que lhe perguntou se havia pago as compras. Ao fazer menção de mostrar o recibo, o gerente aproximou-se e, com um aceno das mãos, mandou que ele fosse embora. "Foi aí que eu compreendi", diz Hanchard, "que a sociedade brasileira não podia estar imune ao preconceito, à discriminação e à exploração, por razões raciais, existentes em sociedades que se constituíram historicamente de modo semelhante."

DuBois e Hanchard falam de experiências distintas em épocas diferentes. Na época de DuBois, o Brasil era conhecido como uma "democracia racial", onde pessoas de diferentes cores de pele conviviam de modo harmonioso e sem problemas, tanto assim que a Unesco financiou uma série de pesquisas no país na esperança de descobrir "soluções" que pudessem ser exportadas para sociedades mais habituadas ao conflito racial. Mas, na realidade, o projeto da Unesco acabou revelando que havia tanto preconceito racial no Brasil quanto em qualquer outro lugar e, desde então, tem crescido o número de estudos que comprovam a existência da desigualdade racial nos locais de trabalho, no sistema educacional, em toda parte, e constatam que o Brasil padece de um racismo profundamente insidioso, que se torna ainda mais traiçoeiro por ser oficialmente negado. O "mito" da democracia racial só faz piorar a situação, pois "mascara" o racismo e torna mais difícil percebê-lo e denunciá-lo. Este é o ambiente intelectual que cerca a viagem de Hanchard ao Brasil e a base de sua argumentação no livro sobre o Movimento Negro brasileiro.

Orpheus and Power consiste na descrição e na análise cuidadosamente circunstanciada das várias organizações negras que surgiram no Brasil nos últimos quarenta anos, utilizando dados históricos, entrevistas com cerca de duzentos militantes e contendo uma valiosa resenha da literatura acadêmica sobre relações raciais no mesmo período. Ao contrário da maioria dos pesquisadores que até então haviam feito trabalhos sobre os Movimentos Negros brasileiros, que, de uma maneira ou de outra, mantinham ligações com esses movimentos e tendiam a repetir-lhes a retórica, Hanchard fez uma pergunta bastante pertinente e de difícil resposta: por que razão o movimento não conseguiu ultrapassar um pequeno núcleo de militantes. Colocando a questão numa perspectiva comparativa, Hanchard indaga por que no Brasil não se criou "um movimento social afro-brasileiro que recebesse um apoio comparável ao do movimento dos direitos civis nos Estados Unidos ou às rebeliões nacionalistas africanas do sul do Saara e de outras regiões do Novo Mundo após a Segunda Guerra Mundial".

A resposta de Hanchard encontra-se no que ele chama de "um processo de hegemonia racial", que neutraliza a identificação racial entre os não-brancos. Diz ele que a "hegemonia racial" estimula a discriminação racial e simultaneamente nega sua existência, e, dessa maneira, "ajuda a reproduzir as desigualdades sociais entre brancos e não-brancos, enquanto promove uma falsa premissa de desigualdade racial entre brancos e não-brancos". Em outras palavras, o "mito da democracia racial" atua permanentemente no sentido de desativar a "consciência" da discriminação racial e da desigualdade.

Se o mito da democracia racial é o principal "impedimento" ao sucesso do movimento negro, outros obstáculos também estão presentes, a saber, "a carência de recursos e de instituições", o "culturalismo" e um forte pendor para disputas ideológicas secretas. Hanchard afirma que o Movimento Negro gasta tempo demais com as questões da cultura negra e as iniquidades do passado escravista e dedica pouca atenção às verdades da discriminação contemporânea. Como Orfeu, o Movimento Negro é impelido a olhar para trás e perder sua Eurídice. Depois de fazer essas observações críticas, Hanchard passa a sugerir possibilidades de mudança. Faz uma advertência contra a criação de consciência sem atividade política e sugere que o Movimento deveria concentrar-se no trabalho de informação sobre a extensão da discriminação racial e deveria dedicar-se à organização "no nível das comunidades, por intermédio do desenvolvimento e coordenação de grupos locais e nacionais para o monitoramento dos casos de violência racial e outras formas de discriminação (...). Isso daria ao Movimento uma base mais sólida do que a atualmente existente."

O livro de João José Reis, *Slave Rebellion in Brazil*, também é o relato de um fracasso. Trata da rebelião de escravos mais importante da Bahia, a Revolta Malê, que ocorreu em 1835 em Salvador. Em um domingo de janeiro, durante o Ramadã, cerca de seiscentos escravos e libertos, sob a inspiração dos mestres muçulmanos (chamados de malês na Bahia, naquele tempo) e carregando talismãs que continham textos sagrados do Alcorão, insurgiram-se contra o governo. Provocaram uma enorme confusão na cidade até que foram vencidos e levados a julgamento. Aterrorizadas diante da perspectiva de que a Bahia se tornasse uma nova São Domingos, as autoridades apressaram-se a pronunciar as sentenças. Dos rebeldes, quatro foram condenados à morte, dezesseis à prisão, oito a trabalhos forçados, quarenta e cinco ao açoite e trinta e quatro à deportação. Como ninguém na Bahia estava apto a exercer a função de carrasco, a sentença de morte foi executada por um esquadrão de artilharia. O castigo do açoite foi tão terrível, o número de golpes prescritos variando entre cinqüenta e mil, que teve de ser cumprido em etapas, para que as vítimas não morressem antes que ele terminasse.

Graças à minúcia sociológica com que foram elaborados os autos do processo — a investigação policial abordou as condições de trabalho e moradia, a situação conjugal e a origem étnica dos conspiradores —, Reis apresenta tamanha riqueza de informações e detalhes sobre o contexto social da rebelião e sobre os conspiradores que o próprio leitor se torna uma testemunha ocular dos acontecimentos. Para compreender as circunstâncias da rebelião, Reis vai juntando e articulando gradativamente a situação política do Brasil, dominado por revoltas logo após sua independência de Portugal, com a crise da produção de açúcar e a complexa mistura étnica e racial da sociedade baiana, sempre tomando o cuidado de manter-se fiel às categorias sociais utilizadas nos documentos e, portanto, habituais na sociedade baiana da época. Embora a clivagem social dominante fosse entre escravos e senhores, vários outros conflitos e alianças cruzavam-na de cima a baixo. Nem todos os senhores de escravos eram brancos, havia quase tantos homens libertos quanto escravos, e a população não-branca dividia-se entre os nascidos na África (os pretos), os nascidos no Brasil (os crioulos) e os nascidos de uniões inter-raciais (os mulatos). Os pretos, por sua vez, dividiam-se por linhas étnicas, recriando em Salvador as "nações" às quais pertenciam na África. Não surpreende, portanto, que a Revolta Malê não tenha sido apenas uma briga entre brancos e não-brancos. Ela foi um levante de escravos oriundos da África Ocidental e de libertos, principalmente homens de origem ioruba, que haviam aderido ao islamismo. Eles formavam a grande maioria das pessoas de origem africana na Bahia, pois o tráfico, embora proibido, tinha continuado a importar negros de regiões que hoje correspondem à Nigéria e ao Benin. Escravos e libertos de origem angolana não participaram da rebelião, assim como também não o fizeram os crioulos e mulatos. Segundo Reis, os angolanos tendiam a tomar uma posição diferente, principalmente formando quilombos. Os crioulos e mulatos haviam conseguido incorporar-se à sociedade baiana e muitas vezes participavam da repressão às revoltas de escravos. "Se os africanos se organizassem de acordo com seus 'laços nacionais'", escreve Reis, "crioulos e mulatos não teriam mais sucesso do que os outros. Mas sua 'nação' era a Bahia, não Oio, Daomé ou o califado de Sokoto."

Slave Rebellion in Brazil, portanto, é muito mais do que a narrativa de uma revolta, embora seu estilo denuncie a admiração de Reis pela bravura dos conspiradores. O livro contém uma descrição e uma análise da Bahia magistrais, em que ela é apresentada não como uma sociedade dividida entre linhas "raciais", mas como uma sociedade que produziu uma multiplicidade de identidades baseadas na profissão, nas origens "étnicas" e nos graus de proximidade com as correntes predominantes na cultura brasileira. Analisando as conseqüências da revolta, Reis mostra que as autoridades empenharam-se numa campanha maciça e cruel para forçar a "assimilação" a qualquer preço. Como assinala Reis:

"O africano que quisesse ficar deveria deixar para trás suas raízes. Do ponto de vista da elite dirigente da Bahia, esta era não só a única via possível para manter a paz em sua sociedade escravista como era também o único caminho possível para um futuro mais civilizado. Os que se opusessem a esse objetivo, ainda que considerados bárbaros, deveriam ser punidos como advertência aos demais — de acordo com leis estabelecidas de maneira civilizada."

O que é importante notar nesta citação não é tanto o desejo das autoridades baianas de manter seu poder e posição — isto é óbvio —, mas a lógica cultural usada para fazê-lo. O caminho para a civilização no Brasil deveria ser pavimentado não com o estabelecimento de comunidades de base "racial" e "étnica" distintas e segregadas, cada uma com seu estilo de vida particular, mas pela assimilação e integração.

O relato histórico de Reis nos oferece instrumentos para examinar e avaliar a análise política contemporânea feita por Hanchard. Enquanto Reis interpreta a Revolta Malê pelo ângulo do contexto social e cultural em que se originou, a interpretação de Hanchard fica muitas vezes prejudicada, como, aliás, acontece com boa parte dos estudos contemporâneos sobre relações raciais no Brasil, por uma linguagem analítica e uma abordagem teórica que subestimam a especificidade dessas relações.

Como arguto observador do Brasil, Hanchard compreende perfeitamente que a sociedade brasileira é diferente da dos Estados Unidos. Mesmo assim, ele conclui que "há mais semelhanças do que diferenças entre a política racial praticada no Brasil e a que se verifica em outras sociedades que contêm uma população descendente de africanos". Estabelecido este princípio, a "democracia racial", e tudo o que a acompanha, torna-se de certo modo exterior à questão fundamental, definida como a da dominação e opressão por razões raciais. Sua "função" é "tolher" a consciência e impedir a atividade política subseqüente. O argumento não é muito diferente daquele que "culpa" a cultura pelo fracasso de tantos projetos de desenvolvimento no mundo chamado, significativamente, de "em desenvolvimento". A hipótese comum aos dois argumentos é a de que todos os homens e mulheres de sociedades e períodos históricos diferentes são essencialmente os mesmos, exceto pelo fato de que alguns têm de lutar contra suas "culturas", enquanto outros não precisam fazê-lo.

Uma outra maneira de interpretar o problema é olhá-lo por um ângulo mais "antropológico". Quando Hanchard e outros descrevem a democracia racial como mito, fazem-no porque entendem os mitos como falsos. Reúnem e organizam as indiscutíveis provas do preconceito, da discriminação e da desigualdade de base racial no Brasil com o intuito de desmascarar o "mito" da igualdade e da harmonia. Os antropólogos, porém, costumam ser mais benevolentes em relação aos mitos. Admitem que não são in-verdades, produtos de equívocos que devem ser desmascarados e denunciados pela superioridade do saber ocidental, mas antes sistemas ordenados de pensamento social que consagram e exprimem percepções fundamentais sobre a vida social. Entender a democracia racial e seus corolários não mais como "impedimentos" à consciência racial, mas como fundamento do que de fato significa a raça no Brasil, leva a uma radical mudança de ênfase. Não se trata de saber se há mais ou menos diferenças ou semelhanças entre o Brasil e outras "sociedades onde vivem pessoas de descendência africana", mas quais são exatamente essas diferenças e semelhanças. Pode-se dizer que as semelhanças estão nas correlações entre a cor e o bem-estar socioeconômico medido pelos índices padronizados de riqueza, renda, educação, mortalidade infantil e expectativa de vida. Esses fatores assinalam a universalidade da discriminação de cor. As diferenças encontram-se na maneira como a "raça" é construída como categoria social e no modo como funciona a discriminação racial. Nos Estados Unidos, por exemplo, o "racismo científico" declarava que o "sangue negro" poluía o "sangue branco" e a regra de que "uma gota é suficiente" ["one-drop rule"] definia uma fronteira nítida entre os que se consideravam "brancos" e os que eram considerados "negros". Essa regra constituía, até o início do movimento dos direitos civis, na década de 1960, a base da segregação legal e da criação de comunidades, culturas e formas lingüísticas "negras" separadas. Hoje, ela é invocada para regulamentar a ação afirmativa. Nesse sistema, o suposto essencial era (e ainda é para muitos) que negros e brancos são intrinsecamente diferentes e devem ser mantidos separados. O grande anátema era (e talvez ainda seja hoje para muitos) a miscigenação biológica e cultural. *Mutatis mutandis*, criaram-se sistemas semelhantes onde quer que ingleses, alemães ou holandeses estivessem no controle de sociedades de natureza multiétnica: o *apartheid* sul-africano é o exemplo mais extremo.

No Brasil e em outras antigas colônias de Portugal, preferiu-se enfatizar a "conversão" dos diversos grupos étnicos à cultura dominante. Por volta da década de 1930, o Brasil tinha acrescentado um outro ingrediente: o elogio da miscigenação cultural e biológica. Os portugueses podem ser justamente acusados de imperialismo cultural e racismo cotidiano, mas a sociedade que seus herdeiros construíram no Brasil não inclui a raça como fator de segregação ou discriminação legal. Além disso, e como conseqüência deste fato, não existe no Brasil a mesma separação consensual entre "brancos" e "negros" que predomina nos Estados Unidos e na África do Sul. Pelo contrário, o neolamarckianismo brasileiro é muito mais sofisticado. Enquanto os americanos acham que um único ancestral africano é suficiente para produzir um "afro-americano", ou "uma pessoa de ascendência africana", os brasileiros acreditam herdar as características de todos os seus ancestrais. Um efeito disso é que os indivíduos se classificam, e são classificados pelos outros, em função de sua aparência física, o que gera um arco-íris de categorias "raciais" que vai do preto-azulado ao mulato-claro. Uma pesquisa realizada em 1976 revelou a existência de nada menos que 135 categorias desta natureza.[2]

Outro corolário da constituição racial do Brasil é que crenças, práticas e modos de ser de origem africana são amplamente disseminados pelo conjunto da sociedade brasileira. O samba, por exemplo, que muitos acreditam ser uma forma musical de inspiração africana, tornou-se um dos principais símbolos do orgulho da nação brasileira, justamente, segundo Hermano Vianna, por meio de alianças significativas entre intelectuais e músicos do asfalto e do morro. Estudo histórico realizado por Yvonne Maggie demonstra que o sistema de crenças do candomblé afro-brasileiro era compartilhado pelos advogados, promotores e juízes, quase todos brancos, encarregados de processar os "falsos praticantes". Como tentei argumentar alguns anos atrás, no Brasil não há nada equivalente à *soul food,* tanto é que a moderna movimentação negra — e penso no Olodum e no Afro-Reggae — produz símbolos *sui generis* como marca de distinção.

---

[2]Silva, N. do V., "Distância social e casamento inter-racial no Brasil", *Estudos afro-asiáticos,* 14:54-84, 1987.

Desde a década de 1970, a *identity politics* [política de afirmação de identidades] nos Estados Unidos tem atraído muitos simpatizantes no Brasil, onde começaram a ser organizados movimentos sociais cuja retórica é quase igual à de seus equivalentes americanos, e que recebem financiamento e apoio de entidades filantrópicas sediadas nos Estados Unidos e na Europa. Os movimentos de maior "sucesso" são o de mulheres e o de índios. O primeiro tem tido, direta e indiretamente, muita influência sobre um grande número de mulheres e deu origem a mudanças importantes nas atitudes sociais bem como na legislação. O segundo, nascido de uma sólida aliança entre líderes índios e intelectuais não-índios (muitos deles antropólogos), tem conseguido chamar a atenção para as conseqüências negativas dos projetos de desenvolvimento em curso e para a questão da garantia dos direitos dos índios à terra. A explicação desses "sucessos" provavelmente está no fato de sua retórica ter caído em solo fértil, principalmente porque tanto as mulheres quanto os índios sabem quem são.

Os movimentos de negros e homossexuais consideram-se menos "bem-sucedidos" exatamente porque nenhum deles sabe realmente quem é. O conceito moderno de homossexual cai em ouvidos moucos daqueles que vivem num mundo social onde as práticas homoeróticas são generalizadas e onde a masculinidade e a feminilidade são consideradas mais importantes do que a homo ou a heterossexualidade em si e onde, por exemplo, se acredita que um parceiro "ativo" numa relação entre dois homens mantém sua masculinidade intacta, ou até reforçada. Por uma lógica semelhante, a noção de solidariedade negra soa esquisita numa sociedade que se acostumou a ver-se como uma coleção de indivíduos de diversas origens étnicas que se distribuem segundo linhas de classe, e não linhas raciais. A própria idéia de um Movimento Negro supõe a existência de uma grande comunidade negra consciente de si mesma. Como no Brasil essa comunidade se restringe aos militantes negros, não é de estranhar que o primeiro objetivo do movimento seja criar uma "consciência racial". Para isso, é preciso convencer o povo brasileiro de que o espectro de colorações da pele não passa de uma ilusão que mascara a "verdadeira" divisão entre brancos e negros, tal como acontece nos Estados Unidos. Antes de mais nada, esses movimentos tinham de convencer os mulatos, os morenos e os de outras categorias do espectro de cores possíveis de que, afinal de contas, todos eram realmente negros, e que sua cultura lhes teria sido, por assim dizer, roubada pela elite branca dominante. Por isso é que o Movimento põe tanta ênfase na "recuperação" da cultura negra, que funcionaria como um centro aglutinador de uma identidade considerada perdida. Executar essa tarefa não tem sido fácil, porque ela vai de encontro ao mito básico da democracia racial e aos arranjos culturais e sociais que negam o particularismo racial em nome de valores universais.

É quase impossível não concluir, após a leitura de *Orpheus and Power*, que a incapacidade dos militantes negros de promover um movimento de massas tem causas ainda mais profundas do que as apresentadas por Hanchard. O "fracasso" do Movimento Negro na conquista de corações e mentes dos brasileiros decorre do conflito entre os princípios segregacionistas que estão no cerne da ideologia do Movimento e os anseios assimilacionistas que continuam fortes no senso comum brasileiro. Pesquisa feita em São Paulo, em 1986, sobre atitudes da população em relação à raça, parece sustentar essa interpretação. Perguntados sobre "o que os negros e mulatos deveriam fazer para defender seus direitos", 75,3% dos entrevistados negros e mulatos e 83,1% dos brancos responderam que preferiam a formação de um movimento composto de brancos, mulatos e negros. Menos de 10% de cada uma dessas categorias achavam que o problema deveria ser resolvido individualmente ou exclusivamente pelo Movimento Negro.

Não estou querendo dizer com isso que o Brasil é melhor ou pior do que o resto do mundo do ponto de vista das relações de raça; apenas afirmo que ele é diferente. Pode-se dizer o mesmo dos Estados Unidos. Nem um país nem o outro são exemplos a seguir ou mercadorias a serem exportadas. De seu confronto, fica-nos a poderosa advertência de que "raça" e "relações de raça" não têm absolutamente nada de natural. Cotejando-se um país com o outro, fica-nos a conclusão de que democracia racial e *one-drop rule* são idéias igualmente exóticas.

CAPÍTULO 6 O que a Cinderela negra tem a dizer
sobre a "política" racial no Brasil

A CINDERELA NEGRA

A estudante Ana Flávia Peçanha de Azeredo, negra, 19 anos, filha do governador do Espírito Santo, segurou a porta do elevador social de um edifício em Vitória enquanto se despedia de uma amiga. Em outro andar, alguém começou a esmurrar a porta do elevador. Ana Flávia decidiu então soltar a porta e, depois de conversar mais alguns instantes, chamou o outro elevador, o de serviço. Ao entrar nesse elevador, encontrou a empresária Teresina Stange, loira, olhos verdes, 40 anos, e o filho dela, Rodrigo de 18 anos.[...] Ana Flávia contaria mais tarde que Teresina foi logo perguntando quem estava prendendo o elevador. "Ninguém", respondeu a estudante. "Só demorei um pouquinho." A empresária não gostou da resposta e começou a gritar. "Você tem de aprender que quem manda no prédio são os moradores, preto e pobre aqui não têm vez", avisou. "A senhora me respeite", retrucou a filha do governador. Teresina grita novamente: "Cale a boca. Você não passa de uma empregadinha." Ao chegar ao saguão, o rapaz também entrou na briga. "Se você falar mais alguma coisa, meto a mão na sua cara", berrou. "Eu perguntei se eles me conheciam e insisti que me respeitassem", conta Ana Flávia. Rodrigo ameaçou outra vez: "Cale a boca, cale a boca. Se você continuar falando meto a mão no meio de suas pernas." Teresina segurou o braço da moça e Rodrigo deu-lhe um soco no lado esquerdo do rosto. [...] A polícia abriu um inquérito a pedido do governador. Se forem condenados [Teresina e Rodrigo], os dois podem pegar de um a cinco anos de cadeia. *Veja*, 7 de julho de 1993.

A INTERPRETAÇÃO DE MICHAEL HANCHARD

Michael Hanchard, autor de um livro sobre o movimento negro brasileiro (Hanchard, 1994), publicou em 1994 um artigo que parte de uma discussão do "caso Ana Flávia" para comentar a situação "racial" brasileira em termos mais gerais (Hanchard, 1994). Arregimentando um batalhão de teóricos de Jurgen Habermas a Edward Thompson, ele desenvolve três argumentos. O primeiro é que "afro-brasileiros têm recebido acesso contingente à esfera pública, um domínio que tem sido definido explicitamente e implicitamernte como branco" (p. 166). O caso de Ana Flávia o faz concluir que o Brasil não representa uma exceção a essa regra, afirmando que a batalha da porta do elevador "colocou mais um prego no caixão da ideologia da democracia racial brasileira" (p. 165). Um segundo objetivo do artigo de Hanchard é afirmar uma "racialização crescente da prática cultural afro-brasileira" e uma "polarização racial crescente na sociedade brasileira". Ana Flávia, ele afirma, sendo "filha de um homem negro [black] e uma mulher branca, poderia ser considerada uma mulata no Brasil do passado e do presente. Sua negritude [blackness] aos olhos dos seus agressores implica uma ampliação da categoria negro/a no Brasil e, mais importante, uma polarização crescente das categorias raciais" (p. 178), um ponto de vista compartilhado por Thomas Skidmore (Skidmore, 1993). No bojo desta constatação, ele comenta o surgimento de "organizações e expressões culturais que não eram brasileiros nem nacionais, mas afro-diaspóricos", como os blocos afro da Bahia (p. 181). Conclui que "por meio de segregação e outras formas de alienação racial, esferas públicas alternativas agem dentro de uma esfera pública definida. Para ele, grupos marginalizados criam comunidades territoriais e epistemológicas como conseqüência da sua posição subordinada na esfera pública burguesa. Assim, afro-brasileiros construíram esferas públicas próprias que criticam as normas societárias e políticas brasileiras" (p.167). "As lutas entre grupos raciais dominantes e subordinados, a política de raça [the politics of race], ajudam a constituir a modernidade e o processo de modernização no mundo inteiro. Utiliza fenótipos raciais para avaliar e julgar pessoas como cidadãos e não-cidadãos.[...] Esta é a política racial entre brancos e negros no apagar do século XX, e o Brasil não é nenhuma exceção. Para Ana Flávia, o relógio marcou meia-noite no momento que nasceu" (pp.182,183).

Talvez seja assim mesmo, mas somente se supusermos que a "modernidade" é definida pelo atual estado de coisas nos Estados Unidos, se supusermos que outras sociedades, inclusive o Brasil, seguirão no rumo desta mesma "modernidade", e se concordarmos com a versão do Brasil apresentada por Michael Hanchard.

A proximidade entre a "política racial" no Brasil e nos Estados Unidos que Hanchard propõe parece plausível, basicamente porque a linguagem utilizada para descrever e analisar a situação brasileira está repleta de significações advindas dos próprios Estados Unidos e porque a análise, essencialmente funcionalista, privilegia casos concretos de discriminação "racial" sobre o conjunto da sociedade, sobretudo suas representações.

Sem dúvida, há sinais de que um estilo bipolar de definir "raças" no Brasil está cada vez mais em evidência. Enquanto termino este artigo, leio no jornal um comentário do ministro Pelé: "Se o negro quer melhorar seu nível social, é preciso colocar gente nossa no Congresso." (*Jornal do Brasil*, 15/11/95). Mas, mesmo assim, acredito que um olhar mais atento sobre o caso Ana Flávia, em particular a própria reportagem da *Veja* citada por Hanchard, mostra que no Brasil a "política racial" continua *sui generis* no contexto do mundo moderno como um todo.

OS PERIGOS DA LINGUAGEM

A regra fundamental do método sociológico e antropológico é manter uma clara distinção entre os conceitos e as categorias analíticas e descritivas da linguagem do narrador/analista dos conceitos e categorias utilizados pelos personagens da sua história. A grande maioria dos textos escritos sobre "raça" e "relações raciais" quebra sistematicamente essa regra. O exemplo mais claro disso é o descuido com o próprio termo "raça". Apesar de todos concordarem que o conceito pertence ao reino das categorias nativas e é definido social e historicamente de maneira diferente de um lugar para outro, e que não tem, portanto, nenhuma validade "científica" como conceito universal, este pseudoconceito acaba sempre se infiltrando nos textos como conceito descritivo e, às vezes, analítico também. Mesmo neste texto de Hanchard, que é um dos autores mais sofisticados, encontram-se descrições como *racial group, race* e *racial difference* sem grifo, sem aspas.

O texto de Hanchard, como tantos outros, é ainda mais prejudicado pelo fato de que muitos dos termos utilizados para descrever e analisar a situação brasileira, num artigo escrito em inglês e publicado nos Estados Unidos, também são categorias nativas da "política de identidade" dos Estados Unidos. Termos e expressões como *"people of African descent"*, *"black subjectivity"*, *"Afro-diasporic populations"*, *"African-derived populations"*, *"blacks"*, *"African-Brazilians"*, *"blackness"*, *"African-American communities of the New World"*, *"whites"*, *"nonwhites"*, *"racial phenotypes"*, e *"racial groups"* são carregados de valor no contexto da "política racial" norte-americana. Por esta razão, os conceitos e categorias utilizados fazem muito mais do que descrever e analisar; remetem ao sistema de significados e relações sociais do qual fazem parte. Sua dimensão semântico-referencial fica ofuscada pela sua dimensão pragmática ou indexical segundo Vicent Crapanzano, que define o semântico-referencial como "aquela dimensão ou função (intencional) de um enunciado em que o sentido é, com exceções insignificantes, independente do seu contexto extralinguístico" (Crapanzano, 1992). O pragmático ou indexical "refere-se à dimensão ou função (extencional) de um enunciado em que o sentido depende do seu contexto extralinguístico" (Crapanzano, ibid.)[1].

---

[1] Minha utilização destes conceitos derivados do trabalho de Silverstein, M. (1979). "Language Structure and Linguistic Ideology". *The Elements: A Parasession on Linguistic Units and Levels*. P. Clyne, W. Hank e C. Hofbauer. Chicago, Chicago Linguistic Society: 193-247. Longas conversas com Vincent Crapanzano, e a leitura de um trabalho recente de Robin Sheriff, R. (1995) *Negro é nome que os brancos deram aos pretos: discursos sobre cor, raça e racismo num morro carioca*. Programa Raça e Etnicidade, Instituto de Filosofia e Ciências Sociais/UFRJ.

A dimensão pragmática das palavras utilizadas por Hanchard para descrever a situação brasileira efetua, sub-repticiamente, uma transmogrificação dos sentidos locais nos sentidos do lugar de origem das palavras, eliminando assim a possibilidade de se enxergarem possíveis (ou melhor, prováveis) diferenças mais ou menos radicais. As categorias *blacks*, *whites* e *racial groups*, por exemplo, pressupõem que, no fundo, os brasileiros se consideram divididos e classificados desta maneira. Será? *People of African descent* também pressupõe um sistema binário de classificação no Brasil, baseado, como nos Estados Unidos, em critérios de descendência. Será? A expressão *Afro-Brazilian life* pressupõe que os *afro-brasileiros* (e aqui insinua-se de novo a existência de um grupo estanque) participam de um estilo de vida distinto daquele do resto da população, como é o caso dos *afro-americanos*. Será? *African-American communities of the New World* indica a mesma direção, insinuando uma "essência" comum a todos que têm antepassados africanos. Será? *African-derived populations* sugere uma certa comunhão entre a "África" (e deixo meu leitor imaginar qual África) e aqueles milhões de indivíduos que, conscientemente ou não, têm um antepassado africano. Será?

As respostas a estas perguntas deveriam resultar de pesquisas. Mas a utilização de categorias nativas americanas disfarçadas de descrições na sua dimensão puramente semântico-referencial faz com que elas sejam respondidas antes mesmo de serem formuladas. Aliás, a linguagem utilizada impede a sua formulação. A própria linguagem efetua uma elisão entre a situação brasileira e a situação norte-americana, induzindo o leitor a pensar no Brasil da "democracia racial" e das múltiplas categorias de classificação "racial" como, na pior das hipóteses, uma espécie de erro ou aberração e, na melhor, como uma etapa de um caminho evolucionista que desembocará na plenitude do tempo na situação atual dos Estados Unidos: a "modernidade".

REALIDADE E IDEOLOGIA

O efeito lingüístico de aproximar o Brasil dos Estados Unidos é reforçado por uma abordagem funcionalista que atribui às relações sociais maior "realidade" que as representações, interpretando as segundas em função das primeiras. No caso em questão, refiro-me à interpretação da "democracia racial" feita por Hanchard e pela maioria dos que escrevem sobre "relações raciais" no Brasil. Quando Hanchard observa que o caso Ana Flávia "pôs mais um prego no caixão da ideologia da democracia racial brasileira", ele parte do pressuposto de que a discriminação "racial" empiricamente constatada ou subjetivamente experimentada (curiosamente ignora as inúmeras instâncias de amizade e congraçamento entre pessoas de aparências físicas — o que ele chama de "fenótipos raciais" — distintas) é mais "real" que a "democracia racial", que é definida como "ideologia." Como a "realidade" é considerada mais forte que a "ideologia" (a "razão" deve sempre prevalecer sobre a "superstição"), ela acaba enterrando-a como morta. Aliás, eu me pergunto por que Hanchard quer enterrar a democracia racial. Será que a idéia da semelhança de todos é tão nociva assim? Ela teve um breve momento de popularidade nos Estados Unidos na década de 1960. Mas voltarei oportunamente a este assunto.

As representações não são menos reais que as relações sociais; pelo contrário. A democracia racial não é menos "real" que a discriminação "racial". Enquanto a democracia "produz" uma sociedade sem segregação "racial" e legalmente universalista, a discriminação só é possível porque existe, anterior a ela, uma outra "ideologia" que contesta a ideologia da democracia racial. Esta "ideologia" hierarquiza os corpos de acordo com sua "aparência". As desigualdades entre os *mais claros* e os *mais escuros*, entre Teresina e Ana Flávia, são o resultado de um "mercado de cores", livre em princípio (a democracia racial), mas restrita na prática pela contra-ideologia da hierarquização das "raças".

CINDERELA NOVAMENTE

Em primeiro lugar, é importante observar que Michael Hanchard não foi o primeiro a perceber que o caso Ana Flávia serviria para se falar das relações "raciais" no Brasil em termos mais gerais. A própria *Veja* faz exatamente isso no artigo sobre o caso Ana Flávia e num segundo artigo publicado em seguida. Minha análise parte, portanto, de uma leitura detalhada deste texto, que vai muito além de uma descrição do caso Ana Flávia, incluindo uma análise bastante interessante da "política racial" do país.

Tentarei analisar o artigo da *Veja* citado por Hanchard para ver como as dimensões pragmático-indexais e semântico-referenciais funcionam para compor a história e falar da "política racial" no Brasil. Para tanto, darei destaque aos termos nativos do texto, tentando controlar a dimensão pragmática da minha própria linguagem, mesmo que isso implique um certo pedantismo e uma profusão de aspas e grifos (que serão usados sempre que se trate de um termo mencionado no texto), e mesmo consciente de que a dimensão pragmática e a própria "objetividade" são mais metas ideais do que possíveis realizações concretas.

A ESTRUTURA DO TEXTO

"A Cinderela negra" ocupa seis páginas da revista, igualando em tamanho a reportagem de capa sobre a expedição do mandado de prisão de P.C. Farias. Começa com uma etnografia do caso que citei no início deste trabalho. Em seguida, o texto fala das personagens, uma por uma. Depois, emite opiniões sobre o preconceito "racial" no Brasil. Fala de duas interpretações correntes "quase antagônicas", uma que "afirma que não há racismo no país" e outra que "diz que o racismo está apenas dissimulado. Justamente por não ser explícito, o preconceito seria pior. E nada ficaria a dever àquilo que se vê em países de violentos conflitos raciais" (p. 67).

PETER FRY

A matéria conclui que as duas interpretações são falsas, reconhecendo a existência de um nível de miscigenação "impensável num país como a África do Sul" sem que isso "anule o fato de que existe preconceito bastante pronunciado no Brasil, revoltante em alguns casos, exemplar em outros, como o da filha do governador" (p. 67). Depois de encerrar a análise do caso Ana Flávia com uma discussão sobre sua passagem pelo Instituto Médico-Legal para fazer exames e a fuga temporária dos réus, a reportagem dedica as duas últimas páginas aos resultados de uma pesquisa de opinião em que 6.268 pessoas foram entrevistadas sobre suas atitudes a respeito das relações "raciais" no Brasil. Discute números, conta outros casos de discriminação e castiga o PT por ter apenas "um negro na comissão executiva".

O artigo é fartamente ilustrado com nove fotografias e cinco tabelas da pesquisa. Na primeira página há uma grande fotografia de Ana Flávia e seu pai. Num enorme e suntuoso salão (supomos que é no palácio do governador), ela está sentada numa cadeira dourada com seu pai, em pé, ao seu lado. Na página ao lado há duas fotografias menores, uma de Teresina Strange num sofá de *chintz* com o dedo em riste, e outra, menor, do rosto do seu filho Rodrigo. Nesta página há também um quadro chamado "Quem tem mais preconceito?", contendo percentagens tiradas da pesquisa de opinião de "brancos" e "negros" sobre qual dos dois têm mais preconceito. Dos brancos entrevistados, 40% admitem que eles próprios têm mais preconceito, 36% acham que os "negros" são mais preconceituosos e 3% culpam mais os "mulatos". Dos "negros" entrevistados, 55% dizem que os brancos têm mais preconceito, 27% afirmam que são os "negros" e 9% culpam mais os "mulatos".

Nas páginas seguintes há mais três tabelas, uma sobre beleza, outra sobre escolha de parceiro no casamento e a última sobre oportunidades no mercado do trabalho. Nesta última, 71% dos "brancos" e 81% dos "negros" concordam que o "negro" "leva a pior" na disputa por emprego (forte evidência da existência da contra-ideologia mencionada acima). Nestas páginas há também duas fotografias, uma de um homem "pretíssimo" abraçado com uma menina "loiríssima", e outra do empresário José Barbosa num bar. Na legenda da segunda, o empresário diz: "As pessoas não admitem que eu, que sou negro, tenha sucesso profissional. Já me disseram que tenho os lábios finos, que eu sou só mulato." Nas duas últimas páginas, aparece mais uma tabela sobre a presença de "negros" em instituições de prestígio (quase não há), e mais quatro fotografias de pessoas que sofreram discriminação.

Com o título de "Baile de máscaras", a reportagem que vem depois de "A Cinderela negra" procura chocar o leitor apresentando fotografias de algumas personagens famosas com as feições alteradas por computador. O papa aparece com os olhos "achinezados", Pelé com a cara de Robert Redford, Xuxa, com a pele escurecida ("Xuxa Meneghel Mandela"), e Michael Jackson com cabelos loiros e pele definitivamente branca. A "brincadeira" do artigo está relacionada ao argumento de que "as diferenças genéticas entre as raças são apenas cosméticas". Cita um "biólogo molecular" norte-americano que afirma que não há nada no DNA que defina "raças", e que o racismo é "um fenômeno cultural e social". O artigo termina com uma afirmação do crescente "branqueamento" do mundo.

AS PERSONAGENS DESCRITAS E CLASSIFICADAS

As várias personalidades são descritas primeiro pelo redator (anônimo) e depois por elas mesmas, por intermédio do narrador.

Ana Flávia aparece primeiro como "estudante, negra, 19 anos, filha do governador do Espírito Santo, Albuíno Azeredo" (p. 66). Mais adiante, o redator acrescenta que ela é "uma menina baixinha de cabelos lisos e bem compridos, e é estudante de engenharia civil da Universidade Santa Úrsula, no Rio de Janeiro" (p. 68).

A segunda protagonista, Teresina Strange, é apresentada como "empresária, loira, olhos verdes, 40 anos" (p. 66), e, mais adiante, "descendente de alemães, dona de uma agência de turismo em Vitória e de um apartamento de 400 metros quadrados no luxuoso condomínio Pietrângela, na Praia da Costa, o lugar onde ocorreu a confusão." A única informação sobre o filho é seu nome, Rodrigo, e sua idade, 18 anos. Presume-se que seja também "descendente de alemães".

O governador aparece assim: "Casado há 22 anos com uma branca, Waldicéia, pai de um rapaz e duas moças, Azeredo é um caso raro de ascensão social entre os 45% da população brasileira composta de negros e mestiços. Nasceu em uma família pobre no Morro da Argola, perto de Vitória. Perdeu o pai aos 11 anos. A mãe lavava roupas para fora e a avó fazia doces, que ele vendia nas ruas da cidade. Foi vendedor ambulante e jogador de futebol. Muito inteligente, passou em terceiro lugar no concurso para oficiais da Academia Militar das Agulhas Negras (Aman), mas abandonou a escola 45 dias depois, sem dar explicações. Até hoje o governador não gosta de comentar o assunto, mas a família suspeita que existe uma história de preconceito racial no episódio. Depois disso, formou-se em engenharia ferroviária e fez carreira na Companhia Vale do Rio Doce. Em 1974, abriu um pequeno escritório de consultoria em projetos ferroviários, que hoje se transformou numa das maiores empresas do ramo na América Latina" (p. 67).

Waldicéia, sua esposa, aparece apenas como "uma branca".

Nestas descrições, o redator privilegia a origem familiar, a profissão e a "aparência" das personagens. O termo "aparência" é adequado porque é um termo muito usado no Brasil e porque foge de qualquer apriorismo "racial". Como a beleza está no olhar de quem olha, a "aparência" nunca é objetiva. É sempre um juízo de valor possibilitado pelas categorias culturais e pelas particularidades sociais de quem olha e de quem é visto.

O narrador "constrói" as duas protagonistas principais (Ana Flávia e Teresina) por meio de uma série de contrastes. Em termos de família, Ana Flávia é filha de um homem "negro" e governador e mãe "branca", enquanto Teresina é "descendente de alemães". No que diz respeito à profissão, notamos a diferença de gerações. Ana Flávia é "estudante" e Teresina, "empresária". Mas é na aparência que as duas mais divergem. Ana Flávia, "negra", "baixinha" e com "cabelo liso e bem comprido", se opõe a Teresina, uma "loira" de olhos azuis. A descrição das protagonistas, então, nada tem de inocente: produz imagens contrastantes de vítima e algoz através da dimensão pragmática da linguagem. A invocação da descendência alemã de Teresina, *junto* com seus olhos azuis e sua loirice, evoca uma imagem do estereótipo do alemão do Sul do país, implacável e provavelmente racista. Cabe perguntar se o redator queria salvar as outras mulheres "loiras" "verdadeiramente brasileiras" da pecha do racismo inato!

Na descrição do governador e de sua esposa, Waldicéia, o redator privilegia dados de origem familiar e história profissional do marido, limitando os traços das aparências à constatação de que ele é "negro" e ela, "branca". Mas, mesmo assim, é o fato de ser "negro" que justifica tamanho interesse na ascensão social vertiginosa do governador. Afinal, como diz o narrador, o governador "é um caso raro de ascensão social entre 45% da população brasileira composta de negros e mestiços". O que chama a atenção na linguagem utilizada nesta descrição é o efeito pragmático de enunciar a ascensão social do governador e seu casamento com "uma branca" na mesma frase. Remete o leitor diretamente à "ideologia" do branqueamento, formulada por Oliveira Viana e parte do ideário brasileiro até hoje.

Há um outro aspecto da linguagem descritiva do redator que merece destaque. Quando se trata da "aparência" das personagens, ele utiliza termos que descreveu aspectos dos corpos visualizados ("olhos azuis", "cabelo liso e bem comprido") e apenas três termos de classificação: "loira", "branca" e "negra(o)". Quando fala da descendência, utiliza também o termo "mulato" para se referir aos três filhos do governador "negro" e sua esposa "branca". Este ponto merece destaque quando observamos que Ana Flávia é "mulata" em termos de descendência, mas "negra" quando descrita pelo narrador como personagem da história.

As personagens citadas pelo narrador também falam de si mesmas e descrevem as outras. Ana Flávia conta que Teresina a chamou de "empregadinha" e disse que "preto e pobre não têm lugar aqui. É o lugar dos moradores", sugerindo assim que os moradores são "brancos" e "ricos". A dimensão pragmática destes termos é evidente: remetem a uma oposição bastante familiar no Brasil. A combinação dos termos "preta", "pobre" e "empregadinha" remete a uma categoria social considerada por muitos como de baixíssimo *status* social (Rezende, 1995), opondo-a ao empregador "branco" e "rico".

Quando Teresina se defende das acusações de racismo, ela procura palavras menos pragmáticas: "Em primeiro lugar, para mim a Ana Flávia não é preta. É só uma menina bronzeada". Não se sabe se Ana Flávia *é* ou *está* "bronzeada" (p. 68)!

Uma tia paterna de Ana Flávia também é entrevistada. Ela "acha que a sobrinha deve sofrer muito, porque no atual círculo de amizades dela não há outras meninas pretas" (p. 68). Diz ainda que "ela é complexada e quase não vai à praia" (p. 68). Comenta também que "o irmão, Albuíno Junior, de 17 anos, é chamado pelos amigos do curso pré-vestibular de "Neguinho da Beija-Flor" e "crioulo" (p. 68).

É a primeira-dama quem tem mais a falar sobre o incidente. "No Brasil existe um *apartheid* velado. A posição social, o dinheiro e o poder podem diminuir o preconceito, mas não acabam com ele. É como se as pessoas tivessem passado um verniz, debaixo do qual o preconceito continua intacto. Já enfrentei muitas barras-pesadas por causa da discriminação contra minha família. Topei todas as brigas, mas nunca imaginei que uma filha minha acabasse agredida por ser negra. Quando soube da notícia, senti dor e humilhação, mas agora quero ver os dois atrás das grades. Isso tem de acabar um dia" (p. 68).

Os termos utilizados pelas personagens para se descreverem e para descrever as outras se aproximam e se distanciam daqueles utilizados pelo narrador. Teresina e a tia utilizam termos como "bronzeada", "preta", "Neguinho da Beija-Flor" e "crioulo". O governador, ao falar da sua infância, queixa-se de ter sido chamado de "macaco" e "saruê" quando era menino pobre. É a esposa do governador que utiliza os mesmos termos do articulista, referindo-se à sua filha como "negra".

Um tanto perplexo com a variedade de termos utilizados para descrever as personagens e surpreso com a ausência do descritor "moreno", tão comum na linguagem cotidiana do Rio, fiz uma pequena enquete com alguns vizinhos meus de Santa Teresa, no Rio de Janeiro. Cobrindo o título da matéria da *Veja* com um papel branco, mostrei as fotografias a eles, perguntando como descreveriam a aparência das personagens. Um estofador, que se definiu como "pardo", disse que o governador era "pardo" e a filha dele, "morena". Chamou a cor "morena" de "cor internacional". Uma empregada doméstica que se declarou "branca" achou o governador "moreno fechado", e a menina "morena clara, como se diz". Dois garagistas que se definem como "negros" divergiram. Um considerava o governador "mulato" e a menina, "morena". O outro inverteu a ordem. Um vendedor confirmou que o governador era "mulato" e a filha, "morena". O que mais me espantou é que todos os homens acharam que Teresina era "morena" até que me dei conta de que, na fotografia, seus cabelos parecem escuros! Somente a empregada doméstica me confiou que era "branca, não é?" Mais tarde ela me procurou para saber se a resposta dela estava correta. Evidentemente, ela não tinha certeza e achava que eu, como professor, saberia a "verdade"!

No fim da rápida conversa com os garagistas "negros", caiu o papel que cobria o título da matéria. Leram o título da reportagem com espanto, comentaram "que absurdo" e, ato contínuo, riram às gargalhadas. Não perguntei o motivo do riso, mas ficou mais ou menos óbvio que os "cabelos longos e lisos" de Ana Flávia e sua presença num ambiente tão obviamente "rico" a desqualificavam como a "negra" do título.

Os dados até agora apresentados apontam para alguns princípios que orientam a descrição das pessoas. Em primeiro lugar, todas as personagens são descritas de acordo com sua aparência física, com exceção de Teresina Strange, cuja ascendência alemã é invocada. Ana Flávia, por exemplo, aparece como "preta", "negra" e "bronzeada", mas nunca como uma "pessoa de ascendência africana", ou "afro-brasileira". Este procedimento apenas confirma a atualidade das observações feitas por Oracy Nogueira

(Nogueira, 1985) no seu famoso mas lamentavelmente pouco lembrado artigo em que contrasta os sistemas norte-americano e brasileiro de relações "raciais", mostrando que os brasileiros classificam a partir da "aparência" da pessoa (a "marca"), enquanto os norte-americanos privilegiam a ascendência (a "origem").[2]

Mesmo que todos prestem mais atenção à "marca" do que à "origem", é possível distinguir duas maneiras de fazer a classificação. O narrador e Waldicéia dividem as personagens em apenas duas categorias: "negros" e "brancos". As demais personagens e os meus vizinhos utilizam categorias muito comuns na vida cotidiana brasileira, como "moreno", "morena clara", "mulato(a)", "mulato fechado", "pardo", "crioulo", "neguinho", "loira" e preto(a)" para inserir as personagens numa gama de categorias bem mais ampla.[3] Chamo a primeira maneira de classificar de "estilo binário" e a segunda, de "estilo múltiplo". Evito falar em *sistemas* de classificação por não estar seguro, após a leitura de um recente artigo de Robin Sherrif que até questiona a propriedade do conceito de "classificação" neste caso, de que pelo menos o estilo múltiplo tenha qualquer sistematicidade (Sherrif, 1995).

Há também um terceiro tipo de classificação, uma espécie de redução do tipo múltiplo ou ampliação do tipo bipolar, que consiste em três categorias: "negro", "branco" e "mulato." Este é também o tipo oficial do censo brasileiro, que pede às pessoas para se classificarem como "pretas", "brancas" ou "pardas" (quando não "amarelas" ou "outras"). Nota-se uma mudança das categorias "negro" e "mulato" para "preto" e "pardo".

---

[2]Veja, neste sentido, um artigo recente de Maria Laura Viveiros de Castro Cavalcanti, (1995). *Oracy Nogueira e a Antropologia no Brasil: Esboço de uma Biografia Intelectual.* ANPOCS/ GT — Pensamento Social Brasileiro, Caxambu, Minas Gerais.

[3]Na pesquisa conduzida por Nelson do Valle Silva sobre os dados do PNAD de 1976, em que os entrevistados se autoclassificaram em termos de "cor", apareceram 135 categorias, 95% das respostas caíram, mesmo assim, em apenas sete categorias: as quatro categorias do censo, *branco, preto, pardo* e *amarelo,* e três outras, *mais claro, moreno claro, moreno.* Nos restantes 5% apareceram categorias como *alvo, alvo escuro, alvo rosado, bronze, café-com-leite,* etc... Silva, N. d. V. e C. A. Hasenbalg (1992). *Relações Raciais no Brasil Contemporâneo.* Rio de Janeiro, Rio Fundo Editora.

Por estes dados e por outros extrínsecos ao caso, pode-se levantar a hipótese de que o tipo múltiplo seria predominante nas camadas "populares", por assim dizer, e o tipo bipolar, predominante nas classes médias intelectualizadas urbanas. Esta hipótese é razoável quando nos lembramos de que é justamente a classe média intelectualizada a mais influenciada pelo Movimento Negro e pelos cientistas sociais preocupados com relações "raciais" no Brasil. Estes, desde os trabalhos de Florestan Fernandes, têm adotado os termos "negros" e "brancos" nos seus textos (Maggie, 1991). Em círculos universitários, por exemplo, o tipo bipolar é o "politicamente correto".

Mas outros dados estranhos ao "caso Ana Flávia" complicam a hipótese. As expressões "pessoas de cor" e "quem passa de branco preto é" sugerem que, mesmo entre os que costumam empregar o tipo múltiplo, há um recurso bipolar também disponível. As observações de Robin Sheriff num morro do Rio de Janeiro mostram que o estilo bipolar pode ser invocado, bem como o estilo múltiplo (Sheriff, 1995). Mesmo assim, a bipolaridade popular é diferente da bipolaridade do Movimento Negro, em que ela é invocada em determinada situação; desta forma, convive com o estilo múltiplo. A bipolaridade do Movimento Negro é impositiva e contrária ao estilo múltiplo.

Os tipos bipolar militante e múltiplo são radicalmente diferentes um do outro. O estilo múltiplo permite que indivíduos possam ser classificados de maneiras diferentes em cada situação. Além disso, permite o que podemos chamar de "desracialização" da identidade individual. Os termos "moreno" e "moreninho" podem ser aplicados, como vimos anteriormente, a uma grande gama de "aparências", a "descendente de alemães", bem como, na vida cotidiana, aos indivíduos com todos os fenótipos associados à África. O bipolar militante se aproxima do estilo norte-americano na medida em que divide a sociedade dicotomicamente entre "brancos" e "negros". Difere, como já argumentou Oracy Nogueira, porque se baseia nas aparências físicas dos indivíduos, e não primordialmente na sua ascendência. Do ponto de vista do Movimento, o estilo popular é anátema.

Categorias como "moreno" e "mulato", vistas como resultado das ideologias da democracia racial e do branqueamento, são consideradas armas para ocultar a verdadeira "identidade negra", o que Hanchard chama de *"black subjectivity"*. É o caso do empresário já citado, que se ressente de ser chamado de "só mulato" por causa dos seus "lábios finos".

O Movimento Negro então quis romper com o estilo múltiplo mudando as regras do jogo. Fez isso com tanta energia que começou a negar qualquer especificidade brasileira, descrevendo o país como "pior que o *apartheid*", por exemplo. (A segunda interpretação do racismo no Brasil mencionada na matéria da *Veja* e citada anteriormente.) Januário Garcia, antigo líder do movimento do Rio e ex-presidente do Instituto de Pesquisa da Cultura Negra (IPCN), reconhece que tem sido difícil fazer repercutir a mensagem bipolar do movimento: "A massa não veio comigo porque não sei como me comunicar com ela. [...] Não conseguimos mais nos comunicar com a massa porque não nos identificamos com massa [...] (84) Era principalmente uma questão de linguagem." Garcia acertou em cheio, pois parece exatamente uma questão de linguagem na sua dimensão pragmática. A dificuldade de fazer valer uma linguagem que fala de "negros" e "brancos" para quem fala uma linguagem de "morenos", "pretos", "mulatos", "crioulos" etc. é exatamente a dificuldade de fazer com que as pessoas abram mão de um modo de vida ao qual estão habituadas, um modo de vida baseado na crença de que a aparência das pessoas não *deveria* influir nas suas escolhas e carreiras, mesmo que se compartilhe outra crença igualmente forte nas restrições terríveis que são impostas sobre as "mais escuras".

Entretanto, e apesar de os estilos múltiplo e "censitário" se localizarem mais acentuadamente nas "camadas populares" e o estilo bipolar entre os militantes do Movimento Negro e universitários em geral, na prática os três estilos coexistem na sociedade como um todo. Dependendo da situação, um ou outro pode aparecer em estilo "puro", ou todos podem ser encontrados "misturados". As tabelas apresentadas na reportagem "A Cinderela negra" são um caso em ponto. Os entrevistados na pesquisa são classificados, de acordo com o estilo bipolar, como "negros" e "brancos" (não se sabe se esta classificação foi feita pelos pesquisadores ou pelos próprios pesquisados), mas as perguntas às quais respondem contêm a categoria "mulato". Reproduzo duas tabelas à guisa de exemplo:

O julgamento da beleza
Em qual das raças você acha que há uma maior proporção de pessoas bonitas?

A opinião dos brancos
45% dos entrevistados dizem que é entre os brancos mesmo
25% afirmam que há mais gente bonita entre os mulatos
3% dizem que há mais negros bonitos

A opinião dos negros
27% dizem que os mulatos são mais bonitos
22% acham que são os brancos

17% afirmam que há mais gente bonita entre os negros

A escolha do parceiro
Entre uma pessoa branca, uma mulata ou uma negra, qual seria o seu parceiro ideal?

Os brancos preferem
53% parceiros brancos
27% parceiros mulatos
3% parceiros negros

Os negros preferem
37% parceiros negros
31% parceiros mulatos
14% parceiros brancos

Resta saber quantos dos "negros" e "brancos" que responderam se consideram "mulatos"!

AS CONSEQÜÊNCIAS

O estilo bipolar militante tem seu *locus classicus* nos Estados Unidos. Lá, a taxonomia racial consiste em apenas duas categorias, negro (agora afro-americano) e branco. Assim, mesmo tendo sete bisavós europeus e um africano, é este último que determina o *status* de afro-americano. Este tipo de classificação se produziu num contexto intelectual em que se acreditava que, na prole resultante das uniões sexuais entre indivíduos de "raças" distintas, a "raça inferior" seria sempre a dominante, "manchando" a "pureza branca". Se os cientistas do final do século XIX não tivessem se preocupado tanto com a superioridade e a inferioridade das "raças", provavelmente teriam inventado um outro sistema, em que os indivíduos seriam classificados em termos de percentagens. Caso isso tivesse acontecido, hoje em dia o neto de um africano, um inglês e duas escocesas seria chamado de "africano (25%), inglês (25%), escocês (50%)". Este absurdo imaginário apenas destaca a arbitrariedade *real* do tipo de classificação racial nos Estados Unidos. Mas como esta taxonomia é considerado natural, os americanos ficam surpresos por não a encontrarem no Brasil. Eles acham — e devo dizer, um número cada vez maior de brasileiros adeptos deste pensamento — que a maneira brasileira de classificar, elaborada de modo tão complexo em cima de aparências, apenas mascara a verdadeira distinção natural entre "negros" e "brancos". Ficam perplexos com o fato de existir um movimento negro de massas.

É possível argumentar que o estilo múltiplo é mais coerente, menos ambíguo e até menos racista que o bipolar dos Estados Unidos. O estilo múltiplo efetivamente utiliza um sistema de percentagens não-quantificadas: assim, "cabelo bom", "nariz chato", "lábios finos" e "cor clara" são descrições que acabam reconhecendo a herança genética africana e européia. O racismo surge quando os mais próximos da "Europa" são vistos como superiores.

O estilo bipolar militante não é "correto". Não existe retidão universal no mundo das taxonomias e classificações, mesmo as ditas científicas. Os dois tipos, baseados em noções lamarckianas de descendência são racistas, mas o estilo múltiplo é firmemente neolamarckiano, na medida em que reconhece múltiplas características "raciais" na constituição da pessoa. O estilo americano/militante/bipolar endossa a noção racista de que basta uma gota de "sangue negro" para "poluir" a "pureza branca" e produzir um mundo de "raças" essencializadas.

Se pensarmos que o problema das desigualdades raciais no Brasil deve ser resolvido por meio de conflito, então o sistema bipolar aparece como necessário. Ou, como afirma Hanchard, "as lutas entre grupos raciais dominantes e subordinados, a política de raça, ajudam a constituir a modernidade e os projetos modernizantes no mundo inteiro". Espero ter levantado a suspeita, a partir da discussão em torno do caso Ana Flávia, de que as coisas não são tão simples assim no Brasil e que, apesar da visibilidade do modelo bipolar, outras maneiras de definir as pessoas ainda continuam fortes.

A antropologia oscila entre o universalismo das suas grandes teorias e o particularismo dos seus estudos etnográficos empíricos. Ainda acreditando na minha disciplina, creio que é a tensão entre estes dois pólos que lhe dá a possibilidade de evitar os piores excessos do etnocentricismo. A "política racial" norte-americana parece ter optado definitivamente pelo particularismo das "raças". Do contrário, como explicar as reações ao julgamento de O.J. Simpson (a maioria dos "negros" o consideram inocente e a maioria dos "brancos" o consideram culpado, como se culpa fosse coisa de "raça") ou a marcha de um milhão de homens negros em Washington, sob a coordenação do segregacionista Louis Farrakhan e seu Reino do Islã? O universalismo continua forte no Brasil, na sua constituição e na idéia da democracia racial, mesmo que haja sinais (se Hanchard e Skidmore têm razão) de uma crescente polarização no país.

A MORAL DA HISTÓRIA

Não acredito que seja possível ser sociólogo ou antropólogo e ficar sem opinião neste debate, simplesmente porque nossas disciplinas são construídas sobre duas pedras fundamentais: a igualdade de todos os seres humanos e a desvinculação total entre genética e cultura. Portanto, não devemos ficar calados diante de todas as formas modernas de essencialismo e racismo, mesmo que isso implique assumir temporariamente posições "politicamente incorretas". Afinal, racismo é racismo, e é tão perigoso quando invocado em favor dos fracos quanto dos fortes. Afinal, os fracos de hoje podem muito bem ser os fortes de amanhã.

Kwame Anthony Appiah, filósofo e filho de pai ganês e mãe britânica, professor da Universidade de Harvard, está aborrecido com a perpetuação do discurso militante essencialista no seu país adotivo, que nos dias de hoje assiste a um acalorado debate universitário sobre o suposto eurocentrismo dos currículos, o que tem produzido um afrocentrismo reativo. Ele comenta: "A resposta correta ao eurocentrismo não é certamente um afrocentrismo reativo, mas uma nova compreensão que humanize todos nós, através do aprendizado de pensar além de raça" (Appiah, 1993).

Hanchard afirma que "o Brasil não é nenhuma exceção" a uma "política racial" generalizada neste fim de século. Peço perdão, mas acredito que a "política racial" não precisa seguir os rumos do mundo anglo-saxão.[4] Os Estados Unidos vivem "surtos" de universalismo dentro do seu particularismo histórico, como, por exemplo, no movimento dos direitos civis na década de 1960. O Brasil vive "surtos" de particularismo dentro do seu universalismo constitucional e consentido; afinal, como reza o ditado popular, "na prática a teoria é outra". Mas nem por isso precisamos descartar a "democracia racial" como ideologia falsa. É apenas uma idéia. Mas, seguramente, uma idéia bastante interessante num mundo assolado pelos particularismos "raciais", "étnicos" e "sexuais" que em outros lugares produzem mais mortes do que igualdades.

POSTSCRIPTUM

No sábado, dia 25 de novembro, voltei de carro para minha casa em Santa Teresa acompanhado por um amigo negro. Vi pelo retrovisor um carro

---

[4] Tenho em mente aqui a importantíssima questão das diferenças entre as colônias criadas pelos portugueses e pelos ingleses, questão essa tratada extensamente por Gilberto Freyre.

com farol muito alto. Tapei o espelho retrovisor para proteger meus olhos. Após alguns minutos, o tal carro acendeu luzes vermelhas que piscavam no teto. Polícia! Diminuí a marcha para que ele pudesse me ultrapassar. Mas não ultrapassou. Parou ao meu lado e me obrigou a parar. Do Opala velho saltaram dois policiais armados com revólveres e logo começaram a me xingar por não ter parado. Com arrogância e brutalidade, exigiram nossos documentos e vistoriaram o carro. Minhas tentativas de exigir civilidade apenas aumentaram a agressividade deles. Como não encontraram nada ilegal, relutantemente nos deram autorização para seguir viagem. Anotei o número do Opala. Os policias então anotaram a placa do meu carro e ameaçaram me multar por me ter recusado a parar!

Cheio de raiva, desci de novo para a cidade. No caminho, insinuei ao meu amigo que aquilo era um caso de racismo. Ele disse que não queria comentar isso, mas que era mesmo. Ele vira o Opala quando passamos por ele na subida. Certamente os policiais deduziram que um "branco" e um "negro" no mesmo carro só poderiam ser "bandidos" de um tipo ou outro.

Fiquei arrasado por ter escrito um artigo apelando para as virtudes da democracia racial!

De volta à cidade, entramos num botequim. Um botequim cheio de gente de todas as "aparências" possíveis, velho e moços, mulheres e homens de todas as cores possíveis. O ambiente de convivência bem-humorada foi o mais perfeito antídoto para a batida policial.

Um negro velho veio me pedir um real "para o ônibus". Espontaneamente começou a me contar sua vida de capoeirista com a navalha escondida entre os dedos do pé. Ato contínuo, referiu-se à sua cor, dizendo que não tolera que as pessoas "me desfaçam". Partiu, então, para um longo discurso, sem pieguice, sobre a igualdade de todos nós perante Deus.

Percebi, então, que meu artigo tinha algum sentido.

Os dois fatos, a brutalidade da polícia racista e a civilidade da "mistureba" do botequim, aconteceram na mesma cidade, num intervalo de poucos minutos.

Mas é isso mesmo. O ideal da democracia racial e a brutalidade do racismo coexistem de tal forma que é a situação que determina qual deles vai prevalecer. Não tenho dúvida de que os dois policiais, ambos "escuros", jamais admitiriam qualquer racismo. Também não duvido que bebam fraternalmente com todos nos botequins da vida.

Bibliografia

Cavalcanti, M. L. V. d. C. *Oracy Nogueira e a Antropologia no Brasil: esboço de uma biografia intelectual*. ANPOCS/ GT — Pensamento Social Brasileiro, Caxambu, Minas Gerais. 1995.

Crapanzano, V. *Hermes' Dilema & Hamlet's Desire: On The Epistemology of Interpretation*. Cambridge: Harvard University Press. 1992.

Hanchard, M. "Black Cinderella?: Race and the Public Sphere in Brazil." *Public Culture* 7: 165-185. 1994.

Hanchard, M. G. *Orpheus and Power: The Movimento Negro of Rio de Janeiro and São Paulo, Brazil, 1945-1988*. Princeton: Princeton University Press. 1994.

Maggie, Y. "A ilusão do concreto: análise do sistema de classificação racial no Brasil." *Instituto de Filosofia e Ciências Sociais*. Rio de Janeiro: Universidade Federal do Rio de Janeiro. 1991.

Nogueira, O. "Preconceito racial de marca e preconceito racial de origem." *Tanto preto quanto branco: estudos de relações raciais*. São Paulo: TA. Queiroz Editora Ltda.: 67-94. 1985.

Rezende, C. "*Empregadas domésticas: amizade, hierarquia e cor.*" XIX Reunião da ANPOCS: Caxambu. 1995.

Sheriff, R. *Negro é nome que os brancos deram aos pretos: discursos sobre cor, raça e racismo num morro carioca*. Programa Raça e Etnicidade, Instituto de Filosofia e Ciências Sociais/UFRJ. 1995.

Silva, N. d. V. e C. A. Hasenbalg. *Relações raciais no Brasil Contemporâneo*. Rio de Janeiro: Rio Fundo Editora. 1992.

Silverstein, M. *Language Structure and Linguistic Ideology. The Elements: A Parasession on Linguistic Units and Levels.* P. Clyne, W. Hank and C. Hofbauer. Chicago, Chicago Linguistic Society: 193-247. 1979.

Skidmore, T. "Race Relations in Brazil." Camões Sentre Quarterly 4(3-4): 49-61. 1993.

CAPÍTULO 7   Política, nacionalidade e o significado
de "raça" no Brasil[1]

[1]Publicado na revista *Daedalus*, vol. 129, nº 2, 2000, e em BETHELL, Leslie (org.) *Brasil: fardo do passado, promessa do futuro*, Rio de Janeiro: Civilização Brasileira, 2002. p.153-202. Tradução de Maria Beatriz Medina.

Como o Brasil tem "importado" gente e idéias durante toda a sua história, celebrando a sua absorção "antropofágica", torna-se particularmente interessante saber por que apenas algumas idéias externas parecem mais indigestas. Afinal de contas, por mais que Robert Schwarcz argumente que a democracia liberal era uma "idéia fora do lugar" no final do século XIX de Machado de Assis (Schwarcz, 1971), ainda assim ela foi adotada como elemento fundamental do nacionalismo brasileiro, juntamente — mais tarde — com a "democracia racial", sua subordinada.

Na verdade, é em nome da ideologia "importada" do liberalismo que tantos outros brasileiros rejeitam hoje a ação afirmativa, especialmente em sua forma mais categórica de cotas. Quando algumas idéias do exterior foram absorvidas e digeridas, davam a impressão de provocar um mal-estar em relação a outras idéias que entram em contradição com elas. Para muitos, as cotas eram desagradáveis não só porque parecem contradizer a democracia social e a democracia liberal *tout court*, mas também porque parecem ameaçar a própria idéia de antropofagia. É como se, caso o Brasil tivesse comido a ação afirmativa formalizada, outros pratos de que gostasse se tornassem cada vez mais intragáveis.

Num artigo recente sobre o que denominam "imperialismo cultural", Pierre Bourdieu e Loïc Wacquant defendem que "vários temas que resultam diretamente de confrontos intelectuais relacionados à especificidade social da sociedade americana e das universidades americanas estão sendo impostos, em formas que parecem des-historicizadas, à totalidade do planeta".[2] Assim, "multiculturalismo" e "neoliberalismo" — conceitos desenvolvidos no contexto específico dos Estados Unidos — são transformados em verdades "naturais", universais e pressupostas, exceto, observam, quando ridicularizados como "politicamente corretos", e "utilizados paradoxalmente, nos círculos intelectuais franceses, como instrumento de rejeição e repressão contra todo tipo de veleidades, especialmente feministas e homossexuais.(...)" (Ibid., 111). Observando que o debate sobre "raça" e "identidade" também tem se sujeitado a "intromissões etnocêntricas semelhantes", eles voltam-se para o Brasil para ilustrar seu argumento.

Uma representação histórica, nascida do fato de que a tradição americana impôs arbitrariamente uma dicotomia entre brancos e negros a uma realidade infinitamente mais complexa, pode até impor-se nos países onde os princípios de visão e divisão, codificados ou práticos, das diferenças étnicas são completamente diferentes e que, como no Brasil, eram até recentemente considerados contra-exemplos do "modelo americano" (Ibid., 112).

Esta "violência simbólica" deriva, eles afirmam, do uso de categorias raciais americanas para descrever o Brasil, e do poder dos Estados Unidos de obter a "colaboração, consciente ou não, por interesse direto ou indireto, de todos os 'fornecedores' e importadores de produtos culturais com ou sem *griffe*", como editores, diretores de instituições culturais, teatros, museus, galerias, revistas e assemelhados. Eles também destacam o papel das grandes fundações filantrópicas e de pesquisa americanas na "difusão

---

[2]"Le pouvoir d'universaliser les particularismes liés à une tradition historique singulière en les faisant méconnaître comme tels." Bourdieu e Wacquant, 1998, p. 109.

da doxa racial norte-americana no coração das universidades brasileiras no nível das representações e práticas" (Ibid., 113).[3]

A ironia de invocar o Brasil neste contexto é que desde os dias da escravidão, bem antes da globalização moderna, as "relações de raça", reais e imaginadas, no Brasil e nos Estados Unidos, têm sido apresentadas como modelos contrastantes que, em certo sentido, passaram a definir para muitos as duas identidades nacionais.

Neste artigo, afirma que Bourdieu e Wacquant apresentaram um modelo interpretativo que só em parte faz justiça aos fatos como eu os vejo. Embora seja verdade que muitos intelectuais norte-americanos consideram que a ideologia da "democracia racial" do Brasil seja, ou deveria ser, letra morta, alegando que a única reivindicação de especificidade do Brasil é o racismo particularmente insidioso que engendra, e embora também seja verdade que as organizações filantrópicas norte-americanas dão apoio financeiro e intelectual à pesquisa sobre "raça" e a grupos ativistas negros, é também verdade que muitos de seus funcionários, juntamente com um número considerável de acadêmicos e ativistas brasileiros, relutam em abandonar o compromisso com a *idéia* de que "raça" ou aparên-

---

[3]Ibid., 113. Em particular, eles citam minha própria universidade, da qual, afirmam, a Fundação Rockefeller, que financiou um projeto sobre raça e etnicidade, teria exigido, como condição para o financiamento, que a equipe da pesquisa fosse recrutada com base nos critérios americanos de ação afirmativa. E, como acontece com freqüência, o exemplo que citam vai contra seu próprio argumento, já que a Fundação Rockefeller na verdade não impôs nenhuma condição para financiar o programa de raça e etnicidade da Universidade Federal do Rio de Janeiro, que trouxe à nossa universidade especialistas do mundo inteiro (inclusive Loïc Wacquant) com o objetivo declarado de colocar o "modelo americano" sob uma perspectiva multicultural. Para nós, e para muitos outros, uma "imposição" cega do "modelo americano" traria conseqüências muito mais perniciosas que a "violência simbólica". Sabemos, pela nossa compreensão dos efeitos do imperialismo e do colonialismo propriamente ditos, que imposições deste tipo, que vão contra os entendimentos locais, podem ser, na melhor das hipóteses, ineficazes e, na pior delas, dolorosas. Assim, pelo menos neste caso, uma universidade brasileira foi financiada por uma grande fundação americana para colocar a experiência americana em seu devido lugar, apenas como uma forma historicamente específica de construir a raça, institucionalizar o racismo e depois combatê-lo.

cia física não deviam ser invocadas para discriminar de nenhuma forma. Pela mesma razão, embora muitos ativistas e intelectuais percebam as "relações de raça" no Brasil como uma disputa entre duas categorias de pessoas — brancos e pessoas de cor —, outros continuam a celebrar as virtudes da "mistura", tanto de genes quanto de culturas. Outros ainda apóiam uma combinação dessas idéias e invocam-nas de acordo com a situação. O fato de que um conjunto de idéias tornou-se identificado com o Brasil e outro com os Estados Unidos resulta de associações metonímicas e contrastes metafóricos que são parte da política de construção da nação e da preocupação com "autenticidades" nacionais.

O mecanismo de personificar nações e depois atribuir-lhes homogeneidade cultural e projetos objetivos de hegemonia pode ofuscar os temas que realmente estão em jogo, que são endógenos em todas as sociedades modernas: ou seja, o conflito entre a posição pós-boasiana de que "raça" não é uma realidade biológica, mas sim um artefato histórico e social, e a sobrevivência persistente e a presença cada vez mais poderosa da "raça" como princípio condutor da formação de categorias e grupos sociais significativos. O mecanismo, é claro, também ignora o modo como indivíduos, grupos e categorias distintos, presentes em sociedades "subalternas", compreendem as mensagens que recebem e a elas reagem em termos de suas próprias categorias culturais e seus programas políticos.

Como mostra o registro etnográfico, e apesar da objeção de Gananath Obeyesekere, o capitão Cook foi morto porque o povo do Havaí pensou que ele era seu deus Lono (Sahlins, 1995). Vou sugerir que, se a sociedade brasileira tiver qualquer especificidade com relação a esses temas, ela está agindo originalmente como este conflito de idéias manifesta-se no debate público e na infinidade de maneiras que os brasileiros têm de lidar com "raça" e "racismo". E esta especificidade, novamente em contraste com os Estados Unidos, assenta-se em um dos poucos fatos objetivos deste campo tão atormentado pelo subjetivismo: a lei. No Brasil, a discriminação racial é e tem sido ilegal desde a instauração do regime republicano, em 1889.[4] Nos Estados Unidos, a "raça" foi, até o movimento dos direitos civis da década de 1960, um constructo legal que dividia a população segundo linhas "raciais" em todas as esferas da vida social. Desde então, continua a ser tão poderosa como sempre para justificar o preconceito ou contrapô-lo. A ação afirmativa foi relativamente fácil de implantar nos Estados Unidos por ter sido construída sobre premissas compartilhadas de diferença "racial". No Brasil, esta questão é muito mais espinhosa, já que corre contra a noção de democracia racial. Mas, como observam Bourdieu e Wacquant, a ironia está no fato de que, com o aumento da pressão nos Estados Unidos para questionar a ação afirmativa e a fácil dicotomia de negros e brancos, no Brasil também cresce a pressão na direção oposta.

O DESENVOLVIMENTO DA IDÉIA DE MISTURA E DEMOCRACIA RACIAL NO BRASIL

Em 1859, o conde Joseph Arthur de Gobineau chegou ao Rio de Janeiro para passar um ano como embaixador da França na corte do imperador D. Pedro II, com quem logo estabeleceu forte amizade. Quatro anos depois, Gobineau, autor de *Essai sur l'inégalité des races humaines* (Gobineau, 1855), que posteriormente viria a inspirar o "racismo científico" mais pernicioso do século XX, publicou um artigo sobre o Brasil que exaltava a riqueza natural e a beleza do país, mas era menos otimista quanto aos seres humanos que o habitavam. Ao observar a formidável mistura de "raças" no Brasil e alegando que os mulatos "não se reproduzem além de um número limitado de gerações", concluiu, com base na análise nos dados censitários disponíveis, que a população iria "desaparecer completamente, até o último homem", dentro de, no máximo 270, e, no mínimo,

---

[4] É claro que isto não significa negar as várias tentativas de levar as questões da raça à política pública, em particular o incentivo à imigração "branca" (Seyferth, 1997) e a invocação da raça como preocupação primária da investigação criminal (Cunha, 2002).

duzentos anos (Raeders, 1988, p. 241). Para evitar tal catástrofe, defendia alianças mais valiosas com "raças européias". Assim, "a raça se restabeleceria, a saúde pública melhoraria, a índole moral se retemperaria e as mudanças felizes se introduziriam na situação social deste admirável país" (Ibid., 242). Não há dúvida de que a aversão de Gobineau pela mistura refletia preocupações profundas com o futuro de seu país natal que, desde a Revolução Francesa, sofria a decadência da "pureza racial" e o controle político de uma elite de ascendência supostamente alemã, à qual ele mesmo afirmava pertencer. Seus esforços poderiam ser interpretados como uma tentativa de universalizar a reação à Revolução Francesa.

Estudiosos brasileiros imaginaram outros resultados para o Brasil ao contemplarem sua população multicolorida que Gobineau e outros defensores do "racismo científico" consideravam inviável (Skidmore, 1976; Schwarcz, 1993). Nina Rodrigues imaginou uma complexa classificação racial e previu que a população tenderia a três tipos básicos — brancos, mulatos e negros —, que poderiam ser definidos não tanto por critérios genealógicos quanto pela aparência. Inspirado na escola italiana de antropologia criminal, Rodrigues afirmou que cada um desses grupos possuía seu próprio sistema moral e chegou a ponto de sugerir que deveriam ser elaborados códigos penais separados para cada um deles (Rodrigues, 1957 [1894]). No entanto, suas idéias caíram em terreno árido, pelo menos no que tange à legislação formal. Desde a abolição da escravatura em 1888 e da proclamação da República em 1889, as Constituições e leis brasileiras não discriminaram com base em "raça" ou "cor", ainda que as políticas de imigração revelassem o pensamento racial da época. Por meio da importação de brancos da Europa, esperava-se "embranquecer" aos poucos a população, à medida que a superioridade e a força do "sangue" branco eliminassem gradualmente os traços físicos e culturais africanos e ameríndios (Viana, 1934). João Batista de Lacerda, diretor do Museu Nacional, achava em 1911 que, em cem anos, a população iria tornar-se mais "latina" do que branca (Seyferth, 1985). A ironia da posição do Brasil em contraste com a dos Estados Unidos é que, enquanto no primeiro supunha-se que o branco englobaria o negro, no segundo achava-se que iria ocorrer o oposto. Até hoje a "regra da gota única" pode ser invocada para classificar como afro-americana qualquer pessoa que tenha pelo menos um ancestral africano, sem preocupação com a aparência física.

Em 1933, Gilberto Freyre publicou *Casa-grande & senzala*, em que dizia que a "miscigenação" e a mistura de culturas não eram a danação do Brasil, mas sim sua salvação. No prefácio da primeira edição do livro, no mesmo parágrafo em que reconhecia seu débito intelectual com Franz Boas, com quem estudara nos Estados Unidos, ele recorda ter observado "um bando de marinheiros nacionais — mulatos e cafuzos" desembarcando no Brooklyn. "Deram-me a impressão de caricaturas de homens. (...) A miscigenação resultava naquilo. Faltou-me quem me dissesse então, como em 1929 Roquette Pinto aos arianistas do Congresso Brasileiro de Eugenia, que não eram simplesmente mulatos ou cafuzos os indivíduos que eu julgava representarem o Brasil, mas cafuzos e mulatos *doentes*" (Freyre, 1933, p. 17-18).[5]

Casa-grande & senzala foi a defesa de Freyre da miscigenação brasileira. Reunindo um vasto conjunto de documentos sobre o Brasil colonial e imperial, assim como suas próprias lembranças de filho de uma família nordestina de proprietários de terras, e embelezando seu texto com considerável licença poética, ele descreveu o Brasil como uma sociedade híbrida na qual africanos, ameríndios e europeus (especialmente os portugueses) se haviam entrecruzado pelo intercâmbio de genes e culturas. Freyre descreveu uma sociedade baseada numa série de antagonismos culturais e econômicos, baseados em "realidades tradicionais profundas", entre "sadistas e masoquistas, (...) doutores e analfabetos, indivíduos de cultura predominantemente européia e outros de cultura principalmente africana e ameríndia" (op. cit., p. 168). Ele afirmou que esta dualidade não era

---

[5] Marcos Chor Maio observou que Freyre também recebeu influências do antropólogo brasileiro Roquette Pinto, que, no Primeiro Congresso Brasileiro de Eugenia, disse que "o número de indivíduos somaticamente deficientes em algumas regiões do país é bem marcante. No entanto, isto não se deve a nenhum fator racial, mas a causas patológicas que nada têm a ver com a antropologia. Esta é uma questão de política educacional e sanitária" (Maio, 1999).

inteiramente "prejudicial" e que existia um certo equilíbrio entre a "espontaneidade, (...) [o] frescor de imaginação e emoção do grande número e (...) [o] contato, através das *élites*, com a ciência, com a técnica e com o pensamento adiantado da Europa". Mas, acima de tudo, os antagonismos eram "harmonizados" pelas "condições de confraternização e de mobilidade vertical peculiares ao Brasil: a miscigenação, a dispersão da herança, a fácil e freqüente mudança de profissão e de residência, o fácil e freqüente acesso a cargos e a elevadas posições políticas e sociais de mestiços e de filhos naturais, o cristianismo lírico, à moda portuguesa, a tolerância moral, a hospitalidade a estrangeiros, a intercomunicação entre as diferentes zonas do país" (Ibid., p. 171).

Freyre, como seus antecessores, preocupava-se tanto em descrever o Brasil como em identificar sua especificidade em relação a outros países, em particular os Estados Unidos. *Casa-grande & senzala* foi um exercício de construção da nação e também etnografia histórica. A este respeito, não deixa de ter relevância o fato de que a análise do Brasil feita por Freyre tornou-se parte importante da crítica transcultural de "raça" de Boas.

> O sentimento de raça entre brancos, negros e índios no Brasil parece ser bem diferente do existente entre nós, americanos. No litoral há uma grande população negra. A mestiçagem índia também é bem marcante. A discriminação entre essas três raças é muito menor que entre nós, e os obstáculos sociais para a mistura de raças ou para o avanço social não são marcantes. Predominam condições semelhantes na ilha de Santo Domingo, onde houve casamentos mistos de espanhóis e negros. Talvez fosse demais alegar que, nestes casos, é inexistente a consciência de raça; ela é, com certeza, muito menos pronunciada que entre nós (Boas, 1986, p. 65).[6]

Como argumentou Célia Azevedo, a noção de que as relações entre senhores e escravos eram mais harmoniosas no Brasil do que nos Estados

---

[6]Agradeço a Ivonne Maggie esta referência.

Unidos cresceu rapidamente durante o século XIX, quando abolicionistas de ambos os países "construíram pouco a pouco a imagem do Brasil como uma sociedade imune à violência racial" (Azevedo, 1996, p. 152). Até Nina Rodrigues aderiu a esta idéia.

> Seja pela influência de nossa origem portuguesa e da tendência dos ibéricos de cruzar [sic] com as raças inferiores; seja por alguma virtude especial de nossa população branca, no que não acredito; ou seja finalmente mais uma influência do caráter no povo brasileiro, indolente, apático, incapaz de paixões violentas, a verdade é que os preconceitos de cor, que certamente existem entre nós, são pouco definidos e pouco intolerantes por parte da raça branca. De qualquer forma, bem menos do que se diz que são na América do Norte (Rodrigues, 1957 [1894], p. 149-150).

Mas Freyre rompeu de maneira importante com o passado, em particular com uma imagem totalmente negativa das culturas ameríndia e africana. Embora nunca abandonasse completamente o neolamarckianismo de associar cultura e ascendência (Araujo, 1994), ele enfatizou a contribuição positiva que cada um deixou para a sociedade brasileira como um todo. Todos os brasileiros, afirmava ele, fosse qual fosse sua filiação genealógica, eram *culturalmente* africanos, ameríndios e europeus. Na sociologia de Freyre, as três "raças" eram *imaginadas* como aglomerações culturais que, combinadas, permitiam a imaginação de um Brasil racial e culturalmente híbrido. Na ausência de segregação "racial", as "raças" eram menos realidades sociológicas do que elementos presentes de alguma forma, com vários graus de combinação cultural e biológica, em cada indivíduo, no qual se fundem.[7]

---

[7]Devo esta interpretação a Olívia Gomes da Cunha que, com base em seu trabalho na Divisão de Identificação Criminal do Rio de Janeiro, afirma que os indivíduos são identificados e classificados segundo a combinação singular de características "raciais" traídas pelas medidas de seus corpos (Cunha, 2002).

ATAQUE À DEMOCRACIA RACIAL

Até a década de 1940, esta imagem do Brasil era amplamente aceita, no Brasil e no resto do mundo. Na verdade, há boas razões para se supor que a idéia de "democracia racial" foi consolidada por ativistas, escritores e intelectuais que olhavam para o Brasil de terras onde a regra era a segregação. Por exemplo, negros dos Estados Unidos que visitavam o Brasil voltavam cheios de elogios. Líderes como Booker T. Washington e W. E. B. DuBois escreveram positivamente sobre a experiência negra no Brasil, enquanto o nacionalista negro Henry McNeal Turner e o jornalista radical Cyril Biggs chegaram a ponto de defender a emigração para o Brasil como refúgio da opressão nos Estados Unidos (Hanchard, 1994). Em 1944, o escritor judeu Stefan Zweig (Zweig, 1960) achou que o Brasil era a sociedade racialmente menos fanática que tinha visitado (Spitzer, 2001). Na época de DuBois, então, considerava-se o Brasil uma "democracia racial", onde as relações entre pessoas de cores diferentes eram fundamentalmente harmoniosas.

Quando o mundo tomou consciência dos horrores do racismo nazista nos anos que se seguiram à Segunda Guerra Mundial, a Unesco concordou, por sugestão do antropólogo brasileiro Arthur Ramos, em patrocinar um projeto-piloto de pesquisa no Brasil com o objetivo de estudar "os problemas de diferentes grupos étnicos e raciais que viviam num ambiente social comum" (Stolcke, 1997). O Brasil foi escolhido não só porque parecia representar uma alternativa viável à segregação e ao conflito racial, mas também porque a Unesco mostrava na época considerável sensibilidade aos problemas específicos do mundo em desenvolvimento (Maio, 1998).

Verena Stolcke observa que "no Brasil houve a preocupação, que resultou profética, com o exame sistemático da natureza das relações de raça no país que poderia abrir a caixa de Pandora da 'democracia racial'" (Stolcke, 1996). Os antropólogos norte-americanos, franceses e brasileiros que trabalharam no projeto realmente apresentaram provas de imensa desigualdade e preconceito em todo o país. Ainda assim, como demonstrou Marcos Chor Maio, os resultados da pesquisa não negaram a importância do mito da democracia racial (Maio, 1997). O que fizeram foi revelar as tensões entre o mito e o racismo à moda brasileira, uma tensão que já fora enunciada por intelectuais e ativistas negros e brancos, especialmente por Abdias do Nascimento e Guerreiro Ramos (Nascimento, 1982; Ramos, 1982).

Embora os pesquisadores financiados pela Unesco tenham documentado grave discriminação racial no Brasil, continuaram a perceber as "relações de raça" como diferentes das existentes nos Estados Unidos. Florestan Fernandes, por exemplo, sentia que a discriminação racial e a desigualdade entre brancos e pessoas de cor eram em grande parte resultantes da herança da escravidão e da dificuldade que os negros brasileiros haviam enfrentado para se adaptar ao capitalismo. Ele previa que, com sua integração à economia, a desigualdade e a discriminação desapareceriam (Fernandes, 1978). A obra de Fernandes fala em "negros e brancos", que era a terminologia usada pelos ativistas negros seus amigos e por seus informantes para classificarem a si mesmos e aos outros. Contudo, outros escritores destacaram o que viam como uma maneira de classificar a população específica do Brasil. Em vez de classificar segundo a simples taxonomia dicotômica usada nos Estados Unidos, os brasileiros classificavam a população com base numa taxonomia muito mais complexa. Além disso, faziam-no com base não na ascendência, mas na "aparência".

A documentação estatística da desigualdade racial chegou a uma nova era de sofisticação com a publicação, em 1979, de *Discriminação e desigualdades raciais no Brasil*, do sociólogo Carlos Hasenbalg (Hasenbalg, 1979). Controlando cuidadosamente seus dados para eliminar os efeitos das classes, Hasenbalg pôde afirmar, em confronto com os que alegavam que a discriminação voltava-se mais contra os pobres do que contra as pessoas de cor, que a "raça" relacionava-se de forma significativa com a pobreza. Ele concluiu que essa desigualdade não podia ser atribuída à herança da escravidão, mas somente ao preconceito e à discriminação persistentes contra pessoas de cor, argumento que, na verdade, já havia sido apresentado pelo pesquisador do projeto da Unesco Luís de Aguiar Costa Pinto (Pinto, 1953). Pesquisas posteriores confirmaram suas descobertas. Os demógrafos constataram uma taxa de mortalidade infantil mais alta entre não-brancos do que entre brancos (105 contra 77 em 1980) e expectativa de vida de não-brancos mais baixa do que a de brancos (59,4 contra 66,1 anos). Na educação, os não-brancos completam menos anos de estudo que os brancos, mesmo mantendo constantes a renda e as condições da família. Em 1990, 11,8% dos brancos completaram 12 anos de estudo, contra 2,9% dos não-brancos. Como observa Hasenbalg, essas diferenças educacionais obviamente afetam a carreira posterior de brancos e não-brancos. A renda média de negros e mestiços é um pouco menos da metade da dos brancos. Pesquisas sobre mobilidade social indicam que membros não-brancos das classes média e alta apresentam menor mobilidade social que brancos em posição semelhante e maior dificuldade para transmitir aos filhos a nova condição. Todos esses estudos indicam, assim, que a discriminação racial tem o efeito de forçar os não-brancos a ocuparem os nichos menos privilegiados da sociedade brasileira.

Ao mesmo tempo em que no Brasil as pessoas de cor são malsucedidas na educação e no local de trabalho, são mais vulneráveis em relação ao sistema de justiça criminal. Paulo Sérgio Pinheiro descobriu que, das 330 pessoas mortas pela polícia em São Paulo em 1982, nada menos que 128 (38,8%) eram negras (Pinheiro, 1984). Moema Teixeira observa que, em 1988, 70% da população carcerária do Rio de Janeiro era composta de "negros" ou "pardos". Em São Paulo, a situação é pouco diferente. Citando uma pesquisa de 1985-1986, Teixeira observa que o percentual de "negros" e "pardos" na população carcerária (52%) era quase o dobro do que na população total de São Paulo (22,5%) (Teixeira, 1954).

Num estudo do sistema de justiça criminal de São Paulo, Sérgio Adorno descobriu que entre os presos e acusados de roubo, tráfico de drogas, estupro e assalto à mão armada em São Paulo em 1990, os negros saíram perdendo em todas as etapas do sistema: 58% dos negros acusados foram presos em flagrante, contra apenas 46% dos brancos. Da mesma forma, uma proporção maior de brancos (27%) do que de negros (15,5%) aguarda julgamento em liberdade. Quando finalmente são levados a julgamento, "réus negros condenados estão proporcionalmente muito mais representados do que sua participação na distribuição racial da população do município de São Paulo" (Adorno, 1995, p. 59).

As descobertas de Carlos Antônio Costa Ribeiro, com base em crimes levados a júri na cidade do Rio de Janeiro de 1890 a 1930, são semelhantes, e ele conclui que "a cor preta do acusado aumenta, mais que qualquer outra característica, a probabilidade de condenação" (Ribeiro, 1995). Costa Ribeiro afirma que a discriminação contra pessoas de cor durante o período em questão relacionava-se à influência dos defensores da "antropologia criminal", da "escola positiva" de pensamento iniciada no Brasil por Nina Rodrigues. Embora Rodrigues não obtivesse sucesso na criação de códigos penais distintos para negros, mulatos e brancos, a associação dos traços físicos africanos à propensão ao crime foi ritualizada nas medições obrigatórias de cor e traços fisionômicos na Divisão de Identificação Criminal do Rio de Janeiro até 1942 (Cunha, op. cit.). Apesar de terem caído em desgraça na ciência forense, estas mesmas idéias inspiram a prática policial e grande parte da opinião pública no Brasil até hoje.

Adriano Maurício apresenta provas especialmente pungentes do enraizamento dessas idéias em seu notável estudo sobre o transporte público do Rio de Janeiro (Maurício, 1998). O jovem moçambicano começou a perceber que dificilmente alguém se sentava a seu lado no ônibus que o levava de casa, no subúrbio, à universidade, no centro da cidade. Por ter lido um artigo sobre a conversão de Aimée Césaire à negritude num bonde de Paris, onde descobriu de repente que olhava para uma negra bastante malvestida com o mesmo nojo que os passageiros brancos (Lambert, 1993), Maurício deu início a um estudo sistemático dos padrões de escolha de assentos em várias rotas de ônibus e entrevistou passageiros negros e brancos a respeito de suas preferências ao se sentarem. Com sua etnografia extremamente delicada e cuidadosa, conseguiu demonstrar que a ordem de preferência dos passageiros brancos na escolha do assento era, em primeiro lugar, mulheres brancas, em segundo, mulheres de cor, em terceiro, homens idosos de cor e, por último, rapazes de cor. Ele concluiu que esses padrões de seleção tinham relação com o pressuposto comum de que as pessoas com maior probabilidade de praticar assaltos em ônibus são os rapazes negros. Mas, ao mesmo tempo, ele percebeu que nos ônibus não havia segregação racial propriamente dita. Os padrões que observou eram o resultado de pressupostos implícitos e não explícitos acerca da proeminência ou falta de proeminência da "raça" em lugares públicos.

A demonstração e o reconhecimento da existência de racismo indicaram o abismo entre a ideologia da "democracia racial" do Brasil e a realidade sociológica. Poucos discordarão disto. Na verdade, as pesquisas de opinião pública mostram com bastante clareza que a maioria dos brasileiros (não apenas acadêmicos e ativistas negros) está bastante consciente da discriminação. Em 1995, uma pesquisa realizada pelo jornal *Folha de S. Paulo* revelou que quase 90% da população admitia a existência de discriminação racial no Brasil (Turra e Venturi, 1995). Uma pesquisa feita no Rio de Janeiro em 1996 mostrou que 68,2% dos habitantes da cidade concordavam que os "negros" sofrem mais que os "brancos" os "rigores da lei" (Godoc-FGV/Iser, 1997). No entanto, as duas pesquisas revelaram que, em sua maioria, os brasileiros adotam o ideal da "democracia racial" e negam ter qualquer preconceito. Oitenta e sete por cento dos pesquisados que se classificaram como brancos e 91% dos que se definiram como pardos afirmaram não ter nenhum preconceito contra negros, enquanto 87% dos negros entrevistados negaram ter qualquer preconceito contra brancos. De modo ainda mais surpreendente, 64% dos negros e 84% dos pardos negaram ter sofrido preconceito racial. É como se os brasileiros tivessem preconceito do preconceito racial, como um informante branco disse a Florestan Fernandes e Roger Bastide anos atrás. "'Nós, brasileiros', disse um branco, 'temos preconceito contra ter preconceito'" (Bastide e Fernandes, 1971, p. 148).

Embora a maioria concorde que o mito da democracia racial coexiste com o preconceito e a discriminação, as interpretações divergem. A interpretação que inspirou principalmente a imaginação dos ativistas negros do Brasil é que o mito faz mais do que apenas negar a verdadeira democracia racial. Ele tem a poderosa função de mascarar a discriminação e o preconceito e de impedir a formação de um movimento negro de protesto em grande escala. Segundo esta interpretação, o racismo brasileiro torna-se ainda mais insidioso por ser oficialmente negado. Michael George Hanchard apresenta este argumento de forma mais sofisticada em sua análise do movimento negro no Brasil. O que ele chama de "hegemonia racial" no Brasil neutraliza a identificação racial entre não-brancos, promovendo a discriminação racial ao mesmo tempo em que nega sua existência. Da mesma maneira, a infinidade de categorias de cor existente no Brasil, especialmente a diferenciação entre mulatos, de um lado, e negros e brancos do outro, também tem uma "função" (Hanchard, op. cit.). Como explicaria Degler, os mulatos são a "válvula de escape" que dissipa possíveis polarizações e animosidades raciais (Degler, 1986). Para esses autores, o que começou como glória do Brasil é hoje sua danação.

Esta nova versão da nação brasileira foi elaborada, como a de Freyre, sobre uma comparação explícita com os Estados Unidos. Desta vez, entretanto, o Brasil não representa uma alternativa superior, mas sim um sistema arcaico e obscurantista que, com o tempo, deve dar lugar à "realidade" de "raças" claramente definidas.

Talcott Parsons afirmou há alguns anos que a polarização era uma característica necessária e desejável da "modernidade":

> De início, é claro que a polarização relativamente maior favorece o conflito e o antagonismo. Contudo, desde que se cumpram outras condições, a polarização acentuada parece ser, a longo prazo, mais favorável à inclusão efetiva do que uma gradação complexa de diferenças entre componentes, talvez especificamente onde as gradações são organizadas numa hierarquia de superioridade-inferioridade. Para deixar tudo bem claro, minha opinião é que o problema das relações de raça tem melhor perspectiva de solução nos Estados Unidos do que no Brasil, em parte por ter

sido traçada de forma tão rígida nos Estados Unidos a linha entre brancos e negros e o sistema ter sido tão polarizado (Parsons, 1968).

Michael Hanchard, escrevendo há bem menos tempo, exprime opinião semelhante. "Os conflitos entre grupos raciais dominantes e subordinados, a política da raça, ajudam a constituir a modernidade e o processo de modernização em todo o mundo. Eles utilizam fenótipos raciais para avaliar e julgar pessoas como cidadãos e não-cidadãos. (...) Esta é a política da raça entre brancos e negros no final do século XX, e o Brasil não é exceção" (Hanchard, op. cit., p. 182-183). E Angela Gilliam, cientista social negra norte-americana, proclamou: "Boa parte do impulso de africanização consciente do Brasil deve vir dos Estados Unidos. O povo negro americano precisa começar a perceber que até algumas das conceituações e soluções para uma África *africana* virão de nossos esforços. A luta é uma só" (Gilliam, 1992, p. 180). Em comparação com a "normalidade" e a "modernidade" dos Estados Unidos, o Brasil, assim, deve ser declarado carente: por não ter "raças" polarizadas, por definir a "raça" de alguém por sua aparência e não pela genealogia por não ter gerado um forte movimento negro de massa, por não ter sido palco de confrontos raciais e por subordinar oficialmente a especificidade das raças à desigualdade de classes (Nogueira, 1985). O "mito da democracia racial" é interpretado como elemento funcional, um tanto fora dos arranjos de "raça" do Brasil, o que afasta o Brasil de seu destino "natural". E assim como a "democracia racial" já foi símbolo predominante do nacionalismo brasileiro, agora passou a ser demonizada em certos círculos acadêmicos e ativistas como ideologia amplamente responsável pelo insidiosíssimo racismo do Brasil. Como disse Suely Carneiro, coordenadora executiva do Geledês — Instituto da Mulher Negra, de São Paulo, em recente seminário sobre cidadania e diversidade financiado pelo Serviço de Informações dos Estados Unidos, "há uma tentativa de desqualificar os avanços obtidos pelo movimento negro nessa luta contra a discriminação" por meio do que chamou de uma "neodemocracia neo-racial", que teria como objetivo "esvaziar a consciência e a capacidade reivindicatória cada vez maiores dos afro-descendentes, especialmente os mais jovens, e impedir que o conflito racial se manifeste com todo o radicalismo que contém em termos de mudança social" (França, 1998, p. 8).

Bourdieu e Wacquant afirmam que esta mudança da maré decorre do imperialismo cultural, apontando a influência do financiamento americano, dos ativistas e intelectuais americanos e dos meios de comunicação em geral. Em certo sentido eles têm razão, pois não pode haver dúvida sobre a importância de organizações como as Fundações Ford e MacArthur, para citar as duas mais importantes, no financiamento da pesquisa e do ativismo negro. Mas aí deve-se perguntar por que essas idéias tiveram tanta ressonância junto a ativistas negros e intelectuais brasileiros, a menos que suponhamos que todos eles, de uma forma ou de outra, tenham se transformado, voluntariamente ou não, em "colaboradores".

Esta interpretação do Brasil em particular tornou-se cada vez mais forte nos últimos anos, não só por causa da influência dos estudiosos norte-americanos e da utilização de categorias "raciais" desenvolvidas para descrever as "raças" e "relações de raça" norte-americanas como também por causa do crescimento paralelo de um movimento negro articulado que, em geral, tem-se aliado fortemente aos pesquisadores acadêmicos. Um caso pertinente é Florestan Fernandes, que em seu monumental *A integração do negro na sociedade de classes* utilizou os termos "negro" e "branco" segundo o desejo dos ativistas negros seus informantes.[8] Embora não haja dúvida de que o ativismo negro brasileiro tenha se inspirado em movimentos dos Estados Unidos e da África do Sul (como poderia ser diferente? Eu chegaria a arriscar a idéia de que o *status* heróico de Martin Luther King e Nelson Mandela no Brasil é maior que o do brasileiro Zumbi), sua própria existência indica que os brasileiros não deveriam ser considerados um *continuum* de "cores", mas sim "negros" e "brancos". E embora

---

[8] Yvonne Maggie chamou a atenção para o fato de Florestan Fernandes usar uma taxonomia dicotômica em consonância com seus informantes ativistas (Maggie, 1991).

essa dicotomia seja claramente evocativa do "modelo americano", na verdade sempre esteve latente no Brasil e se exprime com maior clareza na expressão "pessoa de cor" e no adágio popular "quem passa de branco preto é". Portanto, talvez se possa entender a construção social e histórica da raça no Brasil como baseada numa tensão entre as duas taxonomias.

Mas a interpretação do mito da democracia racial como engodo habilidoso apresenta problemas. Em primeiro lugar, mostra profundo desrespeito por todos aqueles (a maioria da população) que dizem acreditar nele. Em segundo lugar, traz embutidos os defeitos genéricos de todas as interpretações funcionais. Quando se aborda o "mito da democracia racial" de um ponto de vista mais antropológico, quer como estatuto para a ação social quer como sistema ordenado de pensamento social que encerra e expressa entendimentos fundamentais a respeito da sociedade, ele pode então ser compreendido não tanto como "impedimento" à consciência social, mas como base do que a "raça" ainda significa de fato para a maioria dos brasileiros. Por exemplo, o cientista político Jessé Souza fez pesquisas em Brasília sobre a distribuição do preconceito. Ele descobriu que, enquanto o preconceito contra homossexuais, mulheres, pobres ou nordestinos era comum em todos os níveis da sociedade, ainda que um pouquinho menos evidente nos grupos de renda mais alta do que nos de renda mais baixa, o racismo era o único preconceito que a grande maioria de seus informantes, de todos os níveis de renda, condenava explicitamente. Ele chega a ponto de sugerir que o anti-racismo é "um dos poucos valores compartilhados sem restrição por todos os estratos sociais" (Souza, 1997a, p. 32) e (Souza, 1997b, p. 141).

Parece, então, que alguns acadêmicos tendem a se alinhar com o movimento negro enquanto outros alegam enfocar o que chamam alternativamente de sociedade ou cultura brasileira. Não é preciso dizer que cada um empresta sua "autoridade" a um dos lados principais das batalhas políticas que se travam agora sobre a questão racial. E não há nada de estranho nisso, já que, como Marisa Peirano ressaltou, a fronteira entre ativismo social e vida acadêmica no Brasil sempre foi indefinida (Peirano, 1991).

AÇÃO POLÍTICA

Durante as discussões que levaram à Constituição de 1988, o movimento negro e seus aliados acadêmicos armaram-se para tentar trazer a questão social para o centro das atenções constitucionais. Em conseqüência, a nova Constituição deu mais garras à Lei Afonso Arinos, que fora criada em 1951 para punir a discriminação racial, ao redefinir a prática racista como crime e não como simples contravenção (Eceles, 1991, p. 146). O deputado federal afro-brasileiro Carlos Alberto Caó apresentou depois um projeto de lei que, de acordo com a nova Constituição, negava a fiança aos acusados de "crimes resultantes de preconceito racial ou de cor" e estipulava penas de prisão de um a cinco anos para os culpados. Esta lei severa também afirma que crimes resultantes de preconceito racial ou de cor não prescrevem com o passar do tempo (são imprescritíveis).[9]

A novidade dessa nova Constituição foi o reconhecimento dos direitos de propriedade dos descendentes dos antigos integrantes de quilombos que continuavam a ocupar suas terras.[10] Pela primeira vez, a situação especial de determinadas comunidades negras foi reconhecida em sentido afirmativo, com a concessão de direitos legais semelhantes àqueles que há muito estavam disponíveis para comunidades indígenas mas não para outras populações rurais "não-étnicas". Em conseqüência, numerosos pesquisadores e ativistas começaram a mapear estas comunidades, muitas das quais gozam hoje de título legal de posse da terra. Mas isto tem seu custo, pois, para determinar sua "autenticidade", as comunidades em questão foram obrigadas a provar sua situação ao técnico responsável pela

---

[9]A lei é tão dura, que a polícia reluta em abrir processo com base nela. Antônio Sérgio Guimarães mostra que, de 275 queixas de crime racial levadas a delegacias de polícia de São Paulo entre 1993 e 1997, apenas 58, ou 21,1%, ficaram sob a lei Caó. A maioria foi tratada segundo a lei de ofensas pessoais (Guimarães, 1998).

[10]O artigo 68 da Constituição de 1988 (Ato das Disposições Constitucionais Transitórias) determina: "Aos remanescentes das comunidades dos quilombos que estejam ocupando suas terras é reconhecida a propriedade definitiva, devendo o Estado emitir-lhes os títulos respectivos."

elaboração do laudo oficial (em geral um antropólogo ou historiador). O processo de reconhecimento da simples existência dessas comunidades vem tendo, eu diria, efeito importante sobre o modo como a questão da raça é pensada no Brasil. Os efeitos do processo de identificação são ao mesmo tempo práticos e simbólicos: práticos porque se garante a posse da terra; simbólicos porque o Brasil se confronta com uma "realidade" que desafia a auto-imagem de sociedade mestiça e a substitui por outra em que há autenticidades "raciais". Produz-se efeito semelhante com os blocos de carnaval de inspiração africana em Salvador e outros lugares. Ao imaginarem um Brasil multirracial e multicultural em vez de um Brasil de mistura inextricável, produzem-no efetivamente à maneira da profecia que se cumpre por si mesma, descrita por Robert King Merton.

Os mesmos argumentos esboçados por acadêmicos e ativistas também provocaram mudanças na atitude governamental em relação à "raça" no Brasil. Durante a ditadura militar, a insinuação de que havia racismo no Brasil podia levar a acusações de subversão. A atividade do governo restringia-se ao apoio a eventos culturais, mais tarde por meio da Fundação Palmares, do Ministério da Cultura, que com este objetivo administrava um fundo minúsculo e imprevisível. No entanto, o governo Fernando Henrique Cardoso, que começou em 1994, estendeu do Ministério da Cultura para os ministérios do Trabalho e da Justiça sua preocupação com questões afro-brasileiras.[11] Em 1995, o governo iniciou seu Programa Nacional de Direitos Humanos, que continha uma série de atividades planejadas no interesse da "comunidade negra". Incluía-se entre elas "o grupo de trabalho interministerial" — criado pela Medida Provisória de 20 de novembro de 1995 — para "formular atividades e políticas para reconhecer o valor da população negra" e um "Grupo de Trabalho para a Eli-

---

[11]Yvonne Maggie chamou minha atenção para esta significativa mudança de ênfase, por ter ela mesma observado a ênfase notável em cultura e identidade durante os acontecimentos que envolveram o centenário da abolição da escravatura no Brasil, em 1988. Ela observou que a grande maioria dos eventos era de natureza cultural, enquanto poucos abordavam a questão da desigualdade (Maggie, 1994).

minação da Discriminação no Emprego e na Ocupação" dentro do Ministério do Trabalho. Todas essas medidas podem ser classificadas como "antidiscriminatórias". São usadas para fortalecer os direitos e liberdades individuais conforme estabelecido pela Constituição Federal. Como tentativas de combater o racismo e o racialismo, não representam mudança marcante na política antiga e estão em consonância com os ideais da "democracia racial".

Entretanto, o Programa Nacional de Direitos Humanos vai além deste objetivo anti-racista para propor intervenções que visem fortalecer uma definição bipolar de raça no Brasil e implementar políticas específicas em favor dos brasileiros negros. Por exemplo, o programa sugere alinhar o sistema brasileiro de classificação racial com o dos Estados Unidos, "instrui(ndo) o Instituto Brasileiro de Geografia e Estatística (IBGE) a adotar o critério de considerar os mulatos, os pardos e os pretos integrantes do contingente da população negra". Além disso, o programa sugere que se apóiem "as ações da iniciativa privada que realizem discriminação positiva", desenvolvendo "ações afirmativas para o acesso dos negros aos cursos profissionalizantes, à universidade e às áreas de tecnologia de ponta", e formulando "políticas compensatórias que promovam social e economicamente a comunidade negra".

Estas ações são radicalmente distintas das estratégias desracializantes de combate ao racismo. Em vez de negar a importância da "raça", celebram o reconhecimento e a formalização da "raça" como critério para definir e objetivar a política. Pela primeira vez desde a abolição da escravatura, o governo brasileiro não só reconheceu a existência e a iniqüidade do racismo como também optou por contemplar a aprovação de leis que reconheçam a existência e a importância de "comunidades raciais" distintas no Brasil. Fernando Henrique Cardoso, cuja carreira acadêmica como sociólogo começou com pesquisas sobre relações de raça, como desdobramento do projeto da Unesco (Cardoso e Ianni, 1960), anunciou em seu discurso no Dia da Independência em 1995: "Nós temos que afirmar, com muito orgulho mesmo, a nossa condição de uma sociedade plurirracial e que tem muita satisfação de poder desfrutar desse privilégio de termos, entre nós, raças distintas e de termos também tradições culturais distintas. Essa diversidade que faz, no mundo de hoje, a riqueza de um país." O que poderia se afastar mais do conceito de raças distintas que a *mistura* idealizada por Freyre? E o que, para dar crédito a Bourdieu e Wacquant, poderia ser mais próximo da ideologia dominante de pensamento "progressista" nos Estados Unidos?

Em julho de 1996, alguns meses depois do discurso do presidente, o governo brasileiro patrocinou um seminário em Brasília sobre "Ação afirmativa e multiculturalismo", no qual vários acadêmicos brasileiros e norte-americanos discutiram a questão da ação afirmativa no Brasil. O que é interessante neste seminário é que, ao mesmo tempo, ele afirma a propriedade da análise de Bourdieu e Wacquant e também a questiona. Embora com certeza o evento tenha sido realizado para promover no Brasil a ação afirmativa, foram também apresentados fortes argumentos de cautela em nome da "democracia liberal" ou da "inteligência sociológica".

O cientista político Fábio Wanderley Reis acredita que a ação afirmativa vai contra os preceitos da democracia liberal, que se baseia no individualismo como valor fundamental. "Queremos", ele diz, "uma sociedade em que as características raciais das pessoas venham a ser socialmente irrelevantes, isto é, em que as oportunidades de todo tipo que se oferecem aos indivíduos não estejam condicionadas por sua inclusão neste ou naquele grupo social. (...) Queremos uma sociedade que não discrimine ou perceba raças, isto é, que seja no limite cega para as características raciais dos seus membros" (Reis, 1997, p. 222). Ele reconhece que, embora a noção de democracia racial não corresponda aos fatos do racismo no Brasil, é uma "meta insubstituível" exatamente por afirmar a irrelevância das características raciais. Assim, é importante por imaginar uma sociedade que evita a "afirmação militante de identidades raciais distintas" (Ibid., p. 224). Ele conclui com a sugestão de que o governo deveria fazer tudo o que estivesse ao seu alcance para corrigir os estereótipos negativos associados a pessoas de cor por meio da educação, dos meios de comunicação e assim por diante, mas que deveria aplicar a ação afirmativa propriamente dita "socialmente" e não "racialmente", concentrando-se na redução da pobreza. Como cor e classe andam juntas no Brasil, ele argumenta, essa política respeitaria os valores democráticos liberais e ao mesmo tempo reduziria a desigualdade "racial".

O antropólogo Roberto da Matta faz outras objeções. Seu argumento não se baseia tanto na importância dos ideais liberais quanto na "inteligência sociológica" distinta do Brasil. Para ele, a questão classificatória não pode ser posta de lado como simples "problema técnico". Pelo contrário, ela ocupa o próprio centro do debate. Comparando-se a regra da gota única dos Estados Unidos com a inclinação brasileira pelas categorias múltiplas, da Matta conclui que, enquanto os Estados Unidos buscam a distinção e a compartimentalização dos grupos étnicos em unidades contrastantes e contidas em si mesmas na tentativa constante de evitar a ambigüidade, o sistema classificatório brasileiro na verdade celebra a ambigüidade e a negociação, funcionando com base numa hierarquia finamente graduada (DaMatta, 1997, p. 71). Como Reis, ele pergunta como seria possível criar o tipo de classificação binária necessária para a ação afirmativa (ou seja, ou você é candidato ou não). Ele também chama a atenção para as conseqüências da ação afirmativa nos Estados Unidos, onde, argumenta, a crescente mobilidade social de muitos negros foi conseguida à custa do fortalecimento do preconceito racial e da segregação. Assim como Reis, ele sugere uma campanha educativa para explicar o modo como a discriminação racial funciona no Brasil e para exaltar a idéia de democracia racial (Ibid., p. 74).

O argumento a favor da ação afirmativa no Brasil foi apresentado com mais clareza pelo sociólogo Antônio Sérgio Guimarães. Ele afirma que um programa "não-reificado" e temporário de ação afirmativa é compatível com o individualismo e a igualdade de oportunidades, porque é uma forma de promover a eqüidade e a integração social (Guimarães, 1997). Sua recomendação é que a ação afirmativa seja aplicada não à massa da população, em que deveriam prevalecer políticas "universalistas", mas para garantir a formação de uma elite multirracial. Para isso, ele sugere cotas para funcionários e alunos negros nas universidades, argumentando que esta é a única forma de "desracializar a economia meritocrática e as elites intelectuais" (Ibid., p. 237). Guimarães descarta a questão espinhosa da classificação ao perguntar ironicamente: "Quem gostaria de ser negro para ingressar nas universidades, por exemplo, a não ser os negros?" (Ibid., p. 241). (Ele não pergunta quantas pessoas definidas como negros prefeririam entrar na universidade simplesmente como cidadãos.) Para evitar fraudes, ele sugere que a cor volte a constar das carteiras de identidade: "Se ser negro é realmente algo tão desvantajoso, quem desejaria ser identificado como negro?"

Mas o que distingue com mais clareza a posição de Guimarães da de Reis e da Matta é sua defesa da celebração das "identidades raciais". Para Guimarães, este é um dos resultados positivos das políticas de ação afirmativa. Ele argumenta que as diferenças que causam a desigualdade não deveriam desaparecer (isto seria impossível), mas sim ser "transformadas em seu oposto, numa fonte de compensação e reparação" (Ibid.). Coerente com este ponto de vista, Guimarães também defendeu recentemente a reintrodução do conceito de "raça" no discurso analítico (Guimarães, 1997).

A posição de Guimarães é semelhante à de Hanchard e à de um setor importante do movimento negro brasileiro por imaginar para o futuro um Brasil que seja uma sociedade não de ambiguidade e mediação, mas de identidades raciais e sexuais claramente demarcadas que, por acreditar que devam ser "fortalecidas", ele supõe que existam. Alguns que argumentariam, e sou um deles, que a política de integração cultural efetuada com tanta diligência e até violência no Brasil tem sido tão bem-sucedida que as identidades que Guimarães gostaria de ver valorizadas teriam primeiro de ser construídas. E na verdade é isto o que indica o registro etnográfico. A história do movimento negro no Brasil tem sido em boa parte a história de tentativas nem sempre muito bem-sucedidas de construir uma identidade negra que as pessoas de cor se sentissem impelidas a adotar.[12]

As questões sobre multiculturalismo em jogo no seminário de Brasília, segundo meu ponto de vista, revelam contradições graves situadas na raiz da sociedade brasileira. De um lado, há um forte compromisso com a "democracia liberal" que, embora muito contestada pela realidade do clientelismo, da corrupção, do nepotismo, do preconceito e do poder puramente violento, permanece como ideal a que muitos aspiram. De outro, não muito diferente do primeiro, está o apelo à "tradição", à "inteligência sociológica brasileira", que evoca a especificidade da sociedade brasileira presa entre os "ideais" de democracia e a "tradição" da hierarquia e da ambigüidade. E ainda num terceiro lado está a exigência de mudança radical, um descarte da "tradição", o reconhecimento formal de "raças" distintas e a criação de medidas temporárias para amenizar a desigualdade entre elas. Embora não possa haver dúvida de que o debate foi provocado pela experiência americana de ação afirmativa (vários norte-americanos foram convidados a recordar a experiência), ele revela com bastante clareza que de modo algum o "modelo americano" tornou-se hegemônico no Brasil. Além disso, as questões em jogo, embora apareçam sob bandeiras nacionais, são, na verdade, de natureza mais geral, pois vão ao próprio cerne da questão da humanidade e sua diversidade no mundo moderno.

AÇÃO SOCIAL

Com as questões da raça trazidas à baila no Programa de Direitos Humanos e nos grupos de trabalho interministeriais criados a partir dele, bro-

---

[12]John Burdick afirmou que uma das razões pelas quais o movimento negro brasileiro permaneceu tão pequeno é sua insistência em impor uma taxinomia dicotômica, que é repelida por muitos brasileiros comuns de todas as cores (Burdick, 1998).

tou em todo o país uma infinidade de iniciativas visando abordar a desigualdade e a discriminação. A maior parte é financiada pelo governo, por fundações internacionais, por igrejas ou por alguma combinação dos três. A gama de iniciativas reflete a gama de opiniões presentes no debate acadêmico. Algumas preferiram explorar opções possibilitadas pelas leis contra o racismo, levando casos aos tribunais. Outras concentram-se na construção da auto-estima e da identidade negra, enquanto algumas exigem sistemas de cotas para negros no serviço público e nas universidades. Outras, ainda, preferem soluções híbridas que ataquem simultaneamente questões de desigualdade "racial" e pobreza em geral por meio de cursos de treinamento pré-universitário para "negros e carentes". Algumas iniciativas são promovidas por empresas multinacionais, umas poucas estão incorporadas a empresas comerciais e há um pequeno número que sobrevive com financiamento próprio. Não há espaço aqui para discutir todas essas iniciativas ou para fazer justiça à complexidade deste campo. Selecionei apenas algumas para ilustrar a gama de atividades em andamento hoje em dia.

Um certo número de organizações concentrou seus esforços para levar o racismo aos tribunais usando a lei Caó e leis estaduais e municipais compiladas por Hédio Silva Jr., do Centro de Estudos das Relações de Trabalho e Desigualdade (Ceert) (Silva, 1998). São dignos de nota o Ceert, o Centro de Articulação de Populações Marginalizadas (Ceap), no Rio de Janeiro, e o Geledês, organização de mulheres negras de São Paulo.[13] Embora seja extremamente difícil provar a prática racista e mais difícil ainda levar os infratores à condenação, dadas as penalidades tão duras impostas pela lei, já houve vitória em vários casos exemplares.[14]

Tradicionalmente, os movimentos negros brasileiros deram maior ênfase à criação de uma identidade negra específica. Como os acadêmicos, sentiram que o sistema complexo e com gradações sutis de classificação

---

[13]A pesquisa de Sérgio Adorno citada anteriormente foi feita em conjunto com o Geledês.
[14]Olívia Cunha e Márcia Silva chamaram minha atenção para os aspectos "positivos" do fracasso do sistema judicial em levar aos tribunais os casos de racismo.

"racial" do Brasil, como parte do "mito da democracia racial", era responsável pelo mascaramento da verdadeira divisão bipolar dos brasileiros entre brancos e negros. Além disso, como afirmei anteriormente, para poder existir, o movimento foi obrigado a defender no Brasil uma identidade negra que incluísse todos aqueles que não fossem brancos.[15] Como John Burdick demonstrou de modo tão brilhante, esta afronta particular ao que da Matta chamou de inteligência sociológica brasileira alienou muita gente que era simpática à causa anti-racista, mas que relutava em abandonar sua identidade como brasileiro ou moreno em troca do que lhe parecia ser a exclusividade da negritude (Burdick, 1998). Além disso, sempre foi difícil para os grupos negros o estabelecimento de emblemas diacríticos da cultura negra, porque, sob o toldo da democracia racial, muitos bens culturais importantes, como a feijoada, o samba e a capoeira, que podem ser rastreados até a África, tornaram-se símbolos da nacionalidade brasileira (Fry, 1976). Talvez seja por isso que os símbolos da identidade negra vieram freqüentemente de fora do Brasil, como o *reggae* no Maranhão (Silvia, 1992), o *hip hop* no Rio de Janeiro e em São Paulo e, por fim, a própria África, especialmente na Bahia, onde grupos carnavalescos "afro", em particular o Ilê Aiyê, trouxeram desde o início da década de 1980 temas de inspiração africana para o desfile de carnaval e restringiram seus membros a pessoas de pele bem escura. A partir desta experiência desenvolveu-se um estilo musical, a música axé e seus derivados, que se tornou nacionalmente querido (Sansone e Santos, 1998). Contudo, há muito pouco tempo e, penso eu, de forma relacionada a essas iniciativas, surgiu um forte movimento para celebrar exatamente o que, segundo Nogueira, marca a "raça" no Brasil, ou seja, a aparência. O sucesso comercial da revista *Raça Brasil*, que está hoje em seu quinto ano de existência, baseia-

---

[15]Na sua tese de mestrado, Joaze Bernadino argumentou de forma convincente que a cruzada do movimento negro em prol da ação afirmativa é, de fato, parte de uma estratégia mais ampla para desenvolver uma identidade negra no Brasil, substituindo a complexa taxinomia de cores por outra binária, como nos Estados Unidos (Bernadino, 1999).

se, com certeza, em sua ênfase na estética da negritude. Outro exemplo de celebração da estética negra e de tentativa de melhorar o acesso de brasileiros negros ao mercado de trabalho é o Centro Brasileiro de Informação e Documentação do Artista Negro (Cidan), fundado pela atriz Zezé Motta para promover artistas negros por meio de um catálogo que está agora disponível na Internet (www.cidan.org.br).

Num seminário em 1999 sobre negros e mercado de trabalho, na Universidade Federal do Rio de Janeiro, a psicóloga Maria Aparecida Silva Bento, ativista negra de longa data e atualmente coordenadora-geral do Ceert, afirmou que sugerir cotas para negros é sempre interpretado como "provocação", a ponto de, pelo que ela sabe, não existir nenhum programa desses no Brasil. Até empresas multinacionais com sede nos Estados Unidos e que realizam programas de "diversidade" no Brasil evitam mencionar cotas e concentram seus esforços em eventos culturais e no apoio a comunidades pobres. A Xerox Corporation financia a Vila Olímpica, onde jovens atletas da favela carioca da Mangueira recebem treinamento, enquanto o BankBoston uniu-se ao Geledês para apoiar alunos do secundário negros e promissores.

Em todos os lugares onde se propuseram cotas a oposição foi acirrada. Por exemplo, um projeto de lei apresentado pelo líder veterano do movimento negro Abdias do Nascimento, que determinava uma cota de 20% para contratação de negros no serviço público, não conseguiu apoio no Senado, onde foram apresentados argumentos semelhantes aos de Reis para indicar a inconstitucionalidade do projeto (Bernadino, op. cit.). Da mesma maneira, um projeto de lei apresentado na Assembléia Legislativa do Rio de Janeiro pelo deputado "verde" Carlos Minc, que reservava 10% das vagas de universidades públicas e escolas técnicas para "setores étnico-raciais historicamente discriminados" e mais 20% para os "carentes" não obteve maior sucesso. Um grupo de alunos da Universidade de São Paulo que propôs um sistema de cotas para candidatos negros a vagas universitárias e um sistema complexo para decidir quem se adequaria àquela categoria também enfrentava pesada oposição, embora tenha levado a administração da universidade a criar em 1999 uma Comissão de Política Pública para a População Negra. A Comissão foi encarregada de fazer pesquisas para descobrir a demanda, o acesso e as taxas de êxito de estudantes negros na universidade, e de propor medidas para reduzir quaisquer dificuldades identificadas e aumentar as matrículas de alunos negros. Conversas com membros da Comissão revelam mais uma vez o dilema de atender às demandas de progresso negro sem ofender a sensibilidade daqueles que rejeitam as cotas.

Embora a construção de uma identidade "racial" continue a inspirar muitas organizações, tem havido ênfase crescente na abordagem das questões concretas da desigualdade no local de trabalho, no sistema educacional, com relação à saúde e em organizações religiosas. Em conseqüência, surgiram comitês em sindicatos, organizaram-se cursos pré-vestibulares para jovens negros e pessoas carentes em todo o país, foram feitos esforços especiais para abranger mulheres negras nos cuidados com a saúde reprodutiva, e padres e pastores negros se organizaram para combater o racismo na Igreja Católica e nas igrejas evangélicas protestantes (Damasceno, 1990; Burdick, 1998). Com a redução da ênfase exclusiva na produção da identidade, partes do movimento negro também se tornaram mais inclusivas, buscando alianças além do pequeno núcleo de militantes negros e reconhecendo que nem todos os brasileiros vêem com bons olhos a troca de seu sistema complexo de classificação racial pelo modelo bipolar (Cunha, 1998). Como já argumentei, o próprio movimento parece ter dificuldade de ritualizar seu desejo. Em 20 de novembro de 1995, pouco tempo depois da Marcha para Washington de Louis Farrakhan, várias organizações negras do Brasil promoveram uma "Marcha para Brasília" para comemorar o aniversário da morte do líder escravo e herói nacional Zumbi e protestar contra a discriminação racial. Dois estudantes que participaram da marcha voltaram com a nítida sensação de que haviam participado de um evento muito "brasileiro". Em contraste com a seriedade masculina e formal da Marcha para Washington, a versão brasileira consistia em homens *e* mulheres de todas as cores possíveis, que *dançaram* pelo caminho até o centro do poder *vestidos com as cores mais vivas*, mais ao estilo de uma escola de samba. Os estudantes comentaram que era como se o Brasil se recusasse a aceitar uma divisão racial na vida política e social, ainda que se tratasse da própria questão do racismo.[16]

Dessa maneira, e ao evitar uma colisão frontal com os ideais de mistura e "democracia racial", o movimento foi capaz de atrair mais apoio e conquistar maior credibilidade. Um exemplo particularmente interessante desta resposta às demandas de igualdade "racial" sem racialização total é o Movimento Pré-Vestibular para Negros e Carentes (MPVNC), cujos alunos bem-sucedidos recebem bolsas da Pontifícia Universidade Católica do Rio de Janeiro (PUC). Como o nome sugere, o movimento organiza cursos para preparar alunos negros, pobres — ou ambos — para os vestibulares. Os aprovados no exame da Universidade Católica do Rio recebem as bolsas automaticamente, com base num acordo firmado entre as duas entidades em 1994.

O nome do movimento reflete os dilemas enfrentados pelos ativistas brasileiros, que sentem a necessidade de ação afirmativa, mas reconhecem que iniciativas "particularistas" tendem a superar a oposição dos "liberais" e dos que acreditam que o Brasil é "diferente". A decisão de incluir "negros" e "carentes" no nome da organização representa uma mediação entre as duas posições. Há várias razões para isso. Em primeiro lugar, a própria Igreja Católica é contrária à distinção racial, e vários professores católicos brancos participam do curso.[17] Em segundo lugar, os organizadores do curso reconhecem que a exclusão da oportunidade educacional não é monopólio dos brasileiros negros. Mas também pode ser que a decisão reflita simplesmente a diplomacia da cordialidade. Independentemente

---

[16]José Renato Perpétuo Ponte e Denise Ferreira da Silva, comunicação pessoal. Ver também Silva, 1999.

[17]Em 1998, o então arcebispo do Rio de Janeiro, cardeal Dom Eugenio Sales, publicou um artigo intitulado "Miscigenação", no qual exaltou a virtude da "mistura" ao mesmo tempo que deplorou a celebração de identidades "raciais" ou "étnicas" (Sales, 1999, p. 7). Isto só pode ser um ataque pouco velado à Pastoral Negra, que ele nunca viu com bons olhos.

das razões para a escolha do nome, o movimento vem tendo enorme sucesso e o número de núcleos e de alunos aumenta rapidamente.

O curso propriamente dito é semelhante a muitos outros cursos prévestibulares do Rio de Janeiro. O que o torna diferente é que os professores doam seu próprio tempo e os alunos contribuem com um pagamento quase simbólico de US$ 10 por mês, enquanto os cursos comerciais custam até US$ 500 por mês. O curso recusa qualquer financiamento externo. Além disso, acrescentou-se ao currículo padrão uma aula semanal de civismo na qual se aborda a questão racial.

A antropóloga Yvonne Maggie acha que o grande sucesso do movimento pode ser devido à sua capacidade de permitir a coexistência de várias opiniões quanto à questão racial dentro do próprio movimento. "Longe de tentar impor, no acesso ao curso, um tipo de estudante já militante, o PVNC atrai pessoas com concepções diversas sobre cor, identidade étnica, desigualdade, exclusão, política etc." (Maggie, 2001). Assim, alunos que se definem como "negros" estudam lado a lado com alunos que se definem como "flicts", inspirados no herói de um livro para crianças escrito pelo cartunista Ziraldo. (A palavra *flicts* indica, neste contexto, todas as cores ou nenhuma.) Por fim, Maggie e sua equipe descobriram que a grande maioria dos alunos e professores, com exceção dos líderes do movimento, não é favorável às cotas para candidatos negros à universidade, mas, em vez disso, demonstram forte adesão ao individualismo segundo a definição de Reis. Embora trabalhem juntos em grupos de estudo, e apesar de todo o movimento basear-se na solidariedade generosa, predomina a crença de que os alunos acabam entrando na universidade em decorrência de seu próprio trabalho e dedicação.

Ainda assim, o envolvimento da Universidade Católica com o MPVNC não fica imune a críticas de um certo setor da população estudantil. Em novembro de 1997, um jornal estudantil, significativamente chamado *O Indivíduo*, publicou um artigo intitulado "A noite negra da consciência". Neste artigo, Pedro Sette Câmara fazia uma crítica violenta à Semana da Consciência Negra, realizada para comemorar o herói negro Zumbi, líder do quilombo de Palmares, a mais famosa comunidade de negros fugidos, localizado em Alagoas, no século XVII. Ele argumentava que a Semana inspirava-se obviamente na "noção norte-americana de politicamente correto" e era um exemplo de colonialismo cultural, e arriscava a opinião de que os próprios eventos desse tipo eram racistas. "Ninguém gostaria que fizéssemos a semana da consciência branca", escreveu. "Sempre que se exalta a raça, há racismo" (Câmara, 1997).

No ano seguinte, durante as eleições para o diretório estudantil, uma facção, "PUC Diversidade", acusou outra, "PUC 2000", de ser "preconceituosa" e "segregacionista". Foi citada a declaração de uma aluna de literatura da PUC Diversidade: "Há três anos, a entrada de alunos do curso pré-vestibular para negros e carentes acabou mudando a paisagem social da PUC, escola tradicionalmente considerada de elite. (...) Este grupo que ganhou as eleições é preconceituoso, e discrimina e segrega. A diversidade de classes sociais é saudável." Outro integrante da PUC Diversidade afirmou terem dito a um de seus membros, que vive na Zona Norte do Rio e estuda com bolsa, que, por ser pobre, ele não deveria estar na PUC, enquanto outro queixou-se de que a PUC 2000 acusara a PUC Diversidade de servir de apoio a "gente pobre, negros e maconheiros". Walter de Sá Cavalcante, aluno de direito e membro da PUC 2000, negou a acusação: "O diretório estudantil é mesclado. A diferença é que [PUC Diversidade] não consegue entender que o mundo mudou e que o movimento estudantil tem de se modernizar. Somos realizadores, enquanto eles ainda acreditam na luta armada." Ele prossegue descrevendo a PUC Diversidade como "a turma do PT" em aliança com "neo-*hippies*".

Mais uma vez, este drama social ainda revela as premissas contraditórias sobre as quais se constrói a "política de raças" no Brasil. Como observou Monica Grin, todos os atores preferem falar de classe social em vez de raça (Grin, 1998). Quando chegam a abordar a questão da "raça", cada lado acusa o outro de ser segregacionista, como se nenhum deles estivesse preparado para abrir mão da "mistura" que a PUC 2000 identifica com a cultura brasileira. Ironicamente, a acusação de "colonialismo cultural" e "noção norte-americana de politicamente correto", feita normalmente pela esquerda contra os "neoliberais", ocorre na direção contrária no debate que nasce da celebração da identidade negra na Universidade Católica. Mais uma vez, o "modelo americano" é invocado como a desgraça do Brasil.

Este episódio me traz de volta às questões que abordei anteriormente. Seria possível concluir que a PUC 2000 está usando paradoxalmente o "politicamente correto" americano como verdadeira acusação com o objetivo de reprimir a "subversão" positiva da PUC Diversidade? Mas quem decide o que é positivamente subversivo e o que não é? Será que Bourdieu e Wacquant estão assobiando e chupando cana? Estarão caracterizando o "politicamente correto" como acusação feita por conservadores a "subversivos" em algumas situações e como imposição etnocêntrica de idéias estrangeiras em outras? No drama da PUC, acho difícil entender a atitude do reitor e dos que o apóiam (apenas 40% dos estudantes, segundo Grin) ao julgar as opiniões dos autores do artigo publicado em *O Indivíduo* suficientemente odiosas para ignorar o direito à liberdade de expressão, garantido pela Constituição. Acho isso especialmente difícil de entender devido ao fato de que a PUC foi alvo de maciça repressão, principalmente da liberdade de expressão, durante os anos do regime militar.[18] Mas então, com toda a justiça, o debate sobre a questão "racial", seja na França, no Brasil ou nos Estados Unidos, como espero ter demonstrado, baseia-se na dúvida e na contradição, acima de tudo porque as questões em jogo entrelaçam-se de forma tão íntima com questões de identidade e projetos nacionais e pessoais. Acho difícil não ficar ao lado daqueles que rejeitam as tentativas de interpretar como fundamentalmente errados o "modelo brasileiro" ou a "inteligência sociológica brasileira". Agir de outra forma seria renegar os princípios básicos de minha disciplina e sucumbir às pressões para capitular diante da inevitabilidade da "racialização" do mundo.

---

[18]Num artigo em *O Globo*, o jornalista Elio Gaspari argumentou segundo linha semelhante. Elio Gaspari, "Dois abacaxis para a PUC", *O Globo*, quarta-feira, 26/11/97, 7.

Ainda assim, é doloroso assumir essa posição contrária à opinião dominante de tantos de meus amigos e colegas, inclusive daqueles envolvidos no cipoal da luta anti-racista no Brasil, atraindo, como realmente acontece, acusações de "neofreyrianismo", de representar o privilégio branco ou mesmo de falta de preocupação com o racismo e a desigualdade "racial". Por mais particular e específico que possa ser o "modelo americano", ele tem a vantagem política e epistemológica da simplicidade e da coerência. E, como tal, o "modelo brasileiro", com toda a sua ambigüidade e sua contradição interna, é muito mais difícil de perceber intelectualmente, quanto mais como base de ação política.

Conclusão

Os fatos que narrei me convencem de que a idéia de ação afirmativa foi direto ao âmago do mais poderoso dos nacionalismos brasileiros. As idéias e instituições híbridas que começaram a emergir da questão da ação afirmativa, combinando preocupações com a desigualdade entre pessoas de cores diferentes e pessoas de classes sociais diferentes, testemunham o vigor do desejo de manter a primazia do indivíduo sobre sua "natureza", por assim dizer, a primazia do chamado "jeitinho" sobre a rigorosa disciplina classificatória.

Ainda assim, embora os ânimos se exaltem entre os defensores da diversidade e os bastiões do individualismo, como é o caso entre a PUC Diversidade e a PUC 2000, o debate pelo menos está sendo feito às claras, provavelmente de modo bem mais explícito do que naquelas regiões do mundo que tiveram uma tradição de segregação racial legal e onde a mera sugestão de "integração" deixa muitas sobrancelhas franzidas. Além disso, a adoção da "ação afirmativa" no caso concreto do MPVNC é um bom exemplo da maneira como idéias "estrangeiras" são interpretadas em termos locais e adquirem no processo novo significado e considerável eficácia simbólica e prática. Em conseqüência, mais pessoas pobres e escuras estão entrando nas universidades brasileiras, mas não à custa dos valores da democracia, racial ou não. Para terminar com um tom positivo e para voltar à especificidade do Brasil, deixo aqui a idéia de que a situação atual permite múltiplas formas de expressão e uma infinidade de formas de ação social, enquanto o antigo ideal de democracia racial, que ainda é compartilhado pela maioria dos brasileiros de todas as cores, enfrenta exigências cada vez maiores de igualdade e de eliminação do preconceito e da discriminação.

POSTSCRIPTUM DE 2002

Escrevi este artigo há pouco mais de dois anos. Durante este tempo, ocorreram dois fatos no campo das relações raciais no Brasil que, à primeira vista, desqualificam meu argumento para se entender o repúdio às cotas mantido até então. A delegação brasileira à III Conferência Internacional contra o Racismo, Discriminação Racial, Xenofobia e Intolerância Correlata, que se realizou na cidade de Durban, na África do Sul, em setembro de 2001, levou como uma das suas propostas "a adoção de cotas ou outras medidas afirmativas que promovam o acesso de negros às universidades públicas." Mais tarde, nesse mesmo ano, a Assembléia Legislativa do Estado do Rio de Janeiro (Alerj) votou em regime de urgência legislação da autoria de um deputado do Partido Popular Brasileiro (PPB) que determina que 40% das vagas das universidades públicas estaduais em todas as carreiras devem ser reservadas para "negros e pardos". Mais ou menos simultaneamente, o Ministério da Reforma Agrária adotou uma política de cotas de 20% de negros para a contratação de pessoal. Um mês depois, o governador do estado do Rio de Janeiro sancionou a nova lei que está agora (dezembro de 2001) em fase de regulamentação. No momento em que escrevo (10 de dezembro de 2001), anuncia-se a pretensão do governo federal de estender a adoção de cotas de 20% a todos os ministérios.

Neste *postscriptum*, cabe-me refletir um pouco mais sobre essas profundas mudanças no comportamento do governo federal e do governo do estado do Rio de Janeiro, e o que isto significa para a "questão racial" no Brasil.

O primeiro ponto que chama a atenção é o *relativo* silêncio da mídia e da opinião pública a respeito destes fatos que parecem tão significativos. Por ocasião da Conferência de Durban, a imprensa de elite deu grande destaque ao assunto e às propostas da delegação brasileira. Isso provocou uma grande quantidade de cartas de leitores, a maioria críticas e com argumentos não muito diferentes dos arrolados no meu artigo.

Dez das onze cartas dos leitores motivadas por este debate e publicadas em *O Globo* de 28 e 29 de agosto argumentaram contra a introdução de cotas para vagas universitárias. Embora não representassem nada além das opiniões individuais nelas expressas (também não sabemos como foram escolhidas para publicação), uma leitura atenta destas cartas é reveladora. O único leitor a favor se declarou negro, o único num curso de medicina que tem 196 alunos numa faculdade particular. Ele é a favor do estabelecimento "responsável" de cotas "para que um grande potencial de pessoas da raça negra possa se estabelecer de forma digna na sociedade". Os outros missivistas não se definiram em termos "raciais" nem de classe. Nenhum missivista negou a existência do racismo. Dez dos onze afirmaram que o problema fundamental era a baixa qualidade do ensino público fundamental e médio, o que prejudica todos os pobres. Quatro insinuaram que eleger a questão racial (um deles usa a expressão "factóide emblemático", outros, "pura demagogia" e "paternalismo") apenas desvia a atenção deste fato grave. Outro questionou o gasto de verbas públicas em cursos pré-vestibulares, duvidando da possibilidade de corrigir as deficiências das escolas de segundo grau em tão pouco tempo. Outro ainda, mais radical, pregou o fim definitivo do vestibular!

Mas as cartas também manifestaram uma forte crença na universidade como lugar do mérito individual e não da panelinha e do jeitinho: uma realização concreta dos ideais liberais. Uma leitora constatou: "Quando fiz o vestibular, o critério para ingresso foi a nota da minha prova e não a cor da minha pele." Os missivistas também sugeriram mais dois problemas: (1) seria muito difícil saber quem é e quem não é elegível para cotas, e (2) as cotas representariam uma espécie de "racismo às avessas". Como vimos, estes dois problemas talvez sejam o mesmo: ao introduzir cotas para vagas no ensino superior, o governo estaria criando e celebrando a existência de duas "raças" no Brasil, a branca e a negra. Estas substituiriam as muitas maneiras que o Brasil inventou para se referir às complexas combinações genéticas.

Depois dessas cartas, voltou o silêncio. E quando se anunciou a nova legislação no Rio de Janeiro, quase não houve reação, nem a favor nem contra. Parecia que, ao contrário de que eu argumentara acima, cotas para "negros e pardos" teriam sido adicionadas ao cardápio nacional sem nenhum efeito deletério. Isso é realmente extraordinário se eu tiver a mínima razão para acreditar que as questões "raciais" sejam ou deveriam ser prioritárias na hierarquia das agendas nacionais.

É tentador esboçar interpretações, mas não é este o lugar para tanto. Em vez disso, prefiro apenas reconhecer que a análise social é um processo em si complexo e sempre inacabado, e que a história continua.

Agradecimentos

Gostaria de agradecer aos outros autores deste número de *Daedalus* suas importantes sugestões. Gostaria também de agradecer a Yvonne Maggie, Olívia Cunha, Monica Grin e aos pesquisadores do Núcleo da Cor do Instituto os comentários feitos às primeiras versões deste artigo. A Marcos Chor Maio, da Fundação Oswaldo Cruz, devo agradecimentos especiais por corrigir erros factuais e por me guiar pela bibliografia recente. É desnecessário dizer que não atribuo a nenhum deles responsabilidade pelas opiniões apresentadas neste artigo.

Bibliografia

Adorno, S. "Discriminação racial e justiça criminal em São Paulo." *Novos Estudos Cebrap*, nº 43, p. 45-63. 1995.

Araujo, R. B. D. *Guerra e paz: Casa-grande & senzala e a obra de Gilberto Freyre nos anos 30.* Rio de Janeiro: Editora 34. 1994.

Azevedo, C. M. M. D. "O abolicionismo transatlântico e a memória do paraíso racial." *Estudos afro-asiáticos*, v. 30, p.151-162. 1996.

Bastide, R. e F. Fernandes. *Brancos e negros em São Paulo.* São Paulo: Anhembi. 1971.

Bernadino, J. *Ação afirmativa no Brasil: A construção de uma identidade negra?* (Mestrado). Departamento de Sociologia, Universidade de Brasília, Brasília, 105 p. 1999.

Boas, F. *Anthropology and Modern Life.* New York: Dover Publications, Inc. 1986.

Bourdieu, P. e L. Wacquant. Les Ruses de la Raison Impérialiste. *Actes de la Recherche en Sciences Sociales*, v.121-122, março de 1998, p.109-118. 1998.

Burdick, J. *Blessed Anastacia: Women, Race and Popular Christianity in Brazil.* Nova York e Londres: Routledge. 1998.

Câmara, P. S. "A negra noite da consciência." *O Indivíduo.* Rio de Janeiro: 8, 9 p. 1997.

Cardoso, F. H. e O. Ianni. *Cor e mobilidade social em Florianópolis: aspectos das relações entre negros e brancos numa comunidade do Brasil Meridional.* São Paulo: Brasiliana. 1960.

CPDOC-FGV/Iser. *Lei, justiça e cidadania.* Rio de Janeiro: CPDOC-FGV/Iser. 1997.

Cunha, O. M. G. D. "Black movement and the 'politics of identity' in Brazil." In: F. Escobar, E. Dagnino, *et al.* (org.). *Culture of Politics/Politics of Culture.* Westview Press: Black movement and the "politics of identity" in Brazil. 1998.

——. *Intenção e gesto: pessoa, cor e a produção cotidiana da (in)diferença no Rio de Janeiro, 1927-1942.* Rio de Janeiro: Arquivo Nacional. 2002.

Damasceno, C. M. *Cantando para subir: orixá no altar, santo no Peji.* (Mestrado). Programa de Pós-Graduação em Antropologia Social, UFRJ, Rio de Janeiro, 1990.

DaMatta, R. "Notas sobre o racismo à brasileira." In: A. Sant'anna e J. Souza (org.). *Multiculturalismo e racismo: uma comparação Brasil — Estados Unidos*. Brasília: Paralelo 15, 1997. "Notas sobre o Racismo à Brasileira", p.69-76.

Degler, C. *Neither Black nor White: Slavery and Race Relations in Brazil and the Unitd States*. Madison: University of Wisconsin Press. 1986.

Eccles, P. Culpados até a prova em contrário: os negros, a lei e os direitos humanos no Brasil. *Estudos afro-asiáticos*, n. 20, p.135-163. 1991.

Fernandes, F. *A integração do negro na sociedade de classes*. São Paulo: Editora Ática, v.1/2. 1978 (Ensaios 34).

França, J. "Um modelo que exclui a maioria negra." *Jornal do Brasil*. Rio de Janeiro: 4 p. 1998.

Freyre, G. *Casa-grande & senzala*. Rio de Janeiro: Maia & Schmidt. 1933.

Fry, P. "Feijoada e *soul food*: notas sobre símbolos étnicos e nacionais." *Ensaios de Opinião*, v.4. 1976.

Gaspari, E. "Dois abacaxis para a PUC." *O Globo*. Rio de Janeiro 1997.

Gilliam, A. From Roxbury to Rio — and Back in a Hurry. In: D. J. Hellwig (org.). *African-American Reflections on Brazil's Racial Paradise*. Philadelphia: Temple University Press, 1992. From Roxbury to Rio — and Back in a Hurry, p.173-181.

Gobineau, J. A. *Essai sur l'inégalité des races humains*. Pairs: Libraire de Paris. 1855.

Grin, M. *Descompassos & dilemas morais: percepções sobre a questão racial no Brasil*. Seminário Fronteiras e Interseções. Universidade Estadual de Campinas, 1998.

Guimarães, A. S. A. *A desigualdade que anula a desigualdade. Notas sobre a ação afirmativa no Brasil*. In: A. Sant'anna e J. Souza (org.), 1997.

———. *Preconceito e discriminação. Queixas de ofensas e tratamento desigual dos negros no Brasil*. Salvador: Novos Toques. 1998.

Hanchard, M. G. *Orpheus and Power: The Movimento Negro of Rio de Janeiro and São Paulo, Brazil, 1945-1988*. Princeton: Princeton University Press. 1994.

Hasenbalg, C. *Discriminação e desigualdades raciais no Brasil*. Rio de Janeiro: Graal. 1979.

Lambert, C. M. From Citizenship to Négritude: "Making a Difference in Elite Ideologies of Colonized Francophone West Africa." *Comparative Studies in Socisty and History*. 35 1993.

Maggie, Y. *A ilusão do concreto: análise do sistema de classificação racial no Brasil* (Professor Titular). Instituto de Filosofia e Ciências Sociais, Universidade Federal do Rio de Janeiro, Rio de Janeiro, 1991.

——. "Cor, hierarquia e sistema de classificação: a diferença fora do lugar." *Estudos Históricos,* n. 14, p. 149-160. 1994.

——. "O movimento do pré-vestibular para negros e carentes." *Novos Estudos CEBRAP,* v. 57. 2001.

Maio, M. C. *A história do Projeto Unesco: estudos raciais e ciências sociais no Brasil.* Departamento de Ciência Política, Rio de Janeiro University Institute for Research (IUPERJ), Rio de Janeiro, 1997.

——. "O Brasil no concerto das nações: a luta contra o racismo nos primórdios da Unesco." *História, Ciências, Saúde,* v. V, n. 2, p. 375-413. 1998.

——. "Estoque semita": a presença dos judeus em Casa-Grande & senzala. *Luso-Brazilian Review,* v. 36, n.1, p. 95-110. 1999.

Maurício, A. *Medo de assalto: a democracia racial em questão no ônibus público na cidade do Rio de Janeiro.* (Masters). Programa de Pós-Graduação em Antropologia e Sociologia, Universidade Federal do Rio de Janeiro, Rio de Janeiro. 115 p. 1998.

Nascimento, A. D., org. *O negro revoltado.* Rio de Janeirio: Nova Fronteira. 1982.

Nogueira, O. "Preconceito racial de marca e preconceito racial de origem." In: *Tanto preto quanto branco: estudos de relações raciais.* São Paulo: T. A. Queiroz, Editora, Ltda. p. 67-94. 1985.

Parsons, T. "The Problem of Polarization on the Axis of" In: J. H. Franklin (org.). *Color and race.* Boston: Beacon Press. p.349-369. 1968.

Peirano, M. G. S. *Uma antropologia no plural: três experiências contemporâneas.* Brasília, DF: Editora UnB. 1991.

Pinheiro, P. S. *Escritos indignados.* São Paulo: Brasiliense. 1984.

Pinto, L. C. *O negro no Rio de Janeiro: relações de raça numa sociedade em mudança.* São Paulo: Companhia Editora Nacional. 1953.

Raeders, G. *O inimigo cordial do Brasil: o Conde de Gobineau no Brasil.* Rio de Janeiro: Paz e Terra. 1988.

Ramos, A. G. "A Unesco e as relações de raça." In: A. D. Nascimento (org.). *O negro revoltado*. Rio de Janeiro: Nova Fronteira, 1982.

Reis, F. W. "Mito e valor da democracia racial." In: J. Souza (org.). *Multiculturalismo e racismo: uma comparação Brasil-Estados Unidos*. Brasília: Paralelo 15. p. 221-232. 1997.

Ribeiro, C. A. C. *Cor e criminalidade: estudo e análise da justiça no Rio de Janeiro (1900-1930)*. Rio de Janeiro: Editora UFRJ. 167 p.1995.

Rodrigues, R. N. *As raças humanas e a responsabilidade penal no Brasil*. Rio de Janeiro: Livraria Progresso Editora. 1957 [1894] (Coleção Forum).

Sahlins, M. *How "natives" think: About Captain Cook, for example*. Chicago e Londres: The University of Chicago Press. 1995.

Salles, D. E. D. A. "O papel da miscigenação." *O Globo*. Rio de Janeiro. 1999.

Sansone, L. e J. T. D. Santos. *Ritmos em trânsito: socioantropologia da música baiana*. Salvador: Dynamis Editorial/Programa Cor da Bahia/Projeto S.A.M.B.A. 1998.

Schwarcz, L. *O espetáculo das raças*. São Paulo: Companhia das Letras. 1993

Schwarz, R. *Ao vencedor as batatas: forma literária e processo social nos inícios do romance brasileiro*. São Paulo: Livraria Duas Cidades. 169 p. 1971.

Seyferth, G. "A antropologia e a teoria do branqueamento da raça no Brasil: a tese de João Batista de Lacerda." *Revista do Museu Paulista*, p. 81-98. 1985.

——. "A assimilação dos imigrantes como questão nacional." *Mana — Estudos de antropologia social*, v. 3, n. 1. 1997.

Silva, C. B. R. D. *Da Terra das Primaveras à Ilha do Amor: Reggae, lazer e identidade em São Luís do Maranhão*. (Mestrado). Departamento de Ciências Sociais, Universidade Estadual de Campinas, Campinas, 1992.

Silva, D. F. D. "Zumbi & Simpson, Farrakan & Pelé: as encruzilhadas do discurso racial." *Estudos afro-asiáticos*, v. 33, setembro de 1998, p. 87-98. 1999.

Silva, J. H. *Anti-racismo: coletânea de leis brasileiras (federais, estaduais, municipais)*. São Paulo: Editora Oliveira Mendes. 1988.

Skidmore, T. *Preto no branco: raça e nacionalidade no pensamento brasileiro*. Rio de Janeiro: Paz e Terra. 1976.

Souza, J. "Multiculturalismo, racismo e democracia: por que comparar Brasil e Estados Unidos." In: J. Souza (org.). *Multiculrualismo e rascismo: uma comparação Brasil-Estados Unidos*. Brasília: Paralelo 15. p. 23-35. 1997 a.

———. "Valores e estratificação social no Distrito Federal." In: B. Nunes (org.). *Brasília: A construção do cotidiano*. Brasília: Paralelo 15. p. 117-143. 1997b.

Spitzer, L. *Vidas no entremeio: assimilação e marginalização na Áustria, no Brasil na África Ocidental 1780-1945*. Rio de Janeiro: Eduerj. 2001.

Stolcke, V. *A Nation Between Races and Class a Transatlantic Perspective*. 1996.

———. "Brasil: Uma nação vista através da vidraça da 'raça'." *Revista de Cultura Brasileña*, v. 1, p. 207-222. 1997.

Teixeira, M. D. P. "Raça e crime: Orientação para uma leitura crítica do censo penitenciário do Rio de Janeiro." *Cadernos do ICHF*, Universidade Federal Fluminense, v. 64, p.1-15. 1994.

Turra, C. e G. Venturi, orgs. *Racismo cordial: a mais completa análise sobre o preconceito de cor no Brasil*. São Paulo: Editora Ática. 1995.

Viana, O. *Raça e assimilação*. São Paulo: Editora Nacional. 1934.

Zweig, S. *Brasil, país do futuro*. Rio de Janeiro: Civilização Brasileira. 1960.

CAPÍTULO 8

Política: relações entre "raça", publicidade e produção da beleza no Brasil

Não seria incorreto afirmar que a maior parte do que se escreveu nos últimos anos sobre o tema das relações raciais no Brasil foi divulgada em tom de denúncia. Fomos esclarecidos com dados que demonstram, sem qualquer sombra de dúvida, que as pessoas de cor no Brasil vivem pior que seus conterrâneos mais claros, independentemente da classe social a que pertençam. Beneficiam-se menos do sistema educacional, apresentam taxas mais altas de mortalidade infantil, ganham menos e sofrem mais nas mãos da polícia.[1]

Esses fatos irrefutáveis foram apresentados para indicar que a mistura e a "democracia racial" não passam de uma máscara, que oculta a verdade amarga da discriminação e da desigualdade raciais. Algumas almas mais bondosas discordaram um pouquinho desta posição ao sugerirem que a idéia de democracia racial (ou seja, de que a cor não deveria ser a base de nenhuma discriminação) continua a ser um "sonho" no Brasil, isto é, um ideal ao qual muitos aspiram e que gostariam de ver realizado (Sheriff, 1999). Outros, tenho certeza, prefeririam que o Brasil abandonasse totalmente sua antiga ênfase nas qualidades de todos os tipos de mistura (biológica e cultural) em favor da celebração das identidades, étnicas e outras, sob a ideologia do multiculturalismo. Os tiradores de máscaras alegam revelar a realidade aos que estão na escuridão.[2] Mas mitos e ideologias

---

[1] O trabalho de Carlos Hasenbalg e Nelson do Valle Silva continua atualíssimo (Hasenbalg & Silva, 1993).

[2] Um exemplo recente deste gênero é "Removing the Mask: Essays on racism in Brazil" (Guimarães & Huntley, 2000).

nem sempre são apenas máscaras. Também fazem afirmações complexas que exigem reflexão e análise. Mitos antigos, como a "democracia racial", não podem ser analisados como se estivessem de algum modo fora do sistema que "mascaram". Isso seria explicá-los por meio de sua suposta função. Em vez disso, devem ser entendidos como parte e parcela da maneira como se constitui a sociedade. O que muitos analistas esquecem é que o mito da democracia racial coexiste com o mito da inferioridade negra, tanto no Brasil quanto em outros lugares. A coexistência desses dois mitos permite-nos compreender as várias formas de funcionamento do racismo no Brasil.[3]

Grande parte desta argumentação se origina e é reproduzida dentro de nichos sociais definidos com bastante facilidade: as várias formas de movimento negro e seus membros eleitos para cargos públicos, a infinidade de ONGs que surgiram nos últimos vinte anos com apoio moral e financeiro de doadores europeus e norte-americanos e, é claro, o setor acadêmico. Este último nicho tem certa especificidade em relação aos outros porque ainda não é *inteiramente* guiado por um programa político claro; além disso, tem tentado atrair nossa atenção para as vozes que não são audíveis de imediato nos movimentos e nas ONGs.

Este artigo faz parte desta tradição. Mas, em vez de levar a você as vozes dos subalternos e oprimidos, trago-lhe as vozes do mercado, em particular de produtores, fornecedores e consumidores de bens e serviços dirigidos explicitamente a pessoas de pele mais escura e cabelo mais crespo. Também trago-lhe as vozes ilustradas dos produtores de publicidade de bens e serviços voltados para vários segmentos sociais ou mesmo para a sociedade como um todo, sem relação com a cor da pele.

Faço isso por várias razões. Em primeiro lugar, nos últimos anos as pessoas de cor tornaram-se mais numerosas na publicidade brasileira (timidamente, devo dizer) e abandonaram o papel estereotipado de cria-

---

[3] Apresentei este argumento em publicações anteriores (Fry, 1995; Fry, 2000).

dos para se tornarem profissionais em geral; quase cidadãos genéricos, se preferir.[4] Em segundo lugar, nos últimos dez anos os produtores e fornecedores de beleza física voltaram sua atenção para a gente de cor. Isso resultou numa explosão de produtos especializados e de uso pessoal e, é claro, de anúncios. Além disso, esta indústria gera a receita publicitária da primeira revista colorida mensal bem-sucedida voltada especificamente para as pessoas de cor, *Raça Brasil*. Finalmente, queiramos ou não, o mercado é o divulgador mais eficiente de conceitos e idéias no Brasil contemporâneo. Inevitavelmente, os anúncios estão nas ruas e em nossas casas. Acho que, a longo prazo, a direção tomada pela publicidade no Brasil será um fator poderosíssimo na definição do rumo básico a ser tomado pelas relações raciais. Os movimentos negros têm esta mesma percepção; senão, como interpretar suas bem-sucedidas campanhas para obrigar certos municípios a incluírem modelos de cor em seus anúncios oficiais?

Ao dizer isso não desejo retratar os publicitários do mesmo modo como Vance Packard o fez há tantos anos, como criadores engenhosos de necessidades espúrias (Packard, 1962). Mas até Vance Packard reconheceu que os publicitários não convenciam objetos inertes a comprarem o que na verdade não queriam. Eles usaram seus sociólogos e psicólogos para descobrir exatamente que produtos poderiam ser mais vendáveis para quem. Sigo, neste caso, a linha de Marshall Sahlins, que há alguns anos, num pequeno parêntese em sua obra *Cultura e razão prática*, deu uma pista do processo pelo qual novos produtos entram no mercado. Argumentando contra as posições que afirmam serem os consumidores vítimas passivas dos fabricantes, ou que os fabricantes apenas reagem aos desejos dos consumidores, Sahlins sugere que "essa produção é organizada para explorar todas as possíveis diferenciações sociais através de uma motivada diferen-

---

[4] Uma mudança semelhante nas telenovelas tem sido observada por Joel Zito Araújo, entre outros (Araujo, 2000).

ciação de bens. Ela se desenvolve de acordo com uma lógica significativa do concreto, de significação das diferenças objetivas, desenvolvendo, portanto, signos apropriados para as distinções sociais emergentes. [...] O produto que chega ao seu mercado de destino constitui uma objetivação de uma categoria social, e assim ajuda a constituir esta categoria na sociedade; em contrapartida, a diferenciação da categoria aprofunda os recortes sociais do sistema de bens. O capitalismo não é pura racionalidade. É uma forma definida de ordem cultural; ou uma ordem cultural agindo de forma particular" (Sahlins, 1976, p. 185).

Portanto, deste ponto de vista, não compreendo a entrada de modelos negros e o investimento em produtos de beleza como resposta a alguma "demanda" da "classe média negra", embora, como veremos, seja assim que muitos fabricantes encaram o processo. Em vez disso, compreendo o processo como constituinte da própria formação desta classe média. Assim, as tendências estatísticas tornam-se certezas sociológicas. Durante muitos anos, os movimentos negros tentaram convencer os brasileiros de que todos aqueles capazes de alegar alguma ascendência africana são negros. Não foram muito bem-sucedidos, a não ser junto à classe média urbana intelectualizada. No caso da "raça" e do mercado no Brasil, é particularmente interessante o fato de que os produtos específicos destinados a pessoas de cor são, quase todos, os que pretendem embelezar. São específicos para o fenótipo, a aparência. É como se a própria "aparência" se tornasse (ou esteja se tornando) o ícone da identidade negra no Brasil, levando muita gente, que de outra forma se consideraria morena, mulata etc., a considerar-se também "negra". Enquanto isso, a publicidade de mercadorias e serviços genéricos inclui pessoas de cor como cidadãos comuns, projetando assim uma mensagem de igualdade diante dos bens de consumo, ainda que não perante a lei. É como se os fabricantes e anunciantes projetassem uma imagem do povo na qual a diversidade entre os brasileiros fosse mais um caso de estética do que de moral.

PUBLICIDADE

Na primeira vez em que estive no Brasil, em 1970, um cartaz espalhado pela cidade de São Paulo mostrava uma mulher branca sentada num sofá, e atrás dele uma mulher negra de uniforme de criada segurava uma caixa de sabão em pó. Na parte inferior do cartaz estava escrito: "Para quem lava e para quem usa."[5] Pensei que este tipo de anúncio não poderia mais aparecer no Brasil, até que, em junho de 2000, surgiu um cartaz perto da minha casa, em Botafogo, anunciando uma rede de supermercados. Uma consumidora branca aparece ao lado de um negro sorridente que usava um uniforme de funcionário. Este cartaz lembra aquele que descrevi, mas também outros anúncios comuns nas décadas de 1950 e 1960. São típicos, por exemplo, o cozinheiro negro e sorridente anunciando "Patroa", um tipo de gordura para bolos, uma negra de uniforme usando alvejante ou um garçom negro e risonho servindo cerveja Antárctica a alegres fregueses brancos.[6]

Mas, de modo geral, a tendência recente tem sido a de levar os negros a abandonarem a posição de criados sorridentes e humildes em troca de posições de maior prestígio ou, simplesmente, de "modelos". Além disso, e de forma mais importante, parece que esta tem sido uma tentativa deliberada de eliminar os antigos estereótipos com a produção do que se pode chamar de cartazes contra-intuitivos. A década de 1990 viu uma profusão de cartazes que rompiam com a tradição. Um anúncio de Neston mostra o início de uma corrida de um atleta negro e um menino branco com um foguete amarrado às costas: "Porque a gente sabe que os últimos nunca serão os primeiros." Em outro, Ronaldinho Gaúcho, um dos mais populares jogadores de futebol, aparece numa sala sinistra e vazia, onde o úni-

---

[5] Uma sátira brilhante deste cartaz foi incluída na peça *Assim falamos nós*, produzida por Eduardo de Oliveira e Oliveira em sua corajosa tentativa de despertar a auto-estima de jovens atores negros e de levar o racismo para o centro das preocupações políticas do Brasil.

[6] Na verdade isso é um tanto curioso, pois garçons negros não são a norma no Brasil.

co objeto é um par de calçados de corrida. Embaixo está escrito: "Viciado em futebol." Embora nenhum desses anúncios rompa a relação estereotipada entre negros e esportes, com certeza apresentam um novo ponto de vista sobre a questão.

Em Florianópolis (SC), registrei um *outdoor* para a campanha de moda de uma firma chamada Tip Top. Duas crianças estão sentadas, nuas, numa esteira, de costas para a câmera. O menino negro, com um pano amarelo na cabeça (marca étnica?), olha carinhosamente para a menina branca enquanto a abraça como se quisesse protegê-la. "Se eu tivesse que usar roupa, seria TIP TOP." Este anúncio é, talvez, o mais contra-intuitivo de todos. No mito da miscigenação brasileira, é o homem branco o miscigenador (ainda que, estatisticamente, haja mais casais homem negro/mulher branca). Neste quadro, é o menino negro que abraça a menina branca, desafiando assim o mais sedimentado dos preconceitos raciais, a menos que as crianças sejam consideradas isentas de sexualidade. Há, de fato, uma série de anúncios que usam *crianças* de várias cores (os da Parmalat, por exemplo), o que sugere que as crianças, na sua "inocência", são consideradas livres de maldade, inclusive de racismo. De qualquer modo, é evidente que a Tip Top quer vender as mesmas roupas para brasileiros de todas as cores e aparências.

Finalmente, no anúncio de uma grife de roupas masculinas aparecem dois homens, Luciano Szafir, ator e pai da filha de Xuxa, e o atleta Robson Caetano, ambos vestidos de terno e gravata e situados num ambiente urbano. "Para homens que fazem a diferença." A "diferença" celebrada neste cartaz é a diferença entre os que se sobressaem e os que não se sobressaem, de modo algum a diferença de cor entre Robson e Szafir. Mas este é o jogo, suponho, do mercenário do símbolo, que submerge uma possível diferença de raça numa semelhança de sucesso.

No primeiro semestre de 2000 apareceu no Rio de Janeiro uma série de cartazes visando projetar o metrô como meio rápido de transporte. Entre outros, havia o de um rapaz branco que reclama dizendo que quem gosta de engarrafamento é vendedor de biscoito e o de um jovem negro que apanha o metrô porque "tomar café da manhã com pressa faz mal". De novo uma mudança rumo ao contra-intuitivo. O menino branco de classe média quer se distanciar da estigmatização possível por estar perto de um engarrafamento, enquanto o negro, provavelmente trabalhador (pela sua camisa *blue collar*), está mais que preocupado em tomar o seu café da manhã sem pressa. Neste cartaz, o negro não está num terreiro de candomblé, nem tampouco no campo de futebol, mas sim na sua copa tomando café antes de embarcar num transporte que pode ser usado por todos.

No entanto, o mais interessante nestas mudanças é a presença de negros na propaganda de mercadorias da "nova economia". As empresas de cartões de crédito assumiram certa liderança nas mensagens contra-intuitivas. Numa delas, três crianças, dois meninos brancos e uma menina negra com o cabelo de cachinhos, anunciam o Credicard. A mensagem diz: "Nosso cartão não dá viagem, não dá prêmios, não dá descontos, mas dá futuro". Este cartaz, penso eu, rompe com a tradição de forma bastante radical. As três crianças são imaginadas como iguais, candidatas ao futuro que o Credicard promete! Numa *Veja* de maio de 2000 aparece mais um anúncio do Credicard. De um lado, um negro de *jeans* e camiseta, deitado num sofá evidentemente de alta qualidade; do outro, os dizeres: "Vou ao supermercado. Vou ter que me mexer? Se eu não for, a minha geladeira vai morrer de inanição. Se eu for, vou ter que me mexer. Já sei. Com Credicard eu compro na Internet, pago pela Internet e ainda consulto a fatura pela Internet. E sem me mexer. Perfeito." Este anúncio é um tanto ambíguo. Por um lado, é contra-intuitivo em relação aos preconceitos essencialistas, colocando um negro "bem de vida" a pregar as virtudes da comunicação bancária eletrônica; por outro, explora (ironicamente?) a associação preconceituosa entre negro e preguiça. Na mesma tecla, a Telefónica Celular anunciou seu modelo mais recente e sofisticado de 2000 nas mãos de um jovem *yuppie* negro num ônibus de aeroporto, com a admiração entusiasmada dos *yuppies* brancos à sua volta. Se negros são diferentes perante a lei, o cartaz sugere que eles teriam uma vantagem diante do mercado.[7]

Meus dois últimos exemplos dizem respeito à atração sexual. Um deles é um cartaz enorme que apareceu na parede externa de um prédio comercial da Barra da Tijuca, a Meca (ou a Miami) dos consumidores do Rio de Janeiro. Neste cartaz, um negro de torso nu anuncia o perfume Polo Sport de Ralph Lauren. O cartaz, evidentemente, é internacional, mas a pergunta intrigante permanece. Por que ele foi colocado no meio de uma das áreas mais "brancas" do Rio de Janeiro? Será que os homens negros exercem uma estranha fascinação sobre os consumidores e consumidoras brancos da Barra da Tijuca? Isso é possível, principalmente se lembrarmos que algumas das estrelas mais bem-sucedidas do mundo da música popular são jovens homens de cor. O outro exemplo, desta vez em Botafogo, anuncia um videocassete com a cabeça e os ombros de uma negra belíssima de cabelos raspados. Talvez os anunciantes estivessem visando a um novo mercado ou explorando o velho clichê da mulher sexualmente atraente. Mas por que uma negra? É inegável que já nos afastamos bastante de "os que lavam e os que usam", e, embora o número ainda seja relativamente pequeno, arrisco-me a prever que estamos testemunhando uma tendência importante que continuará a crescer.

Sugeri que a presença mais freqüente de pessoas de cor na publicidade brasileira é, basicamente, um fenômeno mercadológico. Mas o mercado também obedece a uma lógica cultural e política, e faz parte do Brasil tanto quanto partidos políticos e movimentos sociais. Os redatores de textos publicitários são treinados nas melhores universidades, onde o racismo é discutido e condenado. Assim, é possível afirmar com segurança que o fenômeno que estou descrevendo é o de um mercado cuja busca de lucro baseia-se em parâmetros culturais que, por si só, nada têm a ver com "forças de mercado".

---

[7]Há uma literatura cada vez maior sobre o papel do mercado na geração de noções de cidadania no Brasil (Canclini, 1995; Sorj, 2000).

Ao pagar este tributo à importância dos movimentos sociais, em particular do movimento negro, vale lembrar que uma de suas campanhas mais bem-sucedidas foi a de obrigar certos governos municipais a incluírem modelos negros em sua publicidade na mesma proporção em que há negros na população. No entanto, é interessante notar que uma campanha publicitária recente e bem-sucedida da prefeitura do Rio, centrada num adolescente negro que já tivera algum sucesso numa novela de televisão, não foi elaborada para atender conscientemente à lei. O publicitário só achou que o ator tinha "a cara do Rio de Janeiro" (Silva, 2000).[8]

De longe, o aumento da participação dos negros na publicidade ocorre em relação a bens e serviços destinados diretamente a melhorar a aparência das pessoas de cor. E é este processo que vou abordar agora.

A PRODUÇÃO E A COMERCIALIZAÇÃO DA BELEZA PARA NEGROS

Em 1996 foi criada uma revista luxuosa destinada a leitores negros, *Raça Brasil*. Para surpresa de todos, o primeiro número vendeu trezentos mil exemplares.

Vale a pena contar a história do surgimento desta revista na perspectiva dos seus dirigentes, Roberto Melo e Aroldo Macedo, o editor da revista.[9] Aroldo morava em Nova York e trabalhava como *videomaker* e fotógrafo. Veio para o Brasil fazer um filme sobre capoeira e pediu ajuda a Joana Fu, da editora Símbolo. Ela, "uma empresária extremamente moderna e [que] tem uma visão extremamente ágil", me sugeriu produzir uma revista para negros no Brasil, "porque não existe e é necessária". Roberto Melo obteve alguns números a partir do livro *Racismo cordial*

---

[8]Este tema exige estudo sério. Políticos negros tentaram criar cotas para negros em várias esferas da vida pública sem sucesso algum. No entanto, no caso da publicidade parece haver menos resistência.

[9]Esta história é contada pelos dois num debate sobre a revista *Raça Brasil* organizado por Suely Kofes, do Departamento de Antropologia da Unicamp (Kofes, 1996).

(Turra e Venturi, 1995), que resultara de uma pesquisa feita pela *Folha de S. Paulo*. Descobriu que 59% da população brasileira "pode ser considerada descendente de africanos, negros, mulatos e todas as suas variações". Em seguida, descobriu que 10% dos negros e mulatos tinham renda familiar superior a vinte salários mínimos por mês. A partir deste dado, fez um cálculo do provável número de adultos negros e mulatos nestas famílias: "a fantástica cifra de cinco milhões e quatrocentos mil. Por que fantástica? Porque fazendo estas mesmas regras de três para os brancos — estou fazendo sempre em auto-atribuição de cor —, nós encontramos o número de 7,1 milhões. Ora bolas, em que partida de futebol sete a cinco significa uma vitória esmagadora? É quase empate. A conclusão disso tudo, como todos nós sabemos, [é que] no Brasil existe um oceano de miséria. Esse oceano de miséria é bicolor, e existe uma ilhota de consumo, e esta ilhota de consumo também está virando bicolor. Por que ninguém sabia disso?" (Kofes, 1996, p. 245).

Para Aroldo, a pesquisa de Roberto apenas revelou o óbvio — a existência de uma classe média negra: "É uma classe média que eu já vejo há muitos anos e ela está aí. Quer dizer, em nenhum momento eu tive dúvida alguma de que esta revista seria um sucesso." Assim, Aroldo voltou ao Brasil, fez o projeto, desafiou todos os amigos que previam o desastre e fez a revista.

Mas que revista imaginava Aroldo? Uma revista que apelasse para um negro que Aroldo imaginava: não membro de um movimento, mas um entre vários, que "está em movimento". A ênfase sai do "lamento" do movimento para a ação positiva da construção de auto-estima:

"O negro não quer, no Brasil, uma coisa inferior [...]. Embora algumas pessoas falassem assim: 'Mas esta revista não parece que é para negro', a gente ouvia este tipo de absurdo. Então, a revista tem papel importado, ela tem cor o tempo inteiro. [...] Ela não é uma revista militante. Eu, particularmente, acredito em todos os movimentos de resistência que o Brasil já teve até hoje, e, graças a eles, houve um avanço muito significativo na posição do negro no Brasil. Mas, ao mesmo tempo, embora eu não tenha participado ativamente de nenhum movimento, meu trabalho foi muito mais individual, eu era modelo, a minha filosofia era vender a imagem de um negro diferente que não era vendida até então. Durante a elaboração da revista, detectei que, além do movimento negro, existem negros em movimento. São negros [...] que estão ocupando silenciosamente os espaços. A revista teria que ter um tom sem lamentos. Acredito que a gente já ultrapassou esta fase e a gente agora tem que executar, tem que fazer. O que, basicamente, é preciso para o negro no Brasil seria a auto-estima ser elevada ao ponto em que ele tivesse o entendimento (*Ibid.*, p. 251).

De fato, a vontade de atender a um público que, como Aroldo, queria, supostamente, "vender a imagem de um negro que não era vendida até então" fez com que a revista se concentrasse, como se concentra até hoje, na questão da beleza, tanto que a maior parte da publicidade na revista é de produtos de beleza e de tratamentos considerados específicos para negros. É verdade que há denúncias de racismo, mas muito mais tinta é gasta para mostrar negros bem-sucedidos nos mais diversos setores da vida. Como bem resumiu Moniz Sodré: "Nela [*Raça Brasil*], as matérias editoriais e os anúncios comerciais dirigem-se exclusivamente ao indivíduo de pele escura, buscando a valorização de suas especificidades fenotípicas e sociais. Seu primeiro editorial prometia: 'Dar a você, leitor, o orgulho de ser negro. Todo cidadão precisa dessa dose diária de auto-estima: ver-se bonito, a quatro cores, fazendo sucesso, dançando, *consumindo*. Vivendo a vida feliz.' A equação consumo = felicidade funcionou mercadologicamente. Além disso, o sucesso de vendagem e de publicidade da revista impulsionou o agenciamento de modelos negros, assim como negócios correlatos, a exemplo do fornecimento de perucas e apliques para cabelo" (Sodré, 1999, p. 253).

Qual foi a base do sucesso de *Raça Brasil*?

Já vimos que, do seu próprio ponto de vista, *Raça Brasil* surgiu para preencher uma necessidade. O sucesso de vendas confirmou este diagnóstico. Para o filósofo Moniz Sodré, a revista, e a sua "promoção de uma auto-estima individual, estético-mercadológica [...], corresponde a aspirações ascensionais e pequeno-burguesas dos setores sociais fenotipicamente escuros que emergem em termos de renda e de informação, cientes de que a reconstrução da identidade é importante de algum modo na 'descolonização' da sensibilidade oprimida" (Sodré, 1999, p. 255).

Mas, como sugeri anteriormente, a partir do argumento de Marshall Sahlins em seu *Cultura e razão prática*, uma interpretação alternativa do sucesso da revista e da concomitante expansão do mercado de bens e serviços que promovem a beleza das pessoas mais escuras no Brasil é que esses bens e serviços não suprem apenas uma necessidade; na verdade, eles criam uma necessidade e, ao fazê-lo, disseminam sub-repticiamente uma "identidade negra" em todo o Brasil. Joana Fu e Aroldo Macedo entenderam a latência de uma categoria social (negros) que poderia emergir como "mercado". Depois de uma pesquisa um tanto superficial (na verdade, eles usaram mais sua "intuição"), produziram uma mercadoria que, segundo imaginaram, poderia ser comprada por uma categoria de "negros". Desta forma, *Raça Brasil* fez o que os movimentos negros no Brasil, curiosamente, não conseguiram fazer com tanta eficácia: disseminou e legitimou uma taxinomia racial bipolar.

Em outros ensaios argumentei que essa taxinomia, que é semelhante à vigente nos EUA, já estava ganhando espaço sobre a taxinomia mais tradicional e mais complexa, especialmente entre segmentos urbanos intelectualizados da população (Fry, 1996; Fry, 2000). Eu diria que *Raça Brasil* e os produtos que pretendem desenvolver uma estética negra desempenham papel fundamental na disseminação da taxinomia bipolar e na redefinição de "mulatos", "pardos", "cafuzos", "morenos", toda a gama de categorias raciais tradicionais, em "negros" apenas. Além disso, *Raça Brasil* e toda a parafernália cosmética esforçam-se bastante para batizar, criar e transformar a "classe média negra" de mero efeito estatístico em fato socialmente significativo. *Raça Brasil* mantém uma *relação* metonímica com a negritude, mas passa a ser um ícone metafórico desta nova categoria social em sua relação com outros objetos do mesmo tipo direcionados para a classe média em geral (*Nova*, *Cláudia*, *Veja*, por exemplo), que se tornam, na falta de outra opção, ícones de uma classe média branca.

Mas tudo isso exige a pergunta: neste contexto, onde ficam o poder simbólico e o significado de beleza?

Moniz Sodré é taxativo. Em primeiro lugar, afirma que a estética não é política nem doutrinária nem ética: "A obsessão contemporânea com o cabelo explica-se igualmente pelo fato de que o atual discurso midiático sobre o negro é mais estético do que político, doutrinário ou ético. Nos jornais do passado, os modelos de reconstrução mítica da identidade eram ideólogos como José do Patrocínio, André Rebouças, Luiz Gama. Hoje são atores, modelos, cantores, jogadores de futebol ou figuras de grande sucesso profissional. [...]" (Sodré, op. cit., p. 254). Em segundo lugar, argumenta que a ênfase na beleza vai produzir um "outro" em nada distinto dos "brancos." Este "não outro" seria mais um indivíduo preso à "lógica liberal-assimilacionista". Um verdadeiro "outro", argumenta Sodré, teria de ser construído pela "comunidade e pelo segredo afro-brasileiros", que seriam, ao que parece, o candomblé.

> No âmbito do mercado e da mídia, trata-se da construção sígnico-imagística do Outro — o "negro", um diferente já não mais singular, mas idêntico a si mesmo na base de traços idealizados de negritude, onde se minimiza a dimensão política em favor da promoção de uma auto-estima individual, estético-mercadológica. O que significa não mais singular? Simplesmente que a unicidade, a incomparabilidade (logo, uma efetiva alteridade), suscitadas pela comunidade e pelo segredo afro-brasileiros, dão lugar a parâmetros identificatórios que incitam à apropriação individual do corpo negro. Claro que isto corresponde a aspirações ascensionais e pequeno-burguesas dos setores sociais fenotipicamente escuros que emergem em termos de renda e de informação, cientes de que a reconstrução da identidade é importante de algum modo na descolonização da sensibilidade oprimida. Mas corresponde também à lógica liberal-assimilacionista da

sociedade hegemônica (os claros), que artificializa a diferença negra: nariz afilado, cabelos normalizados, rostos moldados por um padrão idealizado (egípcio, grego)" (Ibid., p. 255).

Sem entrar no mérito de um certo desprezo que Sodré manifesta em relação à "lógica liberal-assimilacionista" que lembra muito a posição dos detratores da sociedade de consumo tão duramente criticados por Mary Douglas, o interessante neste trecho é que o autor identifica o que considero ser mesmo o cerne da identidade negra propalada pela revista *Raça Brasil*, pelo mercado de bens e serviços de beleza e pela publicidade em geral: ser negro é imaginado nem tanto por meio de uma diferença de *ethos* ou cultura (o "segredo"), mas por uma especificidade estética.

Podemos também sugerir uma outra interpretação para a presença de modelos de "nariz afilado, cabelos normalizados, rostos moldados por um padrão idealizado (egípcio, grego)". Em vez de "artificializar a diferença negra", a inclusão de pessoas cuja aparência as teria colocado na categoria de "mulatas" ou "morenas" na taxinomia policromática tradicional *cria*, ou pelo menos consolida, uma *real* identidade negra. Afinal, todos compartilham o interesse de consumir os mesmos produtos.[10]

A ênfase maior na estética, como sugere Sodré, permite de fato a supremacia de uma ideologia "liberal-assimilacionista", pois os negros são imaginados não como gente à parte, mas como brasileiros com uma estética própria, que, como todos os outros brasileiros, competem nos mesmos mercados de sexo, matrimônio e trabalho. Para que possam superar o que lhes é verdadeiramente específico, ou seja, a discriminação racial e a baixa auto-estima derivada das representações negativas atribuídas à sua pessoa e à sua "aparência", é necessário modificar as representações so-

---

[10]Angela Gilliam, que critica severamente os "padrões burgueses de consumo" veiculados pela *Raça Brasil*, reconhece que a presença de modelos negras que seriam chamadas de mulatas "na narrativa da democracia racial do Brasil patriarcal" é positiva, e diz que a revista reflete atitudes que muitas mulheres brasileiras vêm afirmando há anos, e isto é uma contribuição importante ao debate sobre a negritude no Brasil (Gilliam e Gilliam, 1996).

ciais da estética negra e destruir a associação entre esta estética e "defeitos morais" que está na base da discriminação e da falta de auto-estima.

Esta postura diante da "questão racial" lembra muito a posição manifestada pelo sociólogo negro Guerreiro Ramos, um dos poucos a enfatizar a questão da estética quando se trata da questão racial brasileira. Ramos achava que "[o] problema efetivo do negro no Brasil é essencialmente psicológico e secundariamente econômico" (Ramos, 1995 [1957], p. 199) e que "[a] condição do negro no Brasil só é sociologicamente problemática em decorrência da alienação estética do próprio negro e da hipercorreção estética do branco brasileiro, ávido de identificação com o europeu" (Ibid, p. 200). Assim, anuncia a sua própria postura diante do mundo:

"Sou negro, identifico como *meu* o corpo em que o meu eu está inserido, atribuo à sua cor a suscetibilidade de ser valorizada esteticamente e considero a minha condição étnica como um dos suportes do meu orgulho pessoal — eis aí toda uma propedêutica sociológica, todo um ponto de partida para a elaboração de uma hermenêutica da situação do negro no Brasil" (Ibid, p. 199).

A crítica de Sodré ao liberal-assimilacionismo tem pelo menos dois alvos: o consumismo em geral e a negação de diferenças de "espírito" entre "negros" e "brancos". É uma crítica, portanto, à ideologia colonial portuguesa de assimilação e à sua moderna vertente de "democracia racial". O "individualismo" desta ideologia política e do liberalismo é contraposto à idéia de "comunidade" e ao "segredo afro-brasileiro". A posição deste autor é francamente multiculturalista, na medida em que propõe especificidades culturais para "comunidades" específicas. A posição de Guerreiro Ramos pode ser vista como um apelo à dissolução do conceito de "raça" como essência moral. Como tenho argumentado em outros lugares, a tensão entre posições assimilacionistas e multiculturalistas está na base da formação de identidades nacionais distintas, o primeiro termo sendo associado aos Estados Unidos, o segundo ao Brasil, como também está presente no interior destas e de todas as sociedades contemporâneas (Fry, 1991; Fry, 1995;

Fry, 2000b). Creio que uma olhada na propaganda pode ajudar a aprofundar a compreensão desta tensão. Qual é a relação entre o corpo e o *"inner self"*, o "eu inserido no corpo" de Guerreiro Ramos, que o mercado de beleza pode revelar? Como podemos ver na linguagem dos narizes, das bocas, das peles e sobretudo dos cabelos, as sensações de diferença e semelhança entre os "negros" e a população como todo?

As primeiras entrevistas de uma pesquisa de campo que está apenas no início sugerem que há uma forte relação, pelo menos no imaginário dos profissionais da beleza negra, entre corpo e *"inner self"*. Roberto Melo e Aroldo Macedo estão convencidos de que um aumento da beleza leva a um aumento da auto-estima. Dona Daí, cabeleireira negra que atende a mulheres e homens negros e que mantém uma organização não-governamental no Rio de Janeiro para treinar jovens profissionais das zonas mais pobres da cidade, crê enfaticamente que "fazer a cabeça faz a cabeça". Produzir nas suas clientes a sensação da sua beleza coloca-as no mundo de outra maneira, até invertendo as antigas relações de dominação dos brancos sobre os negros. Para ela, a cosmética nunca é "apenas cosmética"; é o hábito que faz o monge. Antiga militante do Partido Comunista e do Movimento Negro, está convencida também de que o seu trabalho estético é a mais eficaz estratégia *política* que encontrou — política porque vai à raiz da discriminação contra os negros. Dona Daí fica satisfeita quando suas clientes, munidas da autoconfiança que ela ajuda a forjar, conseguem ser bem-sucedidas nos mercados do sexo, do matrimônio e do trabalho. Seria a articuladora mais coerente de uma ideologia "assimilacionista-liberal"? Os primeiros contatos sugerem que sim, já que ela insiste que a única diferença entre negros e brancos está na sua estética. Mas há nas entrelinhas de suas conversas e em sua própria prática social um desejo de produzir não apenas negros belos, mas negros solidários entre si. Não seria por outra razão que dirige um projeto, financiado pelo programa Comunidade Solidária, que treina jovens negras pobres na arte do embelezamento dos negros. Chego até a pensar que seu salão e a infinidade de outros que se espalham por todos os bairros da cidade podem ser vistos como "centros de convivência" para negros e, sobretudo, negras, que, levadas a eles por objetivos "cosméticos", acabam desenvolvendo uma sociabilidade que seria um passo significativo na formação de uma identidade coletiva para além de um interesse comum pela "beleza negra".

Ainda assim a pergunta permanece. Por que *Raça Brasil* é tão bem-sucedida? Por que a ênfase na aparência física expandiu-se tão rapidamente? Em primeiro lugar, é importante reconhecer que a mão-de-obra envolvida nos serviços de beleza prestados a brasileiros praticamente dobrou de tamanho entre 1985 e 1995, aumentando de 361.000 para 679.000 profissionais (Dweck, 1998). Entre 1992 e 1996, a indústria de higiene pessoal cresceu 63%, enquanto seus lucros aumentaram à taxa de 7% ao ano. Ruth Dweck afirma que, basicamente, pode-se explicar este crescimento pela entrada de mais mulheres na força de trabalho e pela importância cada vez maior da "aparência" nos setores do mercado de trabalho que envolvem contato direto do trabalhador com seu cliente, tais como vendedores, funcionários de restaurantes, secretárias, tripulantes de aviões, corretores imobiliários, terapeutas e outros, e que crescem com rapidez. Bila Sorj descreveu o tema desta forma: "O que caracteriza estas ocupações é que a qualidade da interação entre trabalhador e cliente produz significados que se refletem no valor do produto que está sendo vendido. Falando de outra forma, o trabalhador é parte do produto que está sendo oferecido ao cliente. [...] A relação íntima que se estabelece entre as características pessoais dos trabalhadores e o sucesso de seu desempenho transforma aspectos como aparência, idade, educação, sexo e raça em potencial produtivo, a ponto de características e competências individuais serem condições de empregabilidade" (Sorj, 1999, p. 16). Pode-se mencionar, naturalmente, o mercado do casamento e do sexo, que, pelo menos desde o surgimento do individualismo no Ocidente, exigiu uma certa atenção com a aparência!

Dentro do mercado de beleza como um todo, o setor das pessoas de cor cresceu imensamente nos últimos dez anos. Além disso, ele sofreu tamanha mudança tecnológica que o alisamento semi-amador do cabelo com o uso de ferro quente deu lugar a salões cintilantes, com atendentes de guarda-pó branco aplicando todo tipo de cremes e ungüentos. No caso dos afro-brasileiros, a questão da "aparência" assume significado ainda maior, como afirmou Ângela Figueiredo em seu estudo pioneiro sobre cabelos em Salvador, na Bahia (Figueiredo, 1994). Sabe-se que há muito tempo "boa aparência" é um eufemismo para brancos no Brasil. E como poderia ser diferente numa sociedade em que a "raça" é atribuída pela aparência e não pela origem familiar, como afirmou Orcy Nogueira em "Preconceito de marca e preconceito de origem", seu ensaio inspirador de 1954? (Nogueira, 1991 [1954]). Neste ensaio, em que ele compara o Brasil aos Estados Unidos, Nogueira argumenta que, enquanto "raça" é definida nos EUA com base na ascendência e na regra da gota de sangue, no Brasil a "raça" de uma pessoa (ou mesmo "raças") lhe é atribuída (ou lhe são atribuídas) com base na análise de sua "aparência".

Devido a todos estes fatores, há pouco mistério no sucesso de *Raça Brasil* e da indústria da beleza para pessoas de cor no Brasil. Para encontrar um bom emprego e um parceiro sexual satisfatório, só os mais revolucionários ou os mais extraordinariamente belos podem dar-se ao luxo de evitar as despesas e o tempo envolvidos em "melhorar a aparência".

Mas será que Moniz Sodré está totalmente certo quando diz que a preocupação individual com a aparência está longe da dimensão política? Bem, isto depende de quem define política e de como o faz. Quando se define política como aquela voltada para questionar o mercado, bem, aí, com certeza, os embelezadores pessoais não são nem um pouco políticos. Mas quando se define política racial como a atividade empenhada em erradicar a discriminação e a desigualdade *ainda que dentro da ordem social existente*, ora, então restam poucas dúvidas de que Aroldo Macedo e todos os que pensam como ele estão na vanguarda da política racial no Brasil.

Roberto Melo e Aroldo Macedo estão convencidos de que a auto-estima é gerada pela satisfação com a aparência pessoal. A maioria dos trabalhadores da beleza com quem falamos concorda. Dona Daí, cujo salão de beleza no centro do Rio orgulhava-se de receber a então vice-governadora do estado, Benedita da Silva, está convencida de que faz a cabeça de sua cliente em mais de um sentido. Ex-militante do Partido Comunista Brasileiro, Dona Daí acredita que estética é política e que a sua estratégia política é a mais eficaz, pela simples razão de que vai às raízes da dominação racial. Dona Daí fica satisfeita quando as clientes que ajudou a embelezar voltam para falar de seu sucesso no local de trabalho ou no mercado matrimonial. Ela chegou a convencer alguns doadores a financiarem sua organização não-governamental, que ensina a negras pobres a arte do tratamento dos cabelos.

Em face disto, Dona Daí poderia ser definida como articuladora coerente de uma ideologia liberal-assimilacionista. Penso que é isso o que ela é, no sentido de que ela nega enfaticamente toda diferença entre brasileiros, a não ser a classe social e a "aparência". O mesmo poderia ser dito de João Pedro, outro pioneiro dos salões de beleza negra no Rio de Janeiro, que insiste que a única diferença entre negros e brancos e todas as variações intermediárias está no cabelo e nos poros da pele. Mas, por outro lado, Dona Daí promove com bastante clareza a solidariedade entre pessoas de cor. Se não fizesse isso, por que ela teria criado sua ONG?

Sinto-me tentado a terminar este breve artigo com o que pode ser minha própria visão de mundo a este respeito. Como antropólogo firmemente fiel a uma teoria não-racista e não-racialista que se desenvolveu a partir de Franz Boas, reconheço que o racismo só é possível quando se pauta numa relação entre formas corporais (a aparência) e qualidades (ou defeitos) de ordem moral e intelectual. Talvez seja por isso que senti uma grande identificação com João Pedro, Dona Daí, Aroldo Macedo e outros que, como eu, entendem que o racismo moderno, no Brasil como em outros lugares, é construído sobre *representações* negativas associadas a determinadas "aparências". Se os fabricantes e propagandistas de beleza puderem ter um mínimo de sucesso na mudança destas representações (que não são monopolizadas pelos membros mais brancos da população), no sentido de transformar em senso comum a noção de que há várias maneiras de ficar bela(o) e que não há qualquer relação entre aparência e competência, então acredito que o tão vilipendiado mercado terá contribuído de forma contundente para a diminuição do racismo no Brasil.

Bibliografia

Araújo, J. Z. *A negação do Brasil – O negro na telenovela brasileira*. São Paulo: Editora Senac. 2000.

Canclini, N. G. *Consumidores e Cidadãos: Conflitos multiculturais da globalização*. Rio de Janeiro: Editora UFRJ. 1995.

Douglas, M. & B. Isherwood. *The World of Goods: Towards an Anthropology of Consumption*. Suffolk: Penguin Books. 1980.

Dweck, R. H. "Serviços de higiene pessoal: a beleza como variável econômica — reflexo dos mercados de trabalho e de bens e serviços." In *Os Serviços no Brasil: Estudo de Casos* (orgs.). H. P. d. Melo & A. D. Sabbato. Rio de Janeiro: MICT. 1998.

Figueiredo, A. "Beleza pura: símbolos e economia ao redor do cabelo do negro." Mestrado: Universidade Federal da Bahia. 1994.

Fry, P. "Politicamente correto num lugar, incorreto noutro? Relações raciais no Brasil, nos Estados Unidos, em Moçambique e no Zimbábue." Trabalho apresentado na 43ª Reunião Anual da Sociedade Brasileira para o Progresso da Ciência, Rio de Janeiro, 1991.

——. "Why Brazil is Different". *Times Literary Supplement*, 6-7. 1995.

——. "O que é que a Cinderela negra tem a dizer sobre a 'política racial' no Brasil." *Revista USP*, 122-135. 1996.

——. "Politics, Nationality and the Meanings of 'Race' in Brazil." *Daedalus, Journal of the American Academy of Arts and Sciences* 129, 83-118. 2000.

——. "Cultures of Difference: the aftermath of Portuguese and British colonial policies in Southern Africa." *Social Anthropology* 8: 117-144. 2000b.

Gilliam, A. "From Roxbury to Rio — and Back in a Hurry." In *African-American Reflections on Brazil's Racial Paradise* (org.) D.J. Hellwig. Philadelphia: Temple University Press. 1992.

Gilliam, A & Gilliam, O. "Raça Brasil: por quem, para quem." *Cadernos Pagu*, 6: 307-310. 1996.

Guimarães, A. S. & L. Huntley (orgs.). *Tirando a máscara: ensaios sobre o racismo no Brasil*. São Paulo: Editora Paz e Terra. 2000.

Hasenbalg, C. & N. d. V. Silva. "Notas sobre desigualdade e política." *Estudos afro-asiáticos*, 141-160. 1993.

Kofes, S. "Gênero e raça em revista: debate com os editores da revista *Raça Brasil*." Cadernos Pagu 6, 241-296. 1996.

Nogueira, O. "Preconceito racial de marca e preconceito racial de origem (sugestão de um quadro de referência para a interpretação do material sobre relações raciais no Brasil)." In *Tanto preto quanto branco: estudo de relações raciais*. São Paulo: T. A. Queiroz. 1991[1954].

Packard, V. *The Hidden Persuaders*. Victoria: Penguin Books. 1962.

Ramos, A. G. *Introdução crítica à sociologia brasileira*. Rio de Janeiro: Editora UFRJ. 1995[1957].

Sahlins, M. *Culture and Practical Reason*. Chicago & Londres: The University of Chicago Press. 1976.

Sheriff, R. "The Theft of Carnaval: National Spectacle and Racial Politics in Rio de Janeiro." *Cultural Anthropology* 14, 3-28. 1999.

Silva, A. P. D. "Menino do Rio: observações sobre as campanhas da prefeitura do Rio de Janeiro e a lei de 'cotas' nas propagandas publicitárias do município": Universidade Federal do Rio de Janeiro. 2000.

Sodré, M. *Claros e escuros: identidade, povo e mídia no Brasil* (Identidade Brasileira). Petrópolis: Editora Vozes. 1999.

Sorj, B. *Sociologia e trabalho: mutações, encontros e desencontros*, IFCS/UFRJ, 1999.

———. *A nova sociedade brasileira*. Rio de Janeiro: Jorge Zahar Editora. 2000.

Turra, C. & G. Venturi (eds.) *Racismo cordial: a mais completa análise sobre o preconceito de cor no Brasil*. São Paulo: Editora Ática. 1995.

CAPÍTULO 9   O significado da anemia falciforme no contexto da "política racial" do governo brasileiro, 1995-2004[1]

[1]Este artigo saiu em *História, Ciências, Saúde*, Manguinhos, 12 (2), 2005. Queria agradecer os generosos conselhos de Marcos Chor Maio, que me incentivou a escrever este texto, e a Ricardo Ventura Santos, que tentou reduzir minha ingenuidade a respeito da genética.

"They [sickle cell researchers] have appropriated sickling to support the particular interpretation of the relationship between nature and culture, without which the notion of race would cease to make sense." (Melbourne Tapper)

Ao longo dos últimos dez anos tem surgido no Brasil um renovado interesse pela anemia falciforme, interesse esse que coincide com mudanças radicais no posicionamento do Estado brasileiro diante da "questão racial". É justamente no bojo do Programa de Direitos Humanos do governo Fernando Henrique Cardoso, anunciado em novembro de 1995, que o governo reconhece a existência do racismo no Brasil, propõe ações afirmativas a favor dos negros e inaugura um Grupo de Trabalho Interministerial para a Valorização da População Negra (GTI), cujo subgrupo dedicado à saúde começou a desenvolver programas dirigidos à "população negra", em particular o Programa de Anemia Falciforme (PAF).

O principal objetivo deste ensaio é refletir sobre o significado social deste interesse crescente pela anemia falciforme e por outras doenças associadas ao corpo negro. Para tanto, investigarei a rede discursiva (pronunciamentos da mídia, textos acadêmicos e programas governamentais)[2] que se formou em torno da doença e o contexto social da sua produção. Fica evidente, portanto, que o que me interessa aqui não é a anemia falciforme em si, mas a maneira como ela se torna um fato social. Para colocar a rede discursiva brasileira em perspectiva, começo resumindo a análise feita pelo antropólogo Melbourne Tapper do Programa de Combate à Anemia Falciforme nos Estados Unidos nos anos 1970, logo após importantes vitórias dos negros na luta pelos direitos civis (Tapper, 1999). Tapper afirma que uma das conseqüências desta política foi a criação de uma comunidade negra cidadã e responsável. O Programa de Anemia Falciforme desenvolvido pelo governo brasileiro, com uma destacada participação de ativistas negros, a partir do final da década de 1990, também tem buscado a formação de uma "comunidade negra responsável", e ainda mais importante, o fortalecimento da própria categoria social de "negro". Argumento que a anemia falciforme passou a ser muito mais do que uma doença sob a égide exclusiva da medicina. O discurso em torno dela é um poderoso elemento no processo da naturalização da "raça negra" (em oposição lógica e política à "raça branca") no Brasil.

Antes de começar a nossa análise, porém, é necessário descrever em linhas gerais o discurso da ciência contemporânea sobre esta doença.

A CIÊNCIA E A ANEMIA FALCIFORME

A ciência define a anemia falciforme por meio de quatro discursos predominantes: da biologia molecular, da medicina clínica, da antropologia biológica e da genética (Tapper, 1999). A biologia molecular explica

---

[2]Tapper utiliza esse conceito que toma emprestado (Kitler, 1990): "Discourse networks [...] are complex and heterogeneous assemblages of inscriptive devices. They give a phenomenon like sickling a particular conceptual shape which, in turn, makes is responsive to specific types of action, whether regulatory, therapeutic, or investigative" (Tapper, op. cit., p. 6).

a anemia como uma mutação da hemoglobina que faz com que as células apareçam como foices. A medicina clínica se debruça sobre as várias manifestações e conseqüências deste "afoiçamento" das células, bem como sobre os tratamentos mais adequados. Uma das características da doença é a sua manifestação clínica variada, que vai desde pacientes com inúmeras complicações e freqüentes hospitalizações a outros quase assintomáticos. As manifestações clínicas são: anemia crônica acompanhada por dores osteoarticulares; dores abdominais; infecções e enfartes pulmonares; retardo do crescimento e da maturação sexual, acidente vascular cerebral e comprometimento crônico do sistema circulatório, dos rins, olhos e pele, além do aparecimento de úlceras. A ciência genética define a anemia falciforme como de herança mendeliana, associada a uma mutação específica. Em 1949, James V. Neel e E.A. Beet estabeleceram a distinção genética entre o "traço falciforme" e a anemia propriamente dita. O indivíduo que recebe o gene de apenas um dos seus genitores, portanto heterozigoto, é apenas portador do "traço". Ele não desenvolve a doença, mas pode transmitir o gene para seus filhos. Quando ele recebe o mesmo gene de ambos os pais, o indivíduo (no caso, homozigoto) tem a anemia falciforme. A antropologia biológica e a genética populacional consideram a anemia falciforme, sob certas condições, uma instância de adaptação ao meio ambiente sob influência da seleção natural. A relativa imunidade à malária por parte de indivíduos heterozigotos (aqueles que recebem o gene de um dos pais) é invocada pelos pesquisadores para explicar a sobrevivência desta mutação justamente nas áreas onde a malária é endêmica, a África ocidental (sobretudo), Grécia e o sul do Mediterrâneo, e o sul da Índia.

A REDE DISCURSIVA SOBRE ANEMIA FALCIFORME NOS ESTADOS UNIDOS

A primeira identificação da anemia falciforme foi feita nos Estados Unidos por James B. Herrick em um estudante negro proveniente do Caribe em 1910. Desde então a condição foi associada ao corpo negro, de tal modo que, entre os anos 1920-1940, ela serviu como uma espécie de marcador racial, definidor de quem seria ou não negro.

Após a descoberta da lógica mendeliana da transmissão da doença em 1949, seria possível supor que o discurso sobre a relação entre "raça" e anemia falciforme perderia sua força. Segundo Tapper, "[A] descoberta de Neel deveria ter mudado o discurso sobre o "afoiçamento", tornando irrelevantes ou fora de moda [...] as abordagens arcaicas da antropologia racialista e da eugenia [...] Esperar-se-ia que termos como raça, o negro (compreendido como representante de um tipo racial), pessoas de cor e o indivíduo subnormal [...] tivessem se tornado sem sentido, sendo substituídos pelas noções da biologia molecular" (Ibid., p. 39, 40). Contudo, isto não aconteceu. "Desde a década de 1950, na literatura sobre a anemia falciforme, a eugenia e a genética não se excluíram mutuamente, mas quase sempre coexistiram ou se fundiram para produzir uma nova e poderosa antropologia racialista que foi informada — e autorizada — pela linguagem da biologia molecular (sobretudo o discurso sobre genes de grupos sangüíneos)" (Ibid., p. 40). De fato, a teoria da relação entre o corpo negro e a anemia falciforme era tão hegemônica e inquestionável que "elaborações secundárias"[3] eram invocadas para preservar a teoria diante de fatos que a contradiziam. Cada vez que a prática parecia contradizer a teoria, os "fatos" eram modificados para poupar a teoria. Por exemplo, os "brancos" diagnosticados como portadores da doença eram imediatamente suspeitos de serem "de fato" negros.

Na década de 1970, acompanhando a luta pelos direitos civis, o governo americano elegeu o controle e a prevenção da anemia falciforme como medidas para corrigir a história de segregação e discriminação con-

---

[3]Esta expressão é de E.E. Evans-Pritchard. No seu estudo sobre a feitiçaria entre os Azande (Evans-Pritchard, 1965 [1937]), notou que eram invocadas "elaborações secundárias" para explicar situações inesperadas e que poderiam pôr em dúvida a teoria. Por exemplo, se um ritual de cura não deu certo e o paciente morreu, era porque foi malfeito ou devido à ação de feiticeiros infinitamente mais poderosos.

tra os afro-americanos. Acabou tornando-se um emblema, uma meta de uma cidadania plena para eles.

Tapper mostra que, ao longo das décadas de 1950, 1960 e 1970, o discurso que se elaborou em torno da anemia falciforme foi enfatizando cada vez mais o "eu" e a responsabilidade do indivíduo diante da síndrome. "A gestão da anemia falciforme envolveu uma espécie de cuidado intensivo do *self* e, por extensão, da raça" (Tapper, op. cit, p. 97). Um marco nessa *démarche* teria sido o trabalho de Robert B. Scott,[4] que observou que, em comparação com outras doenças de menor incidência, a anemia falciforme recebia pouquíssimos recursos destinados à pesquisa e à investigação clínica. Scott afirmou que a anemia falciforme representava um problema social; só poderia ser combatida pelos próprios negros a partir de informações sobre a doença. Assim, Scott sugeriu aconselhamento genético para noivos. Tapper comenta:

> O traço (e não a anemia em si) proporcionaria, em última instância, um *locus* para vigiar o comportamento reprodutivo dos afro-americanos. Mais precisamente, tornou-se o veículo para a constituição de um tipo particular de indivíduos afro-americanos, que, armados com conhecimento — graças à "eficácia da mídia", como diria Scott — tomariam decisões bem fundamentadas. Esses indivíduos, supostamente diferentes das gerações anteriores de afro-americanos, preencheram os requisitos para a cidadania plena e passaram a ter conhecimento daquilo que precisavam fazer para servir ao seu próprio interesse e ao da comunidade (Ibid., p. 106, tradução minha).

Segundo Tapper, portanto, o texto de Scott criou as condições para a formulação de políticas públicas, particularmente o National Sickle Cell Anemia Control Act, logo modificado para National Sickle Cell Anemia *Prevention* Act (grifo meu).

---

[4]Scott, R. B., "Health Care Priorities and Sickle Cell Anemia among Negroes in Richmond, Va." *Journal of the American Medical Association*, v. 214, nº 4, p. 731-734. 1970.

Essa legislação e os debates que a precederam insistiram na importância da participação da "comunidade negra" para enfrentar o "afoiçamento". Tapper lembra com perspicácia que, antes dessa discussão, a "comunidade negra" não existia sequer como figura de retórica. O Relatório Moynihan, de 1965, por exemplo, falava de desintegração familiar, criminalidade e da anomia da sociedade negra (Moynihan, 1965). Assim, afirma Tapper, a legislação relacionada à anemia falciforme teve como efeito a formação de uma "comunidade" real e responsável. Por todo o país, negros se organizaram para serem examinados e para incentivar os outros a fazerem exames também, buscando averiguar se seriam ou não portadores do gene.

Em pouco tempo, alguns estados pensaram introduzir testes obrigatórios para cidadãos negros e, em alguns casos, portadores do traço perderam a oportunidade de obter emprego em algumas profissões (aeromoça, por exemplo) ou de ingressar em academias militares. No Mississippi, a legislação "autoriza o conselho estadual de saúde a estabelecer um programa de testes para a anemia falciforme entre as pessoas que, pela raça, pelo grupo étnico ou por outras razões, são consideradas particularmente suscetíveis à doença. O conselho também está autorizado a preparar e distribuir material educacional relacionado à anemia falciforme".[5]

No entanto, mesmo que a idéia fosse a de envolver a "comunidade negra" (assim constituindo-a, segundo Tapper), o programa enfureceu alguns negros (infelizmente Tapper não os identifica do ponto de vista sociológico).

Eventualmente muitos negros viram a maneira de lidar com a anemia falciforme como uma conspiração — uma forma insidiosa de discriminação, até de genocídio. A identificação da população negra como alvo úni-

[5]"Authorizes the state board of health to establish a program to test for sickle cell anemia of those persons who, because of race, ethnic group or other reasons are determined to be particularly susceptible to the condition. The board is also authorized to prepare and distribute educational materials related to sickle cell anemia." [http://www.ncsl.org/programs/health/sickle.htm]

co [...] foi visto com ceticismo por muitos negros. Ao separar a população negra para a intervenção, o governo não estaria contribuindo para a estigmatização dos negros em vez de desencorajá-la? Dado que o "afoiçamento" ocorre — ainda que com menos freqüência — em outras populações, como o governo poderia justificar o seu foco exclusivo na comunidade negra? Quais as possíveis implicações — em termos de maior discriminação — dessa prática? (Ibid., p. 121, tradução minha).

Mas, mesmo assim, o programa e a rede discursiva elaborados tiveram o efeito de "produzir" uma "comunidade negra" organizada para o bem-estar dos seus membros.

O dilema enfrentado pelos defensores do programa de anemia falciforme foi o de [...] que não existia [...] uma comunidade negra unificada e bem definida; ela tinha que ser produzida. Os defensores da iniciativa procuraram apresentar uma imagem positiva daquilo que precisava ser governado — a comunidade negra — e também enfatizaram as boas intenções do governo, organizando a sua apresentação em torno de termos-chave, como negligência (a ser corrigida), responsabilidade individual (apresentada como uma categoria universal), urgência, [...] e autodeterminação [...] (Ibid., p. 123, tradução minha).

Em resumo, Tapper argumenta que a rede discursiva em torno da anemia falciforme nos Estados Unidos (eu me referi principalmente a textos científicos e governamentais, mas Tapper inclui artigos publicados na mídia na época) teve como conseqüência fundamental a formação da noção de uma comunidade negra responsável, redefinindo os negros como cidadãos plenos, com a obrigação de participar da produção do bem comum, neste caso por meio da "prevenção" da anemia falciforme. Evidentemente, não foi por acaso que esse discurso surgiu no bojo da emancipação civil dos negros americanos, acompanhando a luta pelos direitos civis da década de 1960. Para o governo, representava um compromisso com a saúde dos negros e uma vontade de se redimir pelas falhas do passado.

O importante a se observar neste ponto, porém, é que, embora Tapper tenha conseguido relativizar a categoria "comunidade negra", ele não chegou a fazer a mesma coisa com as categorias raciais "negro" ou "afro-americano" e "branco", que são tratadas como se fossem categorias pré-discursos. Esse escorregão de um foucaultiano confesso só pode ser entendido pela aura de naturalidade que a taxonomia racial bipolar tem nos Estados Unidos. Tapper relata casos de dúvidas sobre algumas instâncias de classificação — se tal branco era de fato branco, por exemplo —, mas as categorias em si não eram questionadas. Embora Tapper certamente perceba que a lógica dos discursos sobre anemia falciforme pressupõe e torna possível o conceito de "raça" (a epígrafe desse artigo são palavras dele), essa não é uma questão que Tapper tenha tratado em seu livro. Olhando agora para o Brasil, onde, argumentaremos, há uma disputa de legitimidade entre pelo menos dois sistemas de classificação "racial", observaremos que a rede de discursos em torno da anemia falciforme tem a conseqüência de não só produzir uma comunidade negra cidadã e responsável, como fortalecer o seu antecedente lógico: uma taxonomia racial bipolar.

A ANEMIA FALCIFORME NO BRASIL DA DÉCADA DE 1990: A HISTÓRIA É A MESMA OU É OUTRA?

Logo no início do seu governo, o presidente Fernando Henrique Cardoso lançou o Programa Nacional de Direitos Humanos, que continha uma série de atividades planejadas no interesse da "comunidade negra". Incluía-se entre elas a criação de um Grupo de Trabalho Interministerial para a Valorização da População Negra (GTI). O GTI foi instituído pela Medida Provisória de 20 de novembro de 1995, na ocasião da Marcha Zumbi dos Palmares Contra o Racismo, pela Igualdade e pela Vida, que mobilizou milhares de militantes negros e simpatizantes do país inteiro.

Em 1996, o subgrupo de saúde organizou uma mesa-redonda sobre a

Saúde da População Negra, que chegou a reconhecer quatro "blocos" de doenças que afetam a "população negra".

O *primeiro* bloco é o grupo das doenças geneticamente determinadas. São doenças que têm origem hereditária, ancestral e étnica. Nesse grupo destaca-se a anemia falciforme, por ser uma doença que incide predominantemente em afro-descendentes. Também são doenças ou agravos desse grupo a hipertensão arterial, o diabetes *mellitus* e uma forma de deficiência de enzima hepática, a glicose-6-fosfato desidrogenase, que incidem em outros grupos raciais/étnicos, porém são mais graves ou de tratamento mais difícil quando acometem pretos e pardos.

O *segundo* bloco é o conjunto de ocorrências, condições, doenças e agravos adquiridos, derivados de condições socioeconômicas e educacionais desfavoráveis, além da intensa pressão social: alcoolismo, toxicomania, desnutrição, mortalidade infantil elevada, abortos sépticos, anemia ferropriva, DST/Aids, doenças do trabalho e transtornos mentais.

O *terceiro* bloco é constituído por doenças cuja evolução agrava-se, ou o tratamento é dificultado, pelas condições negativas anteriormente citadas: hipertensão arterial, diabetes *mellitus*, coronariopatias, insuficiência renal crônica, cânceres e miomas. Isto quer dizer que, apesar de incidirem em toda a sociedade, essas doenças se tornam mais graves na população negra devido às carências econômicas, sociais e culturais às quais está submetida.

O *quarto* bloco é o conjunto de condições fisiológicas que sofrem interferência das condições negativas anteriormente mencionadas, contribuindo para sua evolução para doenças: crescimento, gravidez, parto e envelhecimento. Equivale a dizer que esses quatro fatos biológicos naturais, quando são afetados pelas condições negativas mencionadas, constituem, para grande parcela da população negra, situações de risco para o aparecimento de doenças (República, 1998).

Quais são os pressupostos que estão por trás dessa taxonomia? Em primeiro lugar, o que significa relacionar doenças como a anemia falciforme a uma "origem hereditária, ancestral e étnica"? Os três adjetivos, "hereditária", "ancestral" e "étnica", sugerem que a anemia falciforme seja uma característica de um grupo social que compartilha a mesma ascendência e, portanto, o mesmo conjunto genético. A frase "origem hereditária, ancestral e étnica" é, na verdade, um eufemismo para doença "racial". O segundo bloco é o das doenças com causalidade mais social, em particular a pobreza e "intensa pressão social". Há aqui a idéia de que a discriminação racial pode ter efeitos deletérios sobre a saúde do discriminado. Esse pressuposto difere do primeiro porque não presume nenhum essencialismo no corpo ou na "cultura" negra. Em vez disso, pressupõe que a discriminação racial exercida contra as pessoas mais escuras pode produzir efeitos deletérios sobre a saúde. O terceiro e o quarto blocos acrescentam a noção de "carências econômicas, sociais e culturais". Já que nem todos os pobres são negros, essa idéia introduz o pressuposto de que a "população negra" possui uma cultura própria, que pode levá-la a contrair determinadas doenças. Afirmar a existência de uma "cultura negra" é afirmar a existência de uma identidade negra compartilhada pelos que se definem como "pretos" ou "pardos". Esse pressuposto vem consolidar a noção de "etnia" enunciada no primeiro bloco. Descrever essa cultura como uma "carência" vai, estranhamente, um passo além no sentido de sugerir que a "cultura negra" ajuda a fomentar estados de doença entre os negros.

Resumindo, podemos ver que o discurso elaborado pela mesa-redonda de 1996 produz a imagem da "população negra" que é muito mais do que a soma dos indivíduos que se definem como "pretos" ou "pardos" nos recenseamentos nacionais. Essa "população" passa a ser uma "etnia", constituída por uma herança biológica e cultural (inferior) compartilhada. A importância desse discurso não pode ser ignorada, já que as conclusões da mesa-redonda serviram de ponto de partida para toda a política pública dirigida à "população negra" desde então.

Em 2001, o Ministério da Saúde publicou o seu *Manual de doenças mais importantes, por razões étnicas, na população brasileira afro-descendente*, em que o pensamento do ministério se desenvolve ainda mais no sentido de definir a "população negra" (Hamann e Tauil, 2001). O manual inicia a reflexão sobre a população negra brasileira afirmando que esta é diferente das de outros países da América e até da própria África, graças, sobretudo, à intensa miscigenação entre africanos de diferentes regiões da África e com a população branca e, "em menor escala [,] com a população indígena" (Ibid., p. 9). Depois de comentar a relativa pobreza da população negra, conclui que "do ponto de vista das doenças com forte determinação genética, a população brasileira afro-descendente pode manifestá-las com características próprias, não sendo correta a simples transposição dos resultados das pesquisas sobre essas doenças realizadas em outros países" (Ibid., Ibid.).

Assim, longe de questionar a adequação de se pensar o Brasil em termos de "raças" estanques, a miscigenação surge apenas para estabelecer uma "especificidade brasileira", uma "população afro-descendente" com "características próprias". Novamente, no discurso do ministério, a "população negra" se caracteriza como um grupo, uma etnia. Digno de nota aqui é que nenhuma menção é feita às outras possíveis especificidades do Brasil, como, por exemplo, a maneira de classificar as pessoas "racialmente" mais pela aparência (marca) que pela ascendência (origem) (Nogueira, 1991[1954]), a falta de consenso sobre quem é quem "racialmente", a ausência de nítidas identidades "negra" e "branca", e o concomitante fato de o Brasil não ter discriminado legalmente os "negros" desde a instauração da República. Mas essas possíveis especificidades talvez não pudessem ser mencionadas num documento que tem o objetivo de definir doenças importantes por "razões étnicas". Raças e etnias exigem nítidas fronteiras entre seus membros e os "outros".

O manual contém um longo capítulo — de autoria de Marco A. Zago, professor titular de clínica médica da Faculdade de Medicina de Ribeirão Preto, da Universidade de São Paulo —, que aborda a anemia falciforme, considerada desde a mesa-redonda "uma doença incidente predominantemente sobre a população afro-descendente [...], com sinalizadores estatísticos suficientes e convincentes para justificar sua prioridade como problema de saúde pública". Zago começa constatando que a anemia falciforme é a doença hereditária mais comum no Brasil. Faz menção a informações filogenéticas sobre a origem do gene, observando que ele chegou às Américas pela "imigração forçada de 3-4 milhões de africanos trazidos ao país como escravos" (Zago, 2001). Em seguida, observa que a doença é "predominante entre negros e pardos, porém também ocorre entre brancos" (Ibid., p. 15). Observa ainda que ocorre com mais freqüência nos lugares onde a população negra é mais numerosa. No Sudeste, "a prevalência média de heterozigotos (portadores) é de 2%, valor que sobe para cerca de 6-10% entre negros e pardos e [*sic*] no Nordeste do país" (Ibid., Ibid.). Estima que 2 milhões de brasileiros sejam portadores do gene e 8 mil manifestem a doença.

A análise do professor Zago se diferencia dos demais pronunciamentos que compõem o documento do Ministério da Saúde. Embora reconheça que "a origem racial e o predomínio entre negros e mulatos é um aspecto de significativa importância quando se considera a doença do ponto de vista de saúde coletiva e se pretende estabelecer estratégias para seu controle", não fala em "grupo étnico". Além disso, enfatiza que a doença falciforme não se restringe à "população negra" e, reconhecendo a lógica mendeliana da transmissão da doença, defende políticas de combate de cunho universalista. "Estratégias que visem ao controle das doenças falciformes", ele comenta, "para serem eficientes devem estar associadas à melhoria das condições de higiene, saúde pública e educação dos focos de miséria". Defende um sistema de diagnóstico precoce, uma forte ênfase "na educação da comunidade e dos profissionais de saúde", e aconselhamento genético segundo "os referenciais da bioética" (Ibid., p. 30). Termina falando do PAF, que contempla "um conjunto de ações de promoção do seu conhecimento, prevenção da doença, a facilitação do acesso aos serviços de diagnóstico e tratamento, bem como as ações educativas dirigidas aos profissionais de saúde e à população" (Ibid., Ibid.). Entre as ações previstas no programa incluem-se a ampliação do diagnóstico e do tratamento, a capacitação de profissionais, a "busca ativa de pessoas afetadas", e o "levantamento, cadastramento e busca de parceira com instituições e ONGS com atuação na área da doença falciforme". Em momento algum há qualquer referência explícita a organizações negras. Mesmo assim, como veremos a seguir, intelectuais negros, entre eles muitas mulheres, tiveram e têm papel de destaque em iniciativas voltadas para a anemia falciforme no âmbito da saúde coletiva.

O ATIVISMO NEGRO

Como vimos, as origens do PAF remontam a novembro de 1995, em íntima associação com a Marcha Zumbi dos Palmares Contra o Racismo, pela Igualdade e pela Vida. Nasce, portanto, no contexto de uma inflexão importante na política do governo brasileiro em relação ao racismo. O fato de surgir logo após essa marcha o caracteriza como uma resposta clara do governo às reivindicações dos movimentos negros.

Embora o programa, como descrito no *Manual de doenças mais importantes, por razões étnicas, na população brasileira afro-descendente*, não faça qualquer referência ao ativismo negro, ele está, desde o início, intimamente ligado a indivíduos e organizações negros, tanto governamentais (os conselhos estaduais e municipais) como não-governamentais. À medida que os estados vão criando seus programas de combate à anemia falciforme, essa mensagem vai aos poucos se capilarizando na sociedade brasileira. E como o programa tende a ser acoplando às atividades dos conselhos negros, o combate à anemia falciforme acaba produzindo uma espécie de "solidariedade racial" entre as maiores vítimas potenciais da doença.

Assim, por exemplo, a Lei Estadual nº. 12.131, de 12 de março de 2002, que instituiu o programa no estado de Santa Catarina, garante "a participação de técnicos e representantes do Movimento Negro no grupo a ser constituído para a implantação do programa". No Pará, a Lei Estadual nº. 6.457, de 30 de abril de 2002, prevê no seu artigo 2, parágrafo

XV, "a realização de parcerias junto ao movimento negro". Em São Paulo, a Coordenadoria Especial do Negro (Cone), que é o órgão do governo municipal responsável pelo "fomento e elaboração de políticas públicas voltadas para a inserção do negro na sociedade, superando as desigualdades raciais", desenvolve um Programa "Negra Cidade" de "Combate ao Racismo e de Garantia da Diversidade Étnica". Este programa foi criado pela prefeitura, por intermédio da Coordenadoria Especial do Negro, "para diminuir a discriminação contra os afro-descendentes". Um dos componentes do "Negro Cidade" é um programa "para reduzir a taxa de mortalidade por anemia falciforme em recém-nascidos e crianças com menos de um ano" (http://www.portalafro.com.br/entidades/cone/internet/cone.htm, acessado em 09 de dezembro de 2004). No Rio de Janeiro, o Centro de Referência Nazareth Cerqueira contra o Racismo e o Anti-semitismo (Cerena), órgão ligado à Secretaria Estadual de Justiça e Direitos do Cidadão e cuja função principal é acolher e investigar casos de racismo, promove uma série de encontros do Fórum Permanente de Anemia Falciforme. Esses encontros têm por objetivo "a difusão de informações sobre a doença e a melhoria da qualidade de vida de falcêmicos, através de ações integradas do poder público com a sociedade civil" (http://www.sbhh.com.br/menu/noticias.asp?newsID=1293, acessado em 11 de dezembro de 2004).

No campo das organizações não-governamentais pró-negro, a presença de mulheres ativistas é predominante.[6] Uma das mais destacadas é Edna Roland, psicóloga, presidente do Conselho Diretor da Fala Preta! Organização de Mulheres Negras, e representante do Brasil na Conferência de Durban. Roland tem trabalhado no sentido de investigar as relações entre "raça" e saúde reprodutiva feminina. Como intelectual e ativista, afirma que as mulheres negras, por intermédio das organizações e dos movimen-

---

[6]Sou muito grato a Consolação Lucinda pela sua contribuição para esta seção. Ela chamou minha atenção para a importância dessas mulheres e me familiarizou com o folheto *Anemia Falciforme — viajemos por essa história ...*

tos de que participam, são vozes importantes para reivindicar do Estado "as condições necessárias para que possam exercer sua sexualidade e seus direitos reprodutivos, controlando a própria fecundidade" (Roland, 2001). Fundou uma ONG chamada Fala Preta!, cuja cartilha "Anime-se, Informe-se, Anemia Falciforme" resultou de uma parceria com o Programa de Saúde Reprodutiva da Mulher Negra do Cebrap.

Jurema Batista, médica e fundadora da ONG carioca Crioula, também é presença importante em discussões sobre a doença, e co-autora de uma coletânea sobre a saúde das mulheres negras (Werneck, Mendonça *et al.*, 2000). Uma terceira ativista importante é Fátima Oliveira, médica integrante da Comissão de Cidadania e Reprodução da União Brasileira de Mulheres e da Sociedade Brasileira de Bioética. Ela concebe a saúde como um possível campo de luta contra o racismo e considera a atenção à saúde um "instrumento eficiente" no combate ao racismo, ao preconceito e às discriminações. Fátima aponta a discriminação contra pacientes negros e a falta de "rigor legal e ético" de agências governamentais na área de saúde ou de laboratórios que submetem os pacientes negros a experimentos de alto risco, sobretudo nos Estados Unidos, na Grã-Bretanha, no Quênia e em Serra Leoa. Ela afirma que essas formas de discriminação podem ser combatidas por meio de políticas públicas orientadas para as necessidades do segmento negro da população e do controle do "deslocamento das pesquisas dos países ricos para os pobres".

Uma quarta personagem na luta pela saúde da população negra é a enfermeira, mestre em educação, fundadora e presidente da Associação de Anemia Falciforme do Estado de São Paulo, Berenice Kikuchi. No artigo "Anemia falciforme e legislação", Kikuchi descreve a anemia falciforme como uma doença "com prevalência em 1 entre cada 500 afro-descendentes nascidos vivos" no Brasil. Comenta que a situação de desigualdade vivida pela população descendente dos escravos que foram trazidos para as Américas é um dos fatores determinantes na epidemiologia da doença. Credita à miscigenação e à migração regional a presença da moléstia na população de todos os estados brasileiros (Kikuchi, 2003). O projeto Saúde

Reprodutiva e Organização Social dos Doentes Falciformes, de sua autoria e apoiado pela Fundação MacArthur, objetivou reduzir a discriminação do doente e seus parentes nas instituições de saúde e de educação. Talvez a mais importante contribuição de Kikuchi tenha sido a participação na elaboração do PAF.

Na prática, portanto, as iniciativas governamentais voltadas para a anemia falciforme no Brasil, como nos Estados Unidos, estão intimamente ligadas às organizações da militância negra, o que acaba por enfatizar a relação entre a doença e as pessoas "afro-descendentes". Mesmo que se reconheça que a doença dissemina-se com a miscigenação para os quatro cantos do país, a anemia falciforme fica cada vez mais associada à "população negra".

A MÍDIA

Num artigo recente, Débora Diniz e Cristiano Guedes analisaram as matérias sobre anemia falciforme publicadas entre 1998 e 2002 nos jornais *A Tarde*, da Bahia, e *Folha de S. Paulo*, de São Paulo. Examinando 41 matérias de *A Tarde* e 25 da *Folha de S. Paulo*, constataram a forte associação entre a anemia falciforme e a população negra. "Na maior parte das vezes, o jornal *A Tarde* noticiou a anemia falciforme mais como uma questão de saúde pública do interesse da população negra, do que como uma doença genética. [...] Se fosse possível identificar o tema prioritário que gerou as pautas sobre anemia falciforme nos dois jornais analisados, arriscaríamos dizer que era o tema da saúde da população negra no Brasil. E, nesse recorte, não haveria como evitar o tema da anemia falciforme" (Diniz e Guedes, 2004). Em seguida, indagaram sobre as razões deste "equívoco", levantando a hipótese de que, do ponto de vista da população como um todo, a genética é percebida como a ciência que informa sobre a gênese individual e sobre as origens e diferenças de identidades distintas:

"Raros devem ser os profissionais biomédicos consultados pelos jornais que desconhecem o fato de que a anemia falciforme não é uma doença exclusiva de negros e pardos, o que torna ainda mais interessante a análise das razões que conduziram a este equívoco nas matérias. Uma possível explicação para o fenômeno é que a associação da anemia falciforme aos negros é um tema com forte impacto midiático, fortalecendo a expectativa sociológica de que a genética é uma informação sobre a gênese individual. Caso esta hipótese esteja correta, circunscrever a anemia falciforme aos negros e pardos significa também falar sobre suas origens e diferenças" (Ibid., Ibid.).

Esta hipótese torna-se mais plausível se examinarmos uma importante cartilha intitulada "Anemia Falciforme — viajemos por essa história...", cuja responsável técnica é Berenice Kikuchi. A cartilha foi publicada pela Associação de Anemia Falciforme do Estado de São Paulo e pela Coordenadoria Especial do Negro do Município de São Paulo e pelo Movimento Negro Unificado (MNU). Recebeu também o apoio de diversas entidades negras, como o Movimento Hip Hop, U Negro, o Grupo Força e Raça, a Associação Cultural Ruth de Souza e o Coletivo da Liga Humanitária dos Homens de Cor, entre outras.

A capa do folheto mostra uma família nuclear negra, pai, mãe e filho (este jogando bola), e ao lado há um outro personagem, também negro, vestido de branco e carregando um estetoscópio, evidentemente um médico. Assim, retrata-se desde o início uma doença de negros tratados por negros, algo bastante incomum no Brasil.

A cartilha, em forma de história em quadrinhos, conta como os pais de Thiaguinho ficam sabendo que ele tem anemia falciforme, aprendem o que é a doença e como tratá-la. Começa com o lugar de origem da anemia, uma África representada como um "continente rico e misterioso", "cheio de história na cidade (mostra as pirâmides), a vida simples nas aldeias (mostra uma mulher com criança), sua riqueza (mostra barras de ouro) e sua cultura" (mostra uma mesquita).

Continua observando que a doença já era conhecida na África. Passa para um navio português com os dizeres: "Os negros foram trazidos para o Brasil", escravos, mas "lutam muito mais para ter de volta a sua liberdade, erguendo várias bandeiras, e ainda hoje continuam lutando por sua cidadania e igualdade." Mostram-se três faixas: "Zumbi", "Liberdade" e "Fim da escravidão".

Em seguida, aparece o médico, que diz: "Como descendente deste povo, é importante saber que a doença começou lá. Porém, outros povos também sofrem com essa doença." Dessa forma, utilizando o conceito de "povo", a cartilha faz uma clara relação não entre indivíduo e gene, mas entre povo e doença. Revela, portanto, a natureza genética, de transmissão mendeliana, do gene responsável pela doença.

No próximo quadrinho, os pais de Thiaguinho respondem: "Agora entendemos. Quer dizer, essa doença já está passando de pai para filho há milhares de anos até nossos dias."

O pai e a mãe de Thiaguinho querem entender por que seu filho sofre da doença e eles não. O médico aproveita para discorrer sobre o que é o traço falciforme e a dar conselhos médicos, assegurando que, cuidando bem do Thiaguinho, nada o impedirá de se tornar um grande homem. No quadrinho final Thiaguinho aparece mais velho, de óculos e vestido para a sua formatura universitária.

O folheto como um todo, com seus personagens todos negros, com a exaltação da África e com a noção de que a doença é de "povos", transmite uma fortíssima, quase exclusiva, relação entre anemia falciforme e o corpo negro, mesmo com uma breve ressalva de que outros "povos" também podem apresentar a doença.

Mas mesmo os folhetos não exclusivamente ligados à militância negra enfatizam a relação entre a doença e "raça." Um exemplo muito interessante é o *Manual do paciente,* da Agência Nacional de Vigilância Sanitária. Na parte interna do folheto, a ilustração da natureza genética e da transmissão mendeliana da moléstia mostra uma família monogâmica branca. Na capa, porém, aparece um médico branco e um paciente que, se não é negro, certamente não é branco.

A TÍTULO DE CONCLUSÃO — VOLTANDO A COMPARAR

Passemos agora a uma comparação do caso brasileiro com o dos Estados Unidos.

A grande semelhança entre as duas situações é, sem dúvida, a ênfase na história africana da anemia falciforme, além da produção de uma comunidade negra responsável e cidadã. Nos lugares onde foram implementados programas voltados para a anemia falciforme, a relação entre a doença e a "comunidade negra" fica explícita tanto na legislação quanto nas práticas adotadas. A comunidade negra aparece ora através dos conselhos estabelecidos nos estados e municípios, ou através de organizações não-governamentais negras. Embora reconhecendo a natureza genética da moléstia, o "afoiçamento" adquiriu definitivamente o *status* de doença associada à "população negra", "berço hereditário, ancestral e étnico".

As diferenças, porém, são significativas. Em primeiro lugar, parece que no caso brasileiro havia e há uma presença muito mais marcante de militantes negros na formulação e na disseminação de programas voltados para a anemia falciforme do que nos Estados Unidos. Além disso, é impossível ignorar a maior presença feminina e feminista entre esses ativistas negros. Entre 1988 e 1997, Edna Roland, como diretora e coordenadora-executiva do Geledés — Instituto da Mulher Negra, onde coordenou o programa de saúde e foi responsável pela introdução da questão da saúde como temática prioritária do Movimento Negro brasileiro, produziu os Cadernos Geledés, intitulados *Mulher negra e saúde* e *esterilização: impunidade ou regulamentação?*, primeiras publicações surgidas no Brasil com a perspectiva das mulheres negras na área da saúde. Os sujeitos, os objetos e os critérios de validação dos estudos desenvolvidos neste campo se constituíram como tal a partir desse momento. Sem a contribuição do movimento de mulheres negras, esse processo certamente teria assumido outra feição.

No entanto, talvez mais significativo do que constatar a presença das mulheres ativistas na produção do PAF seja reconhecer que o programa é visto por elas como uma "conquista do movimento negro".

E isto aponta para mais uma diferença em relação à situação descrita por Tapper nos Estados Unidos. Não é só a preeminência da militância negra brasileira na formulação do programa que chama a atenção, mas também a ausência de qualquer crítica da intelectualidade negra. Pelo que sabemos, não há vozes preocupadas com os ecos eugênicos do "aconselhamento genético" nem com um aumento do controle sobre a cidadania que o PAF introduz, e muito menos com a possibilidade de a ênfase na relação entre a anemia falciforme e a "população negra" aumentar a estigmatização dos negros. Pelo contrário, o folheto *Anemia falciforme — viajemos por essa história* tem o efeito surpreendente de transformar o sofrimento compartilhado numa espécie de orgulho de raça.

Esse valor icônico da anemia falciforme talvez marque a maior diferença entre a situação nos Estados Unidos que Tapper descreve e a que estamos desenhando aqui no Brasil. Nos Estados Unidos, as categorias "negro" e "branco" são consideradas naturais de acordo com a "regra da gota única", que reza que o indivíduo com um antepassado africano, por mais distante que seja, é negro. Há pouquíssima ambigüidade no sistema, e as tentativas de pessoas com aparência muito branca de assumir uma identidade branca (*passing*) são muito malvistas. A diferenciação entre "negros" e "brancos" é marcada por uma série de sinais culturais diacríticos que são entendidos por todos. Como mostra Tapper, a rede de discursos sobre a anemia falciforme é, acima de tudo, uma crítica ao descaso dos brancos com os negros e, como vimos, um poderoso produtor de uma comunidade negra cidadã.

Gostaria de sugerir que, no Brasil, o apoio aparentemente total que os ativistas negros dão ao PAF significa que a anemia falciforme tornou-se, muito mais que uma doença a ser detectada e tratada, um poderoso elemento no processo da naturalização da "raça negra" (por oposição lógica e política à "raça branca"). Em outras palavras, um marcador de diferença num país onde as delimitações raciais são imprecisas e ambíguas.

Ao longo da história, a classificação "racial" dos indivíduos no Brasil tem obedecido a pelo menos duas taxonomias: uma, binária, divide a população entre "brancos" e "pretos" ou entre "brancos" e "homens de cor"; a segunda, de múltiplas categorias, decorre de uma taxonomia complexa que reconhece uma gama de combinações intermediárias. A taxonomia do IBGE contém as categorias de "raça/cor" "preta", "parda", "branca", "amarela" e "indígena". Os critérios de classificação para ambas as taxonomias são baseados principalmente na aparência dos indivíduos, ou a "marca", segundo Oracy Nogueira, que comparou este sistema de classificação com o dos Estados Unidos, onde o critério básico seria a suposta ascendência biológica dos indivíduos (Nogueira, 1991[1954]). É evidente que há muito mais consenso sobre quem é quem, "racialmente" falando, nos Estados Unidos do que no Brasil.

Durante o último meio século a tendência dos cientistas sociais brasileiros, simultaneamente aos militantes dos movimentos negros, tem sido a de fortalecer cada vez mais a primeira taxonomia em prejuízo da segunda. A introdução de ações afirmativas a partir do Programa Nacional dos Direitos Humanos de 1995 reforçou ainda mais a taxonomia binária, pois não há meio-termo entre quem tem direito a uma cota reservada para negros e quem não tem. Aos poucos, então, o Brasil é imaginado não mais como um país de mistura "racial", mas de duas categorias "raciais" estanques, "brancos" e "negros".

Talvez o argumento fique mais claro se mostramos, ainda que rapidamente, como os cientistas sociais desenharam raça e classe no Brasil na década de 1950 e meio século depois. Os pesquisadores do projeto Unesco, Marvin Harris e Fred Zimmerman, imaginaram a zona rural baiana em termos de triângulos e trapezóides. Hoje em dia, a maioria dos pesquisadores utiliza gráficos de barra que dividem nitidamente a população em negros e brancos. A hierarquia de raças e classes representada pelo triângulo cedeu lugar a um simples gráfico de barras que representa uma sociedade cruelmente dividida em duas categorias estanques e separadas. Esse tipo de gráfico revela um Brasil diferente daquele descrito por Harris e Zimmerman. O triângulo ritualizava a hierarquia e a relação; o gráfico de barras ritualiza uma sociedade dividida em suas "personalidades coletivas" estanques.[7]

Agora começa a ficar mais claro o motivo que levou os ativistas negros a tomarem a frente na luta pelo PAF no Brasil. A notória dificuldade de convencer mulatos, cafuzos, mamelucos, morenos escuros e claros etc., a se juntarem numa única categoria de "negro" tem marcado o movimento negro moderno desde a sua criação, na década de 1970. Parece razoável supor que a anemia falciforme veio no sentido de legitimar esse processo, talvez do mesmo modo como a Aids foi utilizada por alguns para legitimar a idéia de que os homens que praticam sexo com outros homens são todos homossexuais/*gays*.

Desde a publicação, em 1903, de *Algumas formas primitivas de classificação*, de Durkheim e Mauss (Durkheim e Mauss, 1981[1903]), entende-se que sistemas de classificação são socialmente construídos, mas que sua eficácia e sua legitimidade derivam da sua suposta "naturalidade". Como a doença é compreendida como algo natural, embute as características ideais para se tornar um "símbolo natural" do grupo ou da categoria social aos quais é associada. É por isso, eu penso, que a rede discursiva em torno do "afoiçamento", que o define como "doença racial" e não como uma doença que se desenvolve ou não por meio de combinações de genes recessivos, acompanha e legitima mais ainda a crescente característica natural da taxonomia racial bipolar no Brasil. O uso político que a anemia falciforme pode assumir neste contexto é mais do que evidente.

Mas, como se diz, o Brasil não é para principiantes, e eu estaria sendo

---

[7] Para um desenvolvimento mais detalhado deste argumento, ver Fry e Maggie, 2003. Ver também Carvalho (2004), em que José Murilo de Carvalho se refere à eliminação dos mulatos, caboclos etc., que pode ser entendida como um "genocídio estatístico".

muito ingênuo se não terminasse este ensaio relativizando o meu próprio argumento. Embora seja verdade que a rede discursiva em geral enfatiza as origens africanas do "afoiçamento" e tem como alvo "a população negra", a lógica genética da moléstia, que não respeita supostas barreiras raciais, não é nunca esquecida. Ao contrário dos Estados Unidos, onde se chegou a propor o teste exclusivamente para os negros, no Brasil o PAF visa à universalização do teste do traço falciforme. Em Santa Catarina, por exemplo, a lei diz: "Fica assegurado o exame de diagnóstico de hemoglobinopatias a todas as crianças recém-nascidas, que deverá ser realizado em todas as maternidades e hospitais congêneres no Estado e demais integrantes do Sistema Único de Saúde."

Já vimos como o panfleto da Anvisa acende uma vela para Deus e outra para o Diabo quando retrata o paciente como não-branco, o médico como branco e os portadores do traço falciforme todos brancos! O folheto do Instituto Estadual de Hematologia Artur de Siqueira Cavalcanti do Rio de Janeiro (Hemorio) vai para outro extremo, não falando rigorosamente nada sobre a filogênese do gene nem sobre qualquer associação epidemiológica entre a moléstia e pessoas descendentes de africanos. No diagrama da transmissão genética contido no folheto, as figuras não têm uma "raça" definida, tendendo, talvez, para a brancura.

O reconhecimento da lógica da transmissão mendeliana da doença e do traço falciforme, que significa que qualquer brasileiro, por mais "branco" que pareça, pode contrair a anemia falciforme, traz à tona a mistura genética brasileira. A publicação de *Retrato molecular do Brasil* em 2000 (Pena, Carvalho-Silva *et al.*, 2000) deu respaldo científico à crença sobre a natureza triíbrida da população brasileira, a partir do cruzamento de três elementos — ameríndios, europeus e africanos. Mais recentemente, os geneticistas J. Alves-Silva, Sérgio Pena e outros têm demonstrado que pelo menos 40% dos marcadores detectados nos brasileiros que se autodeclaram brancos são de origem africana (Alves-Silva, Santos *et al.*, 2000; Pena, 2002). Embora a anemia falciforme apareça de fato com mais freqüência em pessoas com fenótipo mais "africano", ela se encontra também em pessoas que em nada *parecem* afro-descendentes. O inverso também é verdadeiro. Uma pesquisa recente em 24 comunidades definidas como quilombos em todas as cinco regiões do Brasil revelou que a freqüência do traço falciforme varia de zero — nas comunidades Itamoari, no Pará, e Paredão, no Rio Grande do Sul — até 13%, em Riacho de Sacutiaba, na Bahia (Pedrosa, Ferreira *et al.*, 2004). Os pesquisadores concluem que "[c]onsiderando todos os remanescentes de quilombos estudados, a freqüência média desse alelo [o traço falciforme] foi de 3,7%, bem abaixo dos 8,7% observados nos países africanos, de onde veio a maioria dos escravos" (Ibid.).[8] Como Parra e outros mostraram recentemente, a aparência é um fraco indicador da composição genética dos indivíduos (Parra, Amado *et al.*, 2003). Por mais que a implementação do PAF tenha enfatizado a relação entre a doença e a população afro-descendente, as práticas de detecção, calcadas no discurso da ciência genética, felizmente tratam essa moléstia como uma doença que é potencialmente de todos.

Bibliografia

Alves-Silva, J., M. S. Santos *et al.* "The ancestry of Brazilian mtDNA lineages." *American Journal of Human Genetics*, v. 67, p.444-461. 2000.

Carvalho, J. M. D. "Genocídio racial estatístico", *O Globo*. Rio de Janeiro: p. 7, 2004.

Diniz, D. e C. Guedes. "A Informação Genética na Mídia Impressa: A Anemia Falciforme em Questão." *Série Anis*, v.35, 1-7 junho, 2004, p.1-7. 2004.

Durkheim, É. e M. Mauss., "Algumas formas primitivas de classificação." In: J. A. Rodrigues (org.). *Émile Durkheim*. São Paulo: Ática, 1981[1903].

---

[8] Os autores da pesquisa sobre remanescentes de quilombos afirmam que "não é possível, no caso da anemia falciforme, estabelecer uma política única de saúde pública para todas essas populações. Cada uma delas deve receber atenção individualizada, de acordo com suas características específicas" (Ibid.).

Evans-Pritchard, E. E., *Witchcraft, Oracles and Magic Among the Azande*. Oxford: At the Claredon Press. 1965 [1937].

Fry, P. e Y. Maggie., *"Questões de taxonomia, ou como o Brasil se tornou um país de brancos e negros na era das cotas."* XXIII Reunião Anual da Anpocs. Caxambu. 21-25 de outubro de 2003, 2003.

Hamann, E. M. e P. L. Tauil., *Manual de doenças mais importantes, por razões étnicas, na população brasileira afro-descendente*. Brasília: Ministério da Saúde. 2001.

Kikuchi, B., "Anemia Falciforme e Legislação", 2003.

Kitler, F. A., *Discourse networks, 1800/1900*. Stanford: Stanford University Press. 1990.

Moynihan, D. P., *The Negro Family: The Case for National Action*. Washington: United States Department of Labor. 1965.

Nogueira, O., "Preconceito racial de marca e preconceito racial de origem (Sugestão de um quadro de referência para a interpretação do material sobre relações raciais no Brasil)." In: (org.). *Tanto preto quanto branco: estudo de relações raciais*. São Paulo: T.A. Queiroz, 1991[1954].

Parra, F. C., R. C. Amado, *et al.*, "Color and genomic ancestry in Brazilians." *Proceedings of the National Academy of Sciences of the United States of America*, v. 100, p.177-182. 2003.

Pedrosa, M. A. F., L. B. Ferreira, *et al.*, "Anemia falciforme em antigos quilombos." *Ciência Hoje*, v. 211. 2004.

Pena, S. D. J., org. *Homo brasilis. Aspectos genéticos, lingüísticos, históricos e socioantropológicos da formação do povo brasileiro*. Ribeirão Preto: Funpeced. 2002.

Pena, S. D. J., D. R. Carvalho-Silva, *et al.*, "Retrato Molecular do Brasil." *Ciência Hoje*, v. 159, p. 16-25. 2000.

Cardoso, F.H. *Construindo a democracia racial*. Disponível em https://www.planalto.gov.br/publi_04/COLECAO/RACIAL.HTM. 1998.

Roland, E. "Saúde reprodutiva da população negra no Brasil: um campo em construção." *Perspectivas em Saúde e Direitos Reprodutivos*, v. 2, n. 4, p. 17-23. 2001.

Tapper, M., *In the Blood: Sickle Cell Anemia and the Politics of Race*. Filadélfia: University of Pennsylvania Press. 1999.

Werneck, J., M. Mendonça, *et al.*, orgs. *O livro da saúde das mulheres negras —
nossos passos vêm de longe.* Rio de Janeiro: Criola/Pallased. 2000.

Zago, M. A., "Anemia falciforme e doenças falciformes." *In:* E. M. Hamann e P.
L. Tauil (org.). *Manual de doenças mais importantes, por razões étnicas, na
população brasileira afro-descendente.* Brasília: Ministério da Saúde, 2001.
Anemia falciforme e doenças falciformes, p.13-35.

CAPÍTULO 10 O debate que não houve:
a reserva de vagas para negros nas
universidades brasileiras
(com Yvonne Maggie)[1]

[1]Este Capítulo saiu em *Enfoques — Revista Eletrônica dos aunos do IFCS/UFRJ*, v. 1, n. 01,
pp. 1-117, www.ifcs.ufrj.br/~enfoques

Como observou Michel Agier (2002), entre a promulgação da Constituição brasileira de 1988 e a III Conferência Mundial das Nações Unidas de Combate ao Racismo, Discriminação Racial, Xenofobia e Intolerância Correlata, realizada em Durban, na África do Sul, em 2001, a postura do governo do Brasil diante da questão racial mudou radicalmente. A Constituição de 1988 reconhece e condena o racismo, punindo-o como crime inafiançável. Neste sentido, conserva a longa tradição formal republicana brasileira do a-racismo e do anti-racismo. Para a Conferência de Durban, a delegação oficial brasileira encaminhou uma proposta que quebrou esta tradição, apresentando "ações afirmativas" em favor da "população afro-descendente", entre elas o reconhecimento oficial da legitimidade de reparações para com a escravidão e cotas para negros nas universidades públicas. Em novembro, a Assembléia Legislativa do Estado do Rio de Janeiro aprovou por aclamação, e, portanto, sem debate, uma lei que *"institui cota de até quarenta por cento para as populações negra e parda no acesso à Universidade do Estado do Rio de Janeiro e à Universidade Estadual do Norte Fluminense"* (Lei nº 3.708, de 9 de novembro de 2001). Enquanto isso, o ministro da Reforma Agrária anunciou que, dali em diante, 20% das vagas no seu ministério seriam destinadas a negros. A idéia logo se espalhou pela Esplanada dos Ministérios (o Ministério de Educação foi exceção) e, em dezembro, o presidente da República estendeu o princípio para o funcionalismo público em geral.

Talvez valha a pena explicitar a natureza desta mudança. Na Constituição de 1988, as palavras "raça" e "racismo" aparecem três vezes, cada uma delas no sentido de repudiar "raça" como critério de distinção. O inciso IV do artigo 3 reza que, entre os objetivos fundamentais da República Federativa do Brasil, está a promoção do *"bem de todos, sem preconceitos de origem, raça, sexo, cor, idade e quaisquer outras formas de discriminação"*. O inciso VIII do artigo 4, afirma que a República Federativa do Brasil rege-se, nas suas relações internacionais, pelo *"repúdio ao terrorismo e ao racismo"*. Finalmente, o inciso XLII do artigo 5 define a prática do racismo como *"crime inafiançável e imprescritível, sujeito à pena de reclusão, nos termos da lei"*.

As medidas pós-Durban, propondo ações afirmativas em prol da "população negra", rompem não só com o a-racismo e o anti-racismo tradicionais, mas também com a forte ideologia que define o Brasil como país da mistura, ou, como preferia Gilberto Freyre, do hibridismo. Ações afirmativas implicam, evidentemente, imaginar o Brasil composto não de infinitas misturas, mas de grupos estanques: os que têm e os que não têm direito à ação afirmativa, no caso em questão, "negros" e "brancos"...

Em entrevista recente, o economista Ricardo Henriques, que tem apoiado ativamente as novas medidas, afirmou que no Brasil *"é preciso tratar desigualmente os desiguais"*:

> Nosso desafio é romper com a matriz republicana francesa. Todos nós fomos culturalmente educados e a grande maioria estudou numa base dessa grande matriz francesa universalista, que acha que o imperativo da igualdade é a melhor matriz para fazer qualquer intervenção, tratando todos por iguais. Esta é a estratégia mais cínica de lidar com o problema (Henriques, 2002).

Sem querermos entrar numa discussão sobre a distribuição de cinismo no Brasil, parece claro que o cidadão brasileiro, pelo menos perante as universidades e a função pública, não poderá mais se identificar com o Macunaíma do modernismo brasileiro; agora ele terá que pertencer a uma "raça" ou a outra.

Anos atrás, um de nós sugeriu que, no Brasil, preferimos pontes a margens (Maggie, 1992). Mais recentemente, outro, ao observar as dificuldades enfrentadas pelos projetos de lei que propunham cotas para negros nas universidades e no funcionalismo público — e a reticência a cotas manifesta num congresso internacional realizado para discutir o assunto em 1996 (Souza, 1997), no qual o próprio presidente da República exortou os presentes a exercerem sua criatividade para desenvolver políticas adequadas ao caso brasileiro, evitando a adoção de cópias de políticas de outras sociedades —, chegou a ponto de afirmar que

> (...) cotas são nauseabundas para muitos não apenas porque parecem contradizer o ideal da "democracia racial" e da democracia liberal *tout court*, mas também porque parecem ameaçar a idéia modernista da antropofagia. É como se o Brasil comesse a ação afirmativa formalizada, outras comidas de que tanto gosta tornar-se-iam cada vez mais desagradáveis, não menos a mistura em si (Fry, 2000).

Então, evidentemente, a repentina adoção de cotas como política de Estado nos surpreendeu, e muito. Estávamos errados? E se estávamos, por quê? Neste ensaio bastante experimental, afirmaremos que estávamos errados em dois pontos: 1) não imaginávamos que as cotas seriam praticamente decretadas, e mesmo se tivéssemos imaginado que isso poderia acontecer, provavelmente não teríamos antecipado o extraordinário poder das decisões "de cima para baixo" nesse país que queríamos imaginar democrático; 2) subestimamos talvez o avanço, em certas áreas-chave, da substituição de um Brasil imaginado como composto de "raças misturadas" por um país de "raças distintas". Ou seja, o nosso erro foi apostar que uma tradição "vencesse" a outra. *Wishful thinking*, muito provavelmente.

Não houve debate público nem entre os representantes dos eleitores antes dos decretos ministeriais e da promulgação da lei de cotas no Rio de

Janeiro. Antes da Conferência de Durban, o comitê nomeado pelo governo federal para preparar a posição do Brasil promoveu três seminários, em Belém, Salvador e São Paulo. Mas poucos souberam ou participaram, além de ativistas negros.[2] O frágil debate começou, portanto, depois dos fatos consumados. O fato é que a falta de debate público impediu que se pudesse verificar se houve ou não uma mudança radical no Brasil como um todo. Mesmo assim, as reações às medidas que apareceram na imprensa, que incluem alguns editoriais e artigos de historiadores, mas, sobretudo, cartas de leitores, desenvolvem, na sua maioria, argumentos contra as medidas, sugerindo assim que os princípios a-racistas ainda vigoram no Brasil. Sem desmerecer a importância dos editoriais e artigos de intelectuais, consideraremos aqui apenas as cartas de leitores dirigidas ao jornal *O Globo* durante os anos de 2001 e 2002, na suposição de que representem opiniões que extrapolam os muros das universidades. São os "nativos", que, na tradição da nossa antropologia, devem ser levados a sério.

AS CARTAS DOS LEITORES

O que mais chama a nossa atenção nas cartas é a coerência dos argumentos. Os leitores que as escreveram sugerem que a introdução de cotas raciais talvez não alcance o que pretende e terá efeitos que irão muito além das finalidades explicitadas nos pronunciamentos dos governantes, especificamente uma bipolarização racial e um aumento de tensão inter-racial, sobretudo nas camadas menos favorecidas da população. Todos aqueles que são a favor ou contra reconhecem que as cotas raciais representam uma ruptura com a tradição a-racista brasileira.

A questão da constitucionalidade das cotas é um assunto abordado regularmente pelos missivistas:

---

[2]Apesar de o governo e das agências de fomento internacionais terem gastado fábulas na divulgação das informações sobre a Conferência de Durban, não se conseguiu descobrir até hoje a composição deste comitê.

A Constituição diz que todos são iguais perante a lei [escreve João Carlos Rodrigues], portanto são ilegais a aposentadoria feminina com cinco anos menos que a dos homens; a preferência pelos idosos em ações na Justiça e as cotas raciais no ensino e no serviço público. Creio que basta uma interpelação ao STF [Supremo Tribunal Federal] para derrubar tudo isso. Melhor oportunidade para todos, e não apenas para alguns, num ano eleitoral (*O Globo*, Cartas dos Leitores, 15/5/2002).

"Está na hora de os políticos lerem a Constituição. Não à discriminação; não a cotas para quem quer que seja", é a opinião de Vitor Sawczuk (*O Globo*, Cartas dos Leitores, 15/5/2002).

A constitucionalidade ou não das cotas só será definida quando e se alguém que se sinta prejudicado entrar com ação na Justiça, como fez o branco Alan Bakke nos Estados Unidos, que, não conseguindo entrar na Faculdade de Medicina Davis, da Universidade da Califórnia, questionou nos tribunais a legalidade da política de admissões que reservou 16 vagas para candidatos negros. O caso chegou à Corte Suprema, onde Bakke saiu vitorioso, e as cotas foram declaradas inconstitucionais (Thomas, 1999). Nossos leitores não podem saber, de fato, se as cotas serão ou não julgadas inconstitucionais. O que eles estão expressando é o sentimento de que as cotas contrariam o a-racismo que associam ao Brasil e à sua Carta Magna.

Um outro argumento recorrente é aquele que diz que discriminar, mesmo positivamente, é uma forma de racismo e contraria a "tradição brasileira". Quatro exemplos:

Tanto fizeram que o Brasil, país de muitas raças e misturas, forte pela sua diversidade, fraco pela sua distribuição de renda, agora é um país oficialmente racista. Com a criação de cotas para negros no serviço público federal institui-se oficialmente o *apartheid* brasileiro (José Eduardo Loureiro, *O Globo*, Cartas dos Leitores, 10/11/2001).

Sou negra e, como tal, manifesto meu protesto contra o projeto de lei que estabelece cotas para minha raça para vagas em universidades e no serviço público. Este projeto, na verdade, é um retrocesso no processo de integração dos negros à sociedade brasileira, já que, através de uma segregação descabida, criará ressentimentos raciais, especialmente entre os mais jovens (Maria Eudóxia de Lima Paes Leme, *O Globo*, Cartas dos Leitores, 21/4/2002).

Alerto aqueles que lêem em cada notícia, em entrelinhas imaginárias, a presença da segregação racial que nunca fez parte da nossa cultura: cuidado! O racismo está realmente presente quando se separa negros e brancos em percentuais e quantidades, e a cada passo aproximamo-nos do "Brasil branco" e do "Brasil negro". O Brasil, coração do mundo, pátria do evangelho para qualquer crença, tem de despertar para a beleza da miscigenação. Negros, brancos e todos os outros são filhos do mesmo Deus. É preciso lutar, unidos 100%, por educação, saúde, moradia, alimentação, pelos por centos devidos a cada necessidade do homem e bradar: "somos um povo bem colorido, brasileiros com muito orgulho" (Alice Regina de Ornellas, *O Globo*, Cartas dos Leitores, 11/12/2001).

A adoção de cursos especiais para negros seria o reconhecimento oficial de que existem raças no Brasil. Isso num momento em que a genética acaba de provar que o conceito de raças não tem uma base científica. (Helena Rumanjek, *O Globo*, Cartas dos Leitores, 29/8/2001).

Num ponto, pelo menos, não há antropólogo que possa discordar desses leitores: as "raças", de fato, não existem naturalmente, e um sistema de cotas implica logicamente a criação de duas categorias "raciais": os que têm direito e os que não têm. Afinal, ou você tem direito à cota ou não tem! O sistema de cotas, então, representa, de certa forma, a "vitória" de uma taxonomia bipolar sobre a velha e tradicional taxonomia de muitas categorias.

Dada a importância dessa mudança, faremos agora uma pequena digressão sobre a política governamental acerca da classificação "racial" no Brasil nos últimos anos. É preciso notar que as propostas levadas à Conferência de Durban e os pressupostos da política de cotas são rigorosamente coerentes com o ideário do governo federal desde 1995, quando o recém-eleito presidente Fernando Henrique Cardoso criou um grupo de trabalho interministerial com o objetivo de sugerir ações e políticas de valorização da população negra. No ano seguinte ele apresentou o seu programa de direitos humanos (Programa Nacional de Direitos Humanos, 1996), que incluiu um capítulo específico dedicado à "população negra". Este capítulo lista ações das mais tímidas às mais radicais. As primeiras sugerem a inclusão do quesito "cor" em todos os documentos oficiais, o estímulo da presença dos *grupos étnicos que compõem a nossa população*" (Programa Nacional de Direitos Humanos, 1996) em propagandas institucionais contratadas pelo governo e apoio às *"ações da iniciativa privada que realizem discriminação positiva"*. As mais radicais incluem o desenvolvimento de *"ações afirmativas para o acesso dos negros aos cursos profissionalizantes, à universidade e às áreas de tecnologia de ponta"* e a intenção de *"formular políticas compensatórias que promovam social e economicamente a comunidade negra"* (Programa Nacional de Direitos Humanos, 1996). Propõe também que o país abandone sua secular taxonomia oficial de "pretos, pardos e brancos" para uma taxonomia bipolar ao "determinar *ao IBGE a adoção do critério de se considerar os mulatos, os pardos e os pretos como integrantes do contingente da população negra*" (Programa Nacional de Direitos Humanos, 1996) (destaque nosso).

Pensamos que esta última proposta, por mais inócua que possa parecer, é a mais radical de todas, pois representa uma ruptura total em relação à antiga ideologia do Brasil racialmente misturado, o Brasil das infinitas gradações de cor, a favor de uma taxonomia coerente com as do resto do mundo, em particular a África do Sul e os Estados Unidos. Mas essa maneira de ver o mundo não é compartilhada pelos nossos missivistas. Eles exprimem dúvidas, inclusive sobre a possibilidade efetiva de se classificarem os brasileiros em duas categorias estanques. Como diz, por exemplo, César Augusto Nicodemus de Souza:

(...) filho de família com raízes no agreste pernambucano, numa região onde houve grande miscigenação, gostaria de saber até que ponto a tonalidade da pele de meus filhos e outras características serão consideradas para a aceitação deles na cota dos vinte por cento de negros que terão privilégio em universidades e concursos públicos. A cor de seus olhos e o tipo de cabelo também serão levados em consideração ou a padronização será mediante teste de DNA? Sei onde estão enterrados meu pai e meus avós, mas não saberia indicar outros locais onde colher o indispensável material para tal análise. Não sei se o fato de ter casado com uma moça de pele clara e olhos azuis poderá vir a prejudicar meus filhos e netos, agora que as vagas nos concursos não serão mais preenchidas só pela competência (*O Globo*, Cartas dos Leitores, 21/4/2002).

Ou, nas palavras de Renato Vasconcellos a propósito da criação de cursos pré-vestibulares para "negros": "Gostaria de perguntar ao ministro da Educação como ele irá selecionar, num país como o nosso, em que a mistura racial é enorme, quem é negro ou branco (*O Globo*, Cartas dos Leitores, 28/8/2001). Ou Marco Fonseca:

Sou neto de uma negra, mas tenho pele branca. Isso me faz negro ou branco? Quem terá o direito de me separar das minhas raízes, da minha cultura, ao dizer que, pela minha pele clara, eu não teria direito a uma vaga reservada aos negros? O Rio vai criar uma política de segregação racial, em que a condição social é menos importante que a cor da pele (*O Globo*, Cartas dos Leitores, 8/3/2002).

Os formuladores das leis estão cientes desse problema, tanto é que não definiram quem é branco ou quem é negro a partir de dados "objetivos", deixando a definição para quem se candidata, o que é chamado de autoclassificação. Resta saber se pensaram bastante nas possíveis conseqüências sugeridas pelos nossos missivistas. Quanto custa obrigar alguém a se classificar como "branco", "negro" ou "pardo" para aumentar ou diminuir suas chances de entrar na universidade ou no serviço público?

Um outro argumento recorrente entre os missivistas é que a desigualdade entre negros e brancos é, sobretudo, uma questão econômica que resulta da falta de oportunidades para os pobres em geral. A solução estaria, então, na melhoria do ensino público.

Como escreveu, por exemplo, Mário Wilson Ferreira:

(...) vejo estupefato na edição do *Globo* de 18/4 que uma proposta racista ganha corpo na Comissão de Constituição e Justiça do Senado e periga transformar-se em lei. Trata-se do estabelecimento de reserva de 20% de vagas em universidades, Exército e concursos públicos para pessoas negras ou pardas. O argumento principal para a criação deste privilégio é que os negros não têm as mesmas condições financeiras que os brancos para estudar e por isto estariam em desvantagem na concorrência por vagas (*O Globo*, Cartas dos Leitores, 19/4/2002).

Ou nas palavras de Sérgio de Souza Tôrres: *"Não vejo honestidade intelectual em confundir exclusão social com racismo (...). O negro é econômica e portanto socialmente marginalizado no Brasil em decorrência da desigualdade de oportunidades após o término da escravidão"* (*O Globo*, Cartas dos Leitores, 21/4/2002). E Helena Rumanjek volta a perguntar:

Qual a diferença entre um negro pobre e um nordestino igualmente desprovido? (...) Por que não reconhecer que a causa real do problema é a má distribuição de renda? Por que não reforçar o ensino fundamental e médio de forma democrática? Essa é a solução real, ainda que mais difícil (*O Globo*, Cartas dos Leitores, 29/8/2001).

Enquanto Lílian Borges de Lima insiste:

Não é o negro que não consegue entrar na faculdade. É o pobre... [o governo] está tentando remendar o problema e não buscar uma solução, como uma reforma no ensino médio e no fundamental de escolas públicas, onde estuda este grande contingente de pobres que não entram nas faculdades (*O Globo*, Cartas dos Leitores, 28/8/2001).

A opinião desses leitores é familiar a todos os que acompanham o debate sobre a "questão racial" no Brasil. Há quem atribua a desigualdade entre "negros" e "brancos" ao passado escravista e às poucas oportunidades educacionais de qualidade oferecidas aos pobres em geral, entre os quais estão tantos "negros". Quem se opõe a essa opinião diz que é o preconceito estabelecido após a abolição o responsável pela reprodução das desigualdades entre "negros" e "brancos". Na trilha deste debate, José Jorge de Carvalho e Rita Segato, antropólogos da Universidade de Brasília e proponentes de uma política de cotas para "negros" naquela universidade, argumentam que não basta continuar com uma política educacional dirigida apenas para incluir os mais pobres:

> De acordo com as projeções do Ipea, se a educação brasileira continuar progredindo no mesmo ritmo de hoje, em 13 anos os brancos devem alcançar a média de oito anos de estudo e os negros só atingirão essa meta daqui a 32 anos. Portanto, só daqui a três décadas brancos e negros ficariam a par no ensino e concorreriam em pé de igualdade a uma vaga no ensino superior público. Com isso, o Brasil arcaria com o ônus de perder os talentos de mais uma geração de jovens negros em sua quase totalidade (Carvalho & Segato, 2002).

Como vimos, nossos missivistas, ao contrário de Carvalho & Segato, são mais otimistas quanto a uma solução dirigida à pobreza. E talvez tenham razão. As projeções do Ipea citadas por Carvalho & Segato pressupõem que o sistema educacional siga a mesma dinâmica dos anos passados. Mas o sistema não está estável. Dados produzidos pelo Instituto Nacional de Estudos e Pesquisas Educacionais (Inep) indicam que as políticas públicas dos últimos dez anos produziram mudanças muito radicais no sistema, sobretudo no ensino fundamental e médio, o que torna simplesmente impossível qualquer projeção minimamente confiável.

Os investimentos em pesquisa e em novas políticas para a educação no Brasil na última década produziram uma melhoria sensível no sistema de ensino. A descoberta dos efeitos da repetência e da distorção série/idade, que consumia as famílias brasileiras e não sensibilizava os formuladores de políticas até bem recentemente, fez a diferença. Uma criança levava em média 11 anos para concluir as oito séries do ensino fundamental, e muito poucos concluíam o ensino médio. Fatores demográficos e de políticas públicas mais voltadas para a melhoria do fluxo de estudantes no sistema de ensino fizeram estes números ficarem menos gritantes. Houve uma quase universalização do acesso ao ensino fundamental e um aumento do número de formandos no ensino básico, o que ampliou as matrículas no ensino médio, que saltaram de 3.770 milhões em 1991 para aproximadamente 8.398 milhões em 2001, (um aumento de mais de 200%), segundo dados do Inep (MEC/Inep/Seec, 2000).

Devido à persistência da repetência, nem todos os que se matriculam se formam. Mesmo assim, o número de concluintes quase triplicou na década de 1990 (MEC/Inep/Seec, 2000), subindo de 658.725 em 1990 para 1.836.130 em 2000. A grande responsável por esse crescimento foi a rede pública estadual de ensino, que de 1990 a 2000 aumentou quase quatro vezes o número de formandos, que passaram de 356.813 em 1990 para 1.390.815 em 2000 (MEC/Inep/Seec, 2000). Enquanto isso, o número de alunos formados nas escolas particulares no mesmo período aumentou de 253.045 para 351.957, ou seja, apenas 39%. Esses dados indicam que os grandes beneficiários deste aumento são aqueles estudantes que não tiveram acesso à rede privada e que antes estavam excluídos, ou quase, do sistema de ensino.

É de se imaginar que sendo os mais pobres os grandes beneficiários da expansão do ensino médio público, conforme imaginam os nossos missivistas, tenha aumentado a proporção de brasileiros mais escuros neste nível de ensino. E é isso mesmo que parece estar acontecendo. Segundo os dados do Enem,[3] de 1999 a 2001 a proporção de "negros", "mulatos" e "brancos" mudou de 1,9%, 16,4% e 76,5% para 5,3%, 30,5% e 58,5% respectivamente.[4] Esses dados não são conclusivos, mas é difícil ignorar o que sugerem. Parece mesmo que uma política destinada a aumentar as oportunidades de todos tem o efeito de aumentar enormemente o número de "negros" e "mulatos" com qualificação mínima para entrar nas universidades.

No momento é impossível saber a proporção de estudantes "negros", "mulatos", "pardos", "brancos" etc. no sistema de ensino superior. Suely Carneiro, diretora do Geledés — Instituto da Mulher Negra, afirma que

> somos oficialmente quarenta e cinco por cento da população do país e apenas dois por cento de nós adentram o ensino universitário. Esse é o patamar de "eqüidade" alcançado, por exemplo, pelas políticas universalistas no campo da educação (Carneiro, 2002).

Carneiro certamente sabe que quando fala "nós" ela junta os "pretos" com os "pardos", que são as categorias utilizadas pelos recenseadores do IBGE. Quando fala dos "negros" no ensino superior, porém, pode estar se referindo apenas aos "pretos". Os dados do "Provão"[5] apontam para porcen-

---

[3] O Enem (Exame Nacional de Ensino Médio) é realizado anualmente pelo Ministério da Educação. O exame não é obrigatório e a partir do ano 2000 passou a ser gratuito. Podem se submeter a ele todas as pessoas que concluíram o ensino médio, não só os que finalizaram este nível de ensino no ano do exame, mas também os que o concluíram em anos anteriores. O Enem vem sendo utilizado por algumas instituições de ensino superior como critério de seleção de candidatos aos cursos superiores. Os candidatos ao Enem respondem a um questionário socioeconômico que tem fornecido dados importantes sobre as características dessa parcela ainda reduzida dos que concluem o ensino médio no país.

[4] O Enem utiliza uma taxonomia "racial" *sui generis*, com três categorias, "negro", "mulato" e "branco", que é uma versão, digamos, mais vernacular da centenária taxonomia do IBGE, que utiliza as categorias "pretos", "pardos" e "brancos".

[5] Provão é o nome popular do Exame Nacional de Cursos aplicado anualmente durante o governo de Fernando Henrique Cardoso aos concluintes de um conjunto de cursos de graduação do país. Em 2000 foram examinados formandos de 18 cursos universitários em todo o país. Ao contrário do Enem, este foi um exame obrigatório, mas chegou a ser aplicado a todos os cursos de graduação existentes. Os participantes deste exame também responderam a um questionário socioeconômico, que revelou o perfil dos concluintes das carreiras universitárias abrangidas.

tagens dez vezes maiores. Mostram que a proporção de "não-brancos" (ou seja, pessoas classificadas como "negras" e "pardas") em relação aos que se classificam como "brancos" varia de pouco menos de 30% nos cursos formadores de professores, como matemática (26,6%), letras (29,4%), física (28,4%), biologia (26,2%) e química (25,0%), para pouco mais de 15% nos cursos de direito (17%), odontologia (14,5%), medicina (18,6%) e engenharia química (17,2%).

A questão, portanto, é saber se as universidades aumentarão o número de vagas para poder admitir todos os novos postulantes, ou, como é proposto pelos "cotistas", se reservarão uma proporção para os "negros" e "pardos". Se optarem pelas cotas, parecerá que estarão favorecendo os "negros" mais bem aquinhoados, como sugere Maria Eudóxia de Lima Paes Leme:

> Se o objetivo for melhorar as condições sociais dos negros, também será inócua a lei, haja vista que irão preencher as cotas os negros mais bem preparados e de melhor nível econômico, e que não precisam das cotas. Enfim, trata-se apenas de um projeto extremamente demagógico, sem qualquer finalidade social (O Globo, Cartas dos Leitores, 21/4/2002).

Aliás, os nossos missivistas são muito sensíveis às possíveis injustiças sociais que a política de cotas poderá provocar. Mais de um sugeriu que a política de cotas poderá prejudicar sobretudo "brancos pobres". Como diz Hélio de Araújo Evangelista:

> A cota para negros discrimina o branco mais pobre, pois sem ela poderia alcançar mais facilmente a vaga almejada na universidade ou no emprego público. O branco com recursos não terá dificuldades para alcançar seus objetivos. Querer superar uma injustiça produzindo outra não parece ser o melhor caminho (O Globo, Cartas dos Leitores, 24/4/2002).

Será que os "cotistas" pensaram mesmo nessas questões? O argumento de Hélio Evangelista nos comove. Afinal, nossa elite predominantemente "branca" não será em nada abalada por essa política. Quem sofrerá as conseqüências da legislação são os "brancos" das camadas mais pobres, que serão os excluídos pela reserva de vagas. Será que os legisladores imaginaram a vida social do subúrbio carioca, por exemplo, onde pessoas de aparências diversas convivem nas mesmas ruas, escolas, botequins e famílias, compartilhando também a mesma condição socioeconômica? É difícil não concordar com os nossos missivistas quando eles imaginam um acirramento de tensões raciais neste meio, onde a elite não pisa e conhece apenas de "ouvir falar".

Um último argumento usado por alguns leitores é que a instituição de cotas é um ato de paternalismo que poderia chegar a "humilhar" os beneficiários. Luís Henrique Corrêa de Araújo escreveu:

> Ninguém cresce com paternalismo. Essa decisão de separar cotas para cada camada dos chamados discriminados de nada adiantará se não tivermos uma política de respeito a cada um deles. É necessário que eles tenham condições reais de concorrer com todos, pois, do contrário, farão parte de outra coluna de discriminados: a dos que só conseguiram entrar na administração pública porque tinham um lugar garantido. Isto também é humilhante (*O Globo*, Cartas dos Leitores, 15/5/2002).

Ou, como opinou Carlos Fernandes:

> (...) é uma vergonha que num país como o Brasil se estabeleçam cotas raciais. Estão criando um monstro que até agora não existia no país: o racismo. Amigos negros — um advogado, outro engenheiro — sentem-se humilhados. O que deve ser estabelecido são cotas para políticos hipócritas: zero. (*O Globo*, Cartas dos Leitores, 12/3/2002).

Neste país do favor não surpreende que esses leitores interpretassem as cotas como mais uma dádiva desenhada para fortalecer os políticos à custa de um eleitorado submisso e humilde.

Pode ser. Mas o que realmente pudemos constatar é que os eventos que descrevemos e a morna reação da sociedade como um todo indicam que o poder discricionário do presidente e dos seus ministros é imenso nessa democracia. Mudar o rumo da política racial do a-racismo e do anti-racismo e da celebração da hibridez para o reconhecimento de apenas duas "raças" a serem oficialmente admitidas na distribuição de bens e serviços públicos, ou seja, mudar a armadura da ideologia racial nacional sem debate nem votação poderia ter interessado nossos cientistas políticos. Mas os políticos em geral e a grande maioria dos cientistas políticos mantiveram um silêncio notável sobre esse assunto. Por quê?

Várias respostas (não mutuamente excludentes) vêm à mente. Uns podem não atribuir nenhuma importância à introdução de cotas, o que implica que eles consideram insignificante essa ruptura com os princípios formais do constitucionalismo liberal. Outros podem temer entrar num campo em que, ao criticar as medidas, podem facilmente ser eles próprios acusados de racistas, ou "antinegros". Outros podem se sentir um pouco anacrônicos ao se opor às políticas de identidade tão em moda no mundo globalizado e pós-Guerra Fria, temendo ser identificados com os velhos comunistas, que sempre negaram qualquer especificidade fora da luta de classes. Outros ainda podem acreditar que as medidas tomadas não terão tanto impacto assim e que tudo não passa de um grande esforço para impressionar os ingleses! E não pensamos nos ingleses apenas de modo figurativo. Não duvidamos que os governantes, ao se levantar em arenas no exterior, como na Conferência de Durban, para mostrar o quanto se faz para diminuir as desigualdades raciais no Brasil, impressionem as agências e a comunidade internacionais.

Por que estamos correndo o risco, com este ensaio, de atrair a ira dos militantes negros, pondo em dúvida a conveniência de cotas raciais no Brasil, sobretudo devido ao fato de que há muitos anos conhecemos e temos discutido o grau do racismo à brasileira e a extensão das desigualdades raciais?

Em primeiro lugar, não estamos convencidos de que seja possível "corrigir" séculos de desigualdade de qualquer tipo, racial ou não, por meio de uma política de custo zero. Afinal, a política de cotas não tem custo material nenhum. Os nossos "nativos" indicaram muitos custos de outra ordem. O argumento de que as cotas acabarão incentivando animosidades "raciais" não pode ser facilmente descartado, porque sua lógica é cristalina. Não se vence o racismo celebrando o conceito "raça", sem o qual, evidentemente, o racismo não pode existir. Iniciativas de ação afirmativa oriundas da sociedade civil produzem conseqüências semelhantes para as poucas pessoas envolvidas. Mas quando cotas raciais se tornam política de Estado, determinando a distribuição de bens e serviços públicos, ninguém escapa à obrigação de se submeter à classificação racial bipolar. Portanto, o impacto sobre a sociedade como um todo não pode ser subestimado.

Em segundo lugar, como tentamos demonstrar, nada nos convence de que a solução "universalista" foi realmente esgotada. Em terceiro lugar, imaginávamos que os nossos governantes pudessem ter tido um pouco mais de cuidado antes de abandonar um projeto nacional pautado no não-racismo. Por que não aprofundar e expandir políticas racialmente não-neutras,[6] como as que foram adotadas em relação à repetência e à distorção série/idade, no lugar da racialização que as cotas impõem? Instalar, por exemplo, uma escola pública de melhor qualidade na periferia de uma grande metrópole em vez de instalar a mesma escola num bairro de classe média alta obviamente propiciaria mais oportunidade para os negros (posto que os pobres são majoritariamente negros) do que para os brancos. Mas uma política dessas teria custos materiais enormes, e seria muito difícil, se não impossível, convencer a classe média afetada a aceitar tamanho sacrifício. Para aqueles que perderiam com políticas de transferência de recursos é mais fácil apoiar cotas que não os afetam e não custam absolutamente nada. Redenção de graça!

---

[6] Por políticas racialmente não-neutras entendemos aquelas que, dirigidas a determinadas áreas de pobreza, automaticamente atingem grande número de negros. Este conceito foi desenvolvido por Bowen, W. G. e D. Bok (2000). *Shape of the River. Long-term consequences of considering race in college and university admissions*. Princeton, Princeton University Press.

O então reitor da Universidade Federal do Rio de Janeiro, Carlos Lessa, não acredita na eficácia de cotas raciais e prefere investir na permanência de alunos pobres na universidade criando programas de bolsas para eles. De novo uma política racialmente não-neutra, mas também não racializadora. A posição de Carlos Lessa se opõe diametralmente ao projeto de lei atualmente em discussão no Senado, de autoria do senador José Sarney, que prevê cotas de vinte por cento para negros e pardos em todas as instituições públicas e privadas do ensino superior. A posição do reitor da UFRJ também põe o dedo numa das feridas da universidade pública que poucos querem ver ou sanar: de cada cem alunos que entram apenas cinqüenta saem formados! Quem sabe se a invisibilidade deste fenômeno tem algo a ver com a velha lógica da exclusão? É nossa esperança que a intenção do reitor da UFRJ de encontrar caminhos que não racializem a universidade e a sociedade acenda um debate público que, como mostramos, tem sido feito por poucas pessoas e tem tido pouca densidade até o momento. Afinal, a questão racial não é assunto apenas dos brasileiros que se definem como negros; pensamos que está no epicentro da sociedade nacional de tal forma que as decisões tomadas agora, mesmo que tenham pouco efeito no presente imediato, certamente definirão os contornos do Brasil do futuro.

Bibliografia

Agier, Michel. "Dossier pour un numéro thématique des *Cahiers du Brésil Contemporain*", Paris, 2002 (mimeo).

Bok, D. & Bowen, W. G. *Shape of the river: long-term consequences of considering race in college and university admissions*. Princeton: Princeton University Press, 2000.

Carneiro, S. "Ideologia tortuosa". *Caros Amigos*, São Paulo, v. 64, julho de 2002. *Site* Caros Amigos, acesso em 20 de outubro de 2002.

Carvalho, José Jorge de & SEGATO, Rita. Cotas para estudantes negros no Brasil, *site* Fórum de Antropologia do/no Brasil. Disponível em: <http://listhost.uchicago.edu/mailman/listinfo/ant-br>, acesso em 24 de julho de 2002.

FRY, Peter. "Politics, nationality and the meanings of race in Brazil". *Daedalus*, v. 129, n. 2, p. 83-118, 2000.

Henriques, Ricardo. "É preciso tratar desigualmente os desiguais". *O Globo*, Rio de Janeiro, 21 de abril de 2002. Entrevista feita por Helena Celestino e Maiá Menezes. *Site O Globo*, acesso em 24 de julho de 2002.

Inep/MEC/Seec. *Censo Escolar 2000*. Brasília, 2000.

Inep/MEC *Enem*: relatório pedagógico 1999. Brasília, 1999.

Inep/MEC. *Enem*: relatório pedagógico 2000. Brasília, 2000.

Inep/MEC. *Enem*: relatório pedagógico 1999. Brasília, 2001.

Inep/MEC. *Exame Nacional de Cursos*: síntese do Provão 1999. Brasília, 1999.

MAGGIE, Y. *Medo do feitiço*: *relações entre magia e poder no Brasil*. Rio de Janeiro: Ministério da Justiça, 1992.

O GLOBO. Edições diversas (seção Cartas dos Leitores). Rio de Janeiro, 2001-2002.

Rio de Janeiro (Estado). Lei nº 3.708, de 9 de novembro de 2001. Portal Interlegis, acesso em 20 de outubro de 2002.

Programa Nacional de Direitos Humanos 1996, Biblioteca Virtual de Direitos Humanos, Universidade de São Paulo, Direitos Humanos no Brasil, acesso em 20 de outubro de 2002.

Souza, J., "Multiculturalismo e racismo: uma comparação Brasil-Estados Unidos". *Paralelo 15*, Brasília, p. 23-35, 1997.

Thomas, K. "The political economy of recognition: affirmative action discourse and constitutional equality in Germany and the U.S.A." *The Columbia Journal of European Law*, v. 5, n. 2, p. 329-364, 1999.

CAPÍTULO 11   Cotas, raça e classe[1]

[1]Este trabalho foi apresentado na mesa-redonda "Raça e Classes Revisitadas", no XVIII Encontro da Anpocs, Caxambu, de 26 a 30 de outubro de 2004.

Nos trabalhos etnográficos que resultaram da colaboração entre a Unesco e a Universidade de Colúmbia na década de 1940, há referência constante ao fato de as desigualdades de "raça" coincidirem tanto com as de classe que um sistema acaba sendo mnemônico do outro e vice-versa. Marvin Harris e Ben Zimmerman representaram as relações de classes e de "raças" utilizando um triângulo com os "brancos ou ricos" no topo e os "pretos ou pobres" na base (Harris, 1951; Zimmerman, 1951). No meio mostraram uma "classe média" contendo brancos e negros. Harris observou que as exceções a esse sistema de classificação (ou seja, os brancos pobres e os negros ricos) eram suficientemente inexpressivas para comprovar a regra. Não eram suficientes para pôr em dúvida o sistema como um todo. Harris observou, porém, que a crescente mobilidade social dos negros produziria tensões raciais. Luiz Aguiar de Costa Pinto, que participou da mesma pesquisa com um estudo sobre o Rio de Janeiro, observou que a ascensão social dos negros já estava produzindo tensões (Pinto, 1998 [1953]). Até hoje, muitas queixas de racismo derivam de afrontas sofridas por negros de classe média e alta — ou sendo confundidos com babás e motoristas, ou sendo barrados em territórios associados a uma elite predominantemente branca (Guimarães, 1998). No mapa totêmico da sociedade brasileira compartilhado por muita gente, a distribuição das cores continua sendo uma mnemônica para a distribuição das classes. Estamos, eu argumento, num processo de franca dissonância cognitiva devido à crescente disparidade entre um sistema de classificação tradicional e arcaico e a distribuição de fato das cores nas classes sociais.

Como é sabido, o prognóstico de Florestan Fernandes de que as desigualdades raciais cederiam aos avanços do capitalismo mostrou-se inadequado. Todos os estudos recentes mostram a persistência das desigualdades entre pessoas mais ou menos escuras, independentemente da sua situação de classe. Florestan Fernandes acreditava que o avanço do capitalismo provocaria a mobilidade social dos negros, e que aos poucos a discriminação racial e as desigualdades raciais definhariam (Fernandes, 1978). Essa visão otimista do mestre paulista sofreu um sério revés com a publicação, em 1979, de *Discriminação e desigualdades raciais no Brasil* (Hasenbalg, 1979), que afirmou que as desigualdades raciais não cederam diante do avanço do capitalismo. Para Hasenbalg, o racismo não é uma sobrevivência do passado, mas um processo ativo que reproduz as desigualdades raciais no presente. A pesquisa de Ricardo Henriques publicada em 2001 confirmou as impressionantes desigualdades raciais, sobretudo no mercado de trabalho e na educação. Num estudo muito recente, Edward Telles retoma esse argumento com uma perícia estatística inquestionável. Avaliando os seus dados por classe social, mostra a persistência e até o crescimento das desigualdades raciais, inclusive entre irmãos de cores diferentes (Telles, 2004). Os irmãos mais escuros são mais atrasados em relação à idade e à turma escolar do que seus irmãos mais claros. Tanto Henriques como Telles chegam à conclusão de que a ação afirmativa é a melhor maneira, pelo menos a curto prazo, de reverter essa situação.

Mesmo assim, a descrição das desigualdades de classe continua poderosa nas representações sociais em tal dimensão que as ações afirmativas propostas pelo governo federal agora, e antes pelo governo do estado do Rio de Janeiro, demonstram uma promiscuidade entre os dois conceitos. Vejamos.

RIO DE JANEIRO

Em novembro de 2000, a Assembléia Legislativa do Estado do Rio de Janeiro (Alerj) aprovou a reserva de 50% das vagas, no mínimo, por curso e turno nas instituições estaduais de ensino superior para estudantes que "tenham cursado o ensino médio em instituições da rede pública do estado ou dos municípios". Um ano mais tarde, o deputado José Amorim, do então PPB (hoje PP), apresentou um projeto de lei que propunha uma cota mínima de até 40% para as populações negra e parda no preenchimento das vagas nos cursos de graduação nas universidades estaduais públicas. Como vimos no capítulo 10, a proposta teve aprovação unânime sem debate, e foi logo sancionada pelo então governador Anthony Garotinho. A Uerj aplicou essas leis no vestibular de 2002.

As duas leis foram aplicadas da seguinte maneira: primeiro, foi posta em prática a cota de 50% para alunos da rede pública; em seguida, contou-se o número de alunos que se autodeclaram negros ou pardos, pescando-se o número necessário de negros e pardos para preencher os 40% de vagas entre os demais candidatos. Oitocentos e quarenta negros e pardos entraram sem utilizar a cota. As vagas reservadas para egressos de escolas públicas fizeram entrar mais 797 alunos negros ou pardos. Foi necessário pescar apenas 331 candidatos negros ou pardos para completar os 40% da cota. Entre os 1.968 que "se autodeclararam negros e pardos" que passaram no vestibular, a grande maioria, cerca de 83%, garantiu sua matrícula na universidade independentemente da lei de cotas para negros e pardos (Machado, 2004).

A Uerj não se conformou com o que considerou uma imposição que feria sua autonomia. Solicitou à Alerj que mudasse a lei para 20% de negros e pardos, 20% de escola pública e 5% para "deficientes físicos e outras minorias".

O debate na Assembléia resultou numa mudança radical desta proposta. Os deputados introduziram um novo critério, o da carência. Assim, 45% das vagas seriam reservadas para "carentes", entre os quais 20% de negros, 20% de egressos de escola pública e 5% para as outras minorias.

Houve ainda outras mudanças. A expressão "negro e pardo" foi substituída pela categoria "negro" apenas. Foram votados "recursos financeiros necessários à implementação imediata, pelas universidades públicas estaduais, de programa de apoio, visando obter resultados satisfatórios nas atividades acadêmicas de graduação dos estudantes beneficiados por esta lei, bem como sua permanência na instituição". E a nova lei estabeleceu um prazo de cinco anos: "Nos primeiros cinco anos de vigência desta lei, deverão as universidades públicas estaduais estabelecer vagas reservadas aos estudantes carentes no percentual mínimo total de 45% (quarenta e cinco por cento), [...]. Após o prazo estabelecido no *caput* do presente artigo, qualquer mudança no percentual acima deverá ser submetida à apreciação do Poder Legislativo."

O que significa a nova lei fazer com que a carência social subsuma as categorias de "escolas públicas", "raça" e "deficiência física"?

O debate que antecedeu a votação na Alerj, no dia 4 de agosto de 2003, revelou os "conceitos" e "categorias" utilizados pelos deputados para pensar a "questão racial".[2]

Com exceção de uma deputada que votou a favor da lei por causa da pressão dos estudantes na galeria,[3] parece que para muitos deputados a nova lei se justificava nem tanto pelas cotas para "negros", mas como mecanismo para corrigir desigualdades de "classe". Enquanto deputados militantes negros, como Jurema Batista, ovacionaram a cota racial como reparação e celebração da "diversidade cultural", os outros enfatizaram

[2] Os trechos do debate foram retirados da página da Internet da Alerj (www.alerj.gov.br/processo2.htm) em 20/2/2005.

[3] A deputada Núbia Cozzolino afirmou: "Gostaria de informar às pessoas que ocupam as galerias que votarei a favor do projeto, apesar de reconhecer sua inconstitucionalidade. No artigo 5º, citado por V. Exa., está justamente o princípio da igualdade. Também, de acordo com o artigo 19, II, não pode haver distinção de tratamento entre brasileiros. A pessoa que fez isso é tão esperta que inseriu as pessoas portadoras de deficiência, especiais, que realmente devem ter um tratamento diferente. Mas o restante, não. Em consideração aos alunos que aqui estão, aos ocupantes das galerias, votarei favoravelmente, mesmo reconhecendo que o projeto é totalmente inconstitucional. Teríamos que, primeiro, mudar a Constituição Federal, e não temos poder para isso. Pelo princípio da simetria, evidentemente, devemos obedecer à lei maior, a Constituição Federal. Muito obrigada." Os trechos do debate foram retirados da página de Reforma da Alerj (www.alerj.gov.br/processo2.htm) em 20/02/2005.

constantemente a pobreza, culpando não tanto o racismo quanto a má qualidade do ensino público para a presença de tão poucos pobres e negros nas universidades.

Uns defenderam a nova lei sem sequer falar em raça ou racismo. O deputado Paulo Melo, por exemplo, argumentou que a nova lei abriria as portas da universidade para a "classe desfavorecida".

> Somos favoráveis a que o ensino superior seja dado a todos. Porém, cabe ao poder público e aos homens públicos garantir o mínimo de acesso àqueles que já deram muito e receberam muito pouco do governo. Vemos constantemente aqueles que não querem garantir as cotas usarem o argumento de que se trata de um tratamento desigual, que não segue os preceitos constitucionais. Desigual, Sr. Presidente, é um trabalhador braçal ver o prato cheio da classe média enquanto a classe desfavorecida fica nos portões, admirando aqueles que são chamados de doutores, sem jamais ter essa oportunidade. Por isso votamos pela constitucionalidade da matéria, como resgate do direito inalienável e soberano da população minoritária.

Com argumentos semelhantes, o deputado Paulo Ramos conseguiu defender a nova lei como se fosse apenas para ajudar a "classe operária" a vencer o privilégio da "classe dominante":

> Sr. Presidente, creio que todos desta Casa sabem que a grande aspiração dos filhos da classe operária consiste em alcançar a universidade. O acesso à universidade pública, a melhor universidade, também só ficou mais acessível aos filhos da classe dominante. E, por serem filhos da classe dominante, disputam com muito mais privilégio o pouco mercado de trabalho disponível. Aí, quando há concursos públicos, às vezes para tarefas públicas menos remuneradas, encontramos, nas infindáveis filas, muitos filhos da classe operária, mas com diplomas de nível superior. Verificamos isso naquela exposição da tragédia, quando da inscrição para a expectativa de um concurso para a Comlurb. Naquela fila, encontramos vários

filhos da classe operária com diploma de nível superior, todos eles oriundos do suplício da conquista de um canudo de papel pela universidade particular.

O deputado Geraldo Moreira defendeu a lei como se ela fosse um ataque ao "elitismo", "vício antigo e histórico da nossa sociedade".

Outro deputado, Aurélio Marques, interpretou a lei como sendo em benefício dos que "ganham salário baixo". "Esta lei", ele disse, "está reparando um pouco desse erro nesse país, dando oportunidade àquelas pessoas que ganham realmente salário baixo, sem distinção de religião ou raça. Não importa. Somos um país que deve dar oportunidade a todos." É como se ele não tivesse percebido que a lei efetivamente distingue, se não pela religião, certamente pela "raça"!

Um opositor da lei das cotas, Edino Fonseca, questionou a estreita relação entre raça e classe social, sugerindo que a lei anterior beneficiara negros da classe média.

É muito comum no nosso país e no nosso estado querer criar cotas para negros, como se o negro fosse inferior ao branco e ao índio. Somos todos iguais: a pele não difere a capacidade da massa encefálica. No entanto, vinham fazendo uma discriminação hipócrita, porque muitos negros já estão nesta Casa, mostrando a capacidade de liderança e a inteligência. O que se queria era uma cota para negros. Desde o princípio discordamos, pois a questão não é a cor da pele, é o nível social. Agora, aqueles que quiserem desfrutar do sistema de cotas terão que comprovar sua situação socioeconômica, porque não é justo que a filha da deputada Jurema Batista, por exemplo, entre para a universidade pelo sistema de cotas simplesmente porque é negra, pois sua mãe tem um bom salário, uma vida confortável e já quebrou o ranço da miséria. Não é justo o negro pobre, que vive na favela, ter que concorrer com ela ou com os filhos do Pelé. O que se está fazendo hoje é corrigir alguns equívocos e, também, a demagogia de muitos. Para gozar do sistema de cotas o aluno tem que ser um sacrificado social, mostrar que não tem poder econômico para disputar com o filho do rico. A sociedade tem que dar a mão àquele que não amparou. E é isso que o sistema de cotas vem, justamente, tentando reparar.

Mas foi o deputado Ricardo Abrão, defensor das cotas, que revelou algo que deve ter acontecido nos bastidores e que fez com que a carência fosse introduzida como critério básico para a definição dos elegíveis para as cotas.

> Sr. presidente, srs. deputados, quero registrar que sempre apoiei a reserva de cotas, que considero uma necessidade muito grande de nosso país e de nosso estado para aqueles que realmente precisam. Quero registrar também que a mensagem veio de uma forma com a qual vários deputados não concordavam. Com muita conversa chegamos a esse acordo que é o substitutivo, que incluiu dois pontos muito positivos: critério de baixa renda, para os que realmente necessitam e que possam ocupar essas vagas, e o Fundo Estadual de Pobreza, que garante apoio a todos os estudantes que conquistarem suas vagas. Através desse projeto, esses estudantes terão oportunidade para crescer na sua vida. Quero felicitar todos os srs. deputados, o governo do estado, o sr. presidente Jorge Picciani — que tem garantido a democracia nesta Casa. Peço ao PPB e ao PP que votem favoravelmente às cotas.

As palavras dos deputados revelam muito claramente que (a) o negro é visto quase como sinônimo de pobre; e que (b) a lei é efetivamente uma medida para corrigir desigualdades de classe. A subordinação das categorias "negro", "egresso de escola pública" e "deficiente físico e de outras minorias" à "carência" representa, portanto, uma certa conciliação entre as posições a favor e contra as cotas após a primeira lei. Ou talvez fosse mais correto sugerir que representa a preponderância da classe sobre a raça no pensamento dos deputados da Assembléia Legislativa do Rio de Janeiro.

Na hora da contagem dos votos, os jovens — na maioria negros — que lotaram as galerias, celebraram a vitória e, junto com os deputados mais ligados ao movimento pró-negro, entoaram o Hino Nacional.

Quando eu soube dessa notícia, fiquei perplexo. Afinal, na primeira lei, 40% das vagas eram para "negros e pardos", independentemente da sua situação econômica. Com a segunda lei, apenas 20% das vagas seriam destinadas não a quaisquer "negros e pardos", mas apenas a "negros" que fossem também carentes. Deduzi que, para os ativistas, mais importante que a quantidade de vagas disponibilizadas era o estabelecimento em lei da categoria "negro".

O GOVERNO FEDERAL

Em 2004, o governo federal tomou importantes medidas para aumentar o número de negros no ensino superior. O Conselho Federal de Educação aprovou os parâmetros para o ensino sobre relações raciais nas escolas. Foi introduzido, sem muita publicidade, o crédito escolar, dando aos candidatos negros uma chance 20% maior de consegui-lo que os candidatos brancos (neste caso o governo solicita que os pretendentes apresentem uma certidão de nascimento de um ou outro progenitor na qual conste a cor negra ou parda). O governo federal também apresentou um projeto de lei (3627-2004) que institui um "Sistema Especial de Reserva de Vagas para estudantes egressos de escolas públicas, em especial negros e indígenas, nas instituições públicas federais de educação superior". Seriam reservadas "cinqüenta por cento de suas vagas para estudantes que tenham cursado integralmente o ensino médio em escolas públicas", e essas vagas seriam "preenchidas por uma proporção mínima de autodeclarados negros e indígenas igual à proporção de pretos, pardos e indígenas na população da unidade da Federação onde está instalada a instituição, segundo o último censo da Fundação Instituto Brasileiro de Geografia e Estatística — IBGE". Esse projeto obedece à mesma lógica do primeiro vestibular de cotas no Rio de Janeiro, subsumindo as categorias "egresso de escola pública" e "negros" à categoria "pobreza".

O programa "Universidade para Todos" (Prouni), que estabelece as regras para cotas nas universidades particulares, também obedece à lógica da segunda lei do estado do Rio de Janeiro. Bolsas são destinadas em primeiro lugar a "pobres". Terão direito a bolsa completa pessoas com renda inferior a um e meio salário mínimo, e bolsa parcial pessoas com renda inferior a três salários mínimos. Entre esses, as bolsas serão destinadas a egressos do ensino médio público ou de escolas particulares com bolsa integral, professores da rede pública ou portadores de "necessidades especiais". Todos estes serão subdivididos em índios, negros e pardos, na mesma proporção de cada uma dessas "etnias" em cada estado, de acordo com as estatísticas do IBGE.

ANÁLISE

Em primeiro lugar, queria lembrar os números do primeiro vestibular de cotas da Uerj. Vimos que as vagas reservadas para egressos de escolas públicas por si só fizeram entrar muitos "negros" e "pardos" pelo simples fato de serem muito presentes nas escolas públicas por causa da sua situação de classe. Num artigo instigante, Mônica Grin e José Murilo de Carvalho compararam o perfil socioeconômico e "racial" dos alunos do curso diurno e do curso noturno de história da UFRJ. "A composição por cor (autoclassificação), comparada com a da população do estado do Rio (censo de 2000), é a seguinte: no estado, brancos são 55%, pretos, 11%, pardos, 33%. No curso diurno, a mesma composição é de 70%, 7% e 22%. Para o noturno, os dados são: 51%, 16%, 32%. Se no diurno há sobre-representação de brancos, no noturno há sobre-representação de negros, ficando os pardos em posição intermediária. Isto é, a turma da noite é mais negra que a população do estado" (Carvalho e Grin, 2004).

Estes dados sugerem que medidas para incluir uma quantidade maior de alunos relativamente mais pobres, ou por reserva de vagas para egressos de escolas públicas ou por abertura de cursos noturnos, têm o efeito de aumentar significativamente o número de alunos negros, a ponto de reproduzir na universidade as proporções verificadas na população como um todo. Afinal, como mostra Ricardo Henriques, a grande maioria dos negros se encontra nos segmentos mais pobres da população. "Dos 53 milhões de brasileiros que vivem na pobreza, 63% são negros. Entre os 22 milhões de indigentes, 70% são negros, dos 10% mais pobres, 70% são negros e 30% são brancos; dos 10% mais ricos, 85% são brancos e 15% são negros. "Há um embranquecimento da riqueza" (Henriques, 2001).

Como as vagas reservadas para pobres e egressos de escolas públicas por si só produzem um aumento mais do que significativo dos "negros e pardos" nos cursos universitários, temos que nos perguntar o motivo para se reservarem vagas especificamente para "negros", e em seguida indagar sobre as conseqüências desse procedimento. Como hipótese, acho que a reserva de vagas para negros responde a uma vontade de *nomear* uma identidade de "negro" e torná-la uma entidade jurídica. Esta é uma antiga reivindicação dos movimentos negros e faz com que o Brasil entre na lógica "racial" do mundo anglo-saxão em geral, criando assim a ilusão de uma importação de modelos. Imagino que a conseqüência principal das cotas reservadas para "negros" entre os carentes será fomentar o que Fabiano Dias Monteiro chama de "cisão racial" no Brasil (Monteiro, 2003), sobretudo entre as camadas mais pobres, o *milieu* social onde convivem justamente as pessoas de todas as cores.

E tem mais. Os ativistas geralmente afirmam que a oposição às cotas raciais revela um temor da elite de perder seu lugar privilegiado nas universidades públicas de qualidade. Posso agora sugerir o contrário. A grande elite continuará "comprando" os melhores lugares por intermédio dos cursos pré-vestibulares muito caros, ou, em caso de eventual fracasso dos seus rebentos mais preguiçosos ou menos competentes, pagará para eles estudarem nas faculdades privadas, aqui ou em algum outro lugar.

As leis, do modo como estão concebidas, estabelecem uma competição *intraclasse*, entre os "negros" e "brancos" (as cotas excluem os mulatos) dos alunos das escolas públicas e/ou das faixas mais pobres da população, onde há uma predominância de negros!

As nossas elites, predominantemente "brancas", continuarão, como sempre, alheias à questão!

Bibliografia

Carvalho, J. M. D. e M. Grin., "Mentiras e meias verdades." *O Globo*. Rio de Janeiro: p. 7, 2004.

Fernandes, F., *A integração do negro na sociedade de classes*. São Paulo: Editora Ática, v. 1/2. 1978 (Ensaios 34).

Guimarães, A. S. A., *Preconceito e discriminação. Queixas de ofensas e tratamento desigual dos negros no Brasil*. Salvador: Novos Toques. 1998.

Harris, M., "Les relations raciales dans le Brésil rural." In: C. Wagley (Ed.). *Races et classes dans le Brésil rural*. Paris: Unesco, 1951.

Hasenbalg, C., *Discriminação e Desigualdades Raciais no Brasil*. Rio de Janeiro: Graal. 1979.

Henriques, R., *Desigualdade racial no Brasil: evolução das condições de vida na década de 90*. Instituto de Pesquisa Econômica Aplicada. Rio de Janeiro. 2001. (Texto para Discussão n. 807).

Machado, E., "Desigualdades raciais e ensino superior: um estudo sobre a introdução das Leis de reserva de vagas para egressos de escolas públicas e cotas para negros, pardos e carentes na Universidade do Estado do Rio de janeiro." (Doutorado). Programa de Pós-Graduação em Sociologia e Antropologia, Universidade Federal do Rio de Janeiro, Rio de Janeiro, 2004.

Monteiro, F. D., "Retratos em branco e preto, retratos sem nenhuma cor: a experiência do disque-racismo da Secretaria de Segurança Pública do Estado do Rio de Janeiro." (Mestrado). PPGSA, UFRJ, Rio de Janeiro, 2003.

Pinto, L. D. A. C., *O negro no Rio de Janeiro: relações de raças numa sociedade em mudança*. Rio de Janeiro: Editora UFRJ. 1998 [1953].

Telles, E. E., *Race in another America: the significance of skin color in Brazil*. Princeton and Oxford: Princeton University Press. 2004. 324 p.

Zimmerman, B., "Les relations raciales dans la région aride du sertão." In: C. Wagley (org.). *Races et classes dans le Brésil rural*. Paris: UNESCO, 1951.

Palavras Finais

Os antropólogos são os cartógrafos da diferença cultural, construindo as suas teorias sobre a variedade de formas de organização social e de sistemas de representação revelados no e engendrados pelo encontro colonial e, mais recentemente, na proliferação de novas e velhas identidades que surgem no bojo da globalização. Mas quase sempre, como que por ossos de um ofício que nasceu em grande parte como crítica ao colonialismo, a ênfase dos antropólogos recai na experiência de redes, comunidades e identidades "subalternas" ao poder dominante. Os antropólogos, porém, raramente se preocupam com a diversidade cultural das próprias nações imperiais.

Neste livro, tratei, sobretudo nos primeiros capítulos, as empreitadas coloniais e os estados modernos também como instâncias de "diversidade cultural". As maneiras pelas quais os britânicos e portugueses lidaram com as diferenças de cultura e de aparência física dos seus súditos obedeceram a imperativos culturais distintos. Os britânicos construíram as suas colônias celebrando (e até produzindo e exacerbando) as particularidades culturais dos seus súditos. Os portugueses embarcaram num processo de sedução cultural, imaginando, pelo menos, um mundo onde todos seriam portadores da cultura portuguesa. A lógica do sistema britânico levou a Jim Crow e ao Apartheid no passado, e a solidariedades "étnicas" e "raciais" no presente. Hoje essa é a lógica que impera nas organizações internacionais as mais diversas. A lógica do sistema português levou a um sistema de escravidão assimilacionista no passado e a um ideal de "democracia racial" até muito recentemente. É uma lógica com quase nenhuma ressonância nos foros internacionais contemporâneos, dominados como são por portadores da tradição anglo-saxônica.

Apesar dessas diferenças entre as culturas coloniais, os resultados *materiais* foram surpreendentemente semelhantes. As antigas colônias dos portugueses na América Latina e dos ingleses na África são hoje sociedades campeãs de desigualdade social e racial. Brasil, África do Sul e Zimbábue encontram-se entre as onze sociedades mais desiguais do planeta,[1] com coeficientes de gini[2] de aproximadamente 0,59 para Brasil e África do Sul e 0,57 para Zimbábue.

Como tenho tentado demonstrar, para enfrentar as desigualdades sociais e "raciais" as ex-colônias britânicas embarcaram em programas de ação afirmativa que são formal e logicamente consistentes com as políticas anteriores de segregação racial. Nos Estados Unidos, por exemplo, havia um largo consenso sobre a identidade racial ou étnica dos cidadãos. A ação afirmativa não apresentou nenhuma mudança mais radical na maneira pela qual os americanos se imaginavam como nação dividida em categorias raciais ou étnicas mais ou menos estanques. Mais recentemente, o Brasil embarcou nesse caminho. Aqui a ação afirmativa não veio somente para compensar os negros pelo passado de escravidão e pelo presente da discriminação. Veio desfazer a "mistura racial" para *produzir* só duas raças. Antes uma sociedade de classes que recusava reconhecer as identidades raciais, o Brasil é agora imaginado como uma sociedade de "raças" e "etnias" distintas. As políticas de ação afirmativa racial terão a conseqüência de estimular os pertencimentos "raciais" e "étnicos", assim fortalecendo a crença em raças.

Onde este processo fica bastante claro é na implementação das cotas raciais em algumas universidades e na proposta de reforma universitária

---

[1] Foi Antonio Sérgio Guimarães que chamou a minha a atenção para esse fato. Surpreendentemente, o coeficiente de Moçambique foi estimado em apenas 0,4, mas a base estatística para o cálculo é muito frágil.

[2] O coeficiente de gini — que varia de 0 para 1,0 — mede o grau de desigualdade de renda. Quanto maior o valor do coeficiente, maior a desigualdade.

que prevê a universalização desta prática. Onde há cotas, os candidatos ao vestibular encontram-se obrigados a se definirem como negros ou não (brancos?). Em duas universidades, a Universidade Estadual de Mato Grosso do Sul (UEMS) e a Universidade de Brasília (UnB), candidatos a vagas reservadas para negros devem apresentar fotografias para confirmar o seu status racial. Em junho de 2004, candidatos ao vestibular da UnB formaram duas filas, uma para negros e outra para o resto (brancos?). Os primeiros foram fotografados. As fotografias foram analisadas por uma comissão, formada por um estudante, um sociólogo, um antropólogo e três representantes do movimento negro, que rejeitou 212 dos 4.385 candidatos. Desses, 34 entraram com recurso e foram entrevistados por uma segunda comissão, que, após entrevistas para determinar o pertencimento racial dos candidatos, ratificou 21 como negros. Como observaram Marcos Chor Maio e Ricardo Ventura Santos, o trabalho das comissões, o "tribunal racial" da UnB, pode ser dividido em dois tempos: "o primeiro, foi o da equipe da 'anatomia racial'; e o segundo, o da sessão de 'psicologia racial'" (Maio e Santos, 2005).

Como observei no momento da implementação das cotas na UnB, há uma lição importante nessa história (Fry, 2004a). As cotas raciais têm como conseqüência lógica a definição de quem tem e quem não tem direito às vagas reservadas para negros, ou seja, quem é negro e quem não o é. Essa definição é relativamente fácil numa sociedade onde há largo consenso sobre quem é quem racialmente, como nos Estados Unidos ou na África do Sul, por exemplo. Mas, no Brasil, onde as definições raciais e de cor são notoriamente situacionais, ambíguas e imprevisíveis (os defensores de cotas talvez quisessem que não fossem tão ambíguas assim), e onde não há critérios objetivos para determinar a raça de ninguém, ficou decidido que a identidade racial seria autodeclarada. Nos debates sobre essa questão, os mais engraçados defensores das cotas escamotearam a questão da definição racial, sugerindo a formação de comissões compostas de policiais e donos de restaurantes. Ninguém os levou a sério. Mas os candidatos às vagas da UnB se encontraram perante uma comissão "formada por membros de movimentos ligados à questão da igualdade racial e especialistas no tema". O estabelecimento de comissões de *experts* é uma conseqüência lógica de uma política que exige a definição dos candidatos em duas categorias raciais estanques. A lógica é prístina. Como assinalaram com toda propriedade Chor Maio e Ventura Santos, "[o] vestibular da UnB transformou-se em uma espécie de 'pedagogia racial', de conversão identitária de pardos e pretos em negros, culminando no trabalho da Comissão encarregada de identificar os 'verdadeiros' beneficiários das cotas" (Ibid.).

O mais recente exemplo desta pedagogia racial (para quem teme a persistência da raça) é um novo programa de combate a HIV/Aids dirigido aos "negros", que vem no sentido de prestar mais verossimilhança à minha análise da anemia falciforme feita no capítulo 9.[3] No dia 1º de dezembro de 2004, Dia Mundial de Luta Contra a Aids, *O Globo* e muitos outros jornais noticiaram o Boletim Epidemiológico da Aids de 2004, divulgado no dia anterior pelo Ministério da Saúde. Quase todas as manchetes enfatizaram o crescimento da doença entre mulheres e negros.

O avanço da Aids entre as mulheres tem sido notado faz muito tempo e tem a ver certamente com a transmissão heterossexual num país onde muitos homens mantêm relações sexuais com homens e mulheres, e ainda com a dificuldade que as mulheres têm de exigir que seus maridos usem camisinhas. Mas o que me chamou a atenção nas manchetes foi o aumento entre "negros e pardos", sobretudo quando duas pessoas altamente bem-informadas viram o aumento da doença entre *os pobres*. O diretor do Programa DST/Aids do Ministério da Saúde, Pedro Chequer, teria dito que "a Aids não é uma doença associada à raça negra, tanto que a maioria dos casos registrados é de gente branca, [...] a população negra de mais baixa escolaridade é mais desinformada e, portanto, mais exposta à doença". Por sua vez, a presidente da organização homossexual não-governa-

---

[3] As palavras que seguem foram retiradas de um artigo que publiquei sobre essa questão no jornal *O Globo* em 15 de dezembro de 2004 (Fry, 2004b)

mental Arco Íris, Ana Paula Prado, afirmou que "[a] doença começou a ter a cara do Brasil. Ataca pessoas pobres, de baixa instrução e nos lugares mais distantes dos grandes centros".

Se a Aids "não é uma doença associada à raça negra", cabe perguntar então sobre a ênfase dada ao crescimento entre os negros. Que interesse poderia haver em criar, por assim dizer, mais um grupo de risco? E o que poderia estar acontecendo quando Pedro Chequer afirma num lugar (*O Globo*) que "Aids não é uma doença associada à raça negra", e, em outro (*O Estado de S. Paulo*), que "é preciso criar trabalhos de prevenção dirigidos à população negra"?

Essa pergunta torna-se mais instigante ainda perante o lançamento, no mesmo dia Internacional de Luta contra Aids, do Programa Integrado de Ações Afirmativas para Negros (Afroatitude), uma parceria entre o Programa Nacional de DST/Aids do Ministério da Saúde, a Secretaria Especial de Direitos Humanos da Presidência da República, a Secretaria de Estado de Promoção da Igualdade Racial e a Secretaria de Ensino Superior do MEC, com financiamento do DFID, o braço desenvolvimentista do governo britânico. O programa prevê 500 bolsas para jovens negros universitários cotistas para "pesquisar a relação entre a epidemia e questões sociais, econômicas e culturais dos afro-descendentes". Ou seja, o Ministério da Saúde, contrariando a opinião do seu diretor do Programa Nacional de DST que a Aids "não é uma doença associada à raça negra", parte da hipótese de que "questões socioeconômicas e culturais dos afro-descendentes" são importantes para entender o curso da epidemia. E ainda acha que quem terá que descobrir esses supostos fatores serão os jovens e pobres alunos negros cotistas de seis universidades públicas. Os jornais que deram tanta ênfase ao aumento de casos entre negros e pardos, e o Governo Federal, que incentiva pesquisa sobre as "questões socioeconômicas e culturais dos afro-descendentes", sugerem que há algo de específico entre os negros que os torna agora (antes não) mais suscetíveis à doença. Não consigo imaginar o que poderia ser este "algo". Só posso supor à luz dos meus argumentos ao longo deste livro que a criação de mais um grupo de risco terá como conseqüência o fortalecimento da crença em raças.

É necessário reconhecer a relevância do fator "raça" onde realmente tem importância, como a insidiosa discriminação racial, sobretudo. Ao imputar "questões culturais" para o alastramento de um vírus entre negros pobres (e não brancos pobres), o governo brasileiro tomou mais um passo no sentido de "naturalizar" a "raça" e a "cultura" negras.

Alguns leitores estão provavelmente se perguntando o que proponho para combater a discriminação racial como alternativa às políticas racializadoras.

O que os capítulos deste livro sugerem é que quando os Estados racializam, *criam* (e, repito, não apenas refletem) divisões muito difíceis de serem eliminadas. Eis o drama da antiga Iugoslávia, de Ruanda, Zimbábue e da África do Sul. Sugerem também que a idéia de democracia racial está longe de ser destituída de interesse e que, em princípio, é perfeitamente coerente com a democracia *tout court*. O desafio, me parece, é saber como reconhecer a defasagem entre os *ideais* da democracia racial e a *realidade* do racismo e da desigualdade racial. Como manter o grande ideal de uma sociedade anti-racista e até a-racista num Brasil cada vez mais igualitário e cada vez menos hierárquico? Como transformar uma ideologia velha, na época da sua consolidação revolucionária, mas hoje, do ponto de vista do movimento pró-negro, caduca, em uma inspiração para um futuro tão distinto do passado que a gerou?

Talvez seja realmente impossível. A democracia racial perdeu legitimidade até como ideal a ser atingido e há uma verdadeira sanha de enxergar raça, mesmo onde não se aplica.

Roberto DaMatta sugere persuasivamente que o racismo à brasileira e a "fábula das três raças" que sustenta são apropriados a uma sociedade hierárquica na qual cada pessoa "sabe do seu lugar" (DaMatta, 1981). Com o crescimento de valores igualitários próprios a uma sociedade liberal de consumo, sobretudo no período pós-militar, que também viu uma enorme expansão no ensino médio e, portanto, a mobilidade social de muitos negros e mestiços, há cada vez mais gente negra e mestiça "fora do seu lugar", sobretudo no mercado de trabalho, mas também nas universidades e nas profissões liberais (Lima, 2001). São esses os que mais criticam o mito da democracia racial na medida em que enfrentam o mal-estar do racismo disfarçado nos lugares antes ocupados quase que unicamente por brancos, *soi disant*. Como bem observou Costa Pinto, esse processo já estava em curso na década de 1940 (Pinto, 1953). O mito só gozava de um apoio geral quando tudo era hierárquico e havia apenas um pequeno número de negros de *status* alto: suficientes para garantir a plausibilidade do mito, mas poucos demais para colocá-lo em questão.

O que fazer então? Não vou opinar sobre o que podem fazer as organizações da sociedade civil. Elas, evidentemente, vão seguir os ditames de seus membros e financiadores. Além disso, têm um alcance limitado e só atingem o conjunto da sociedade quando conseguem fazer com que as suas idéias sejam largamente aceitas e/ou adotadas pelo Estado.

Tampouco me cabe comentar a agenda dos ativistas negros (eles próprios organizados em ONGs), que lutam legitimamente em prol de seus objetivos de fomentar uma "consciência racial" e de acelerar a mobilidade social da classe média negra a curto prazo. Queria, sim, engajar os responsáveis pelo desenho das políticas governamentais. Argumento que as políticas que visam à redução das desigualdades raciais e a discriminação racial não podem ser avaliadas apenas em termos da agenda dos ativistas negros, ou seja, dos possíveis avanços sociais dos poucos ou muitos negros que ela acarretaria. Elas deveriam ser avaliadas nos seus possíveis efeitos sobre o *conjunto* da sociedade. Tenho argumentado (e tenho citado vários brasileiros com a mesma opinião) que há um sério risco de que as políticas de ação afirmativa que exigem a definição racial dos cidadãos, e que atribuem especificidade mórbida à "raça negra", resvalem para a produção de uma cisão racial cada vez mais palpável. É possível que as medidas já tomadas venham a ter ou já tenham tido esse efeito. Afinal, nenhum vestibulando escapará da obrigação de declarar a sua "raça" na hora da inscrição. Mesmo assim, vale observar que havia, e ainda há, outras maneiras de promover o avanço social dos cidadãos negros e pobres sem fomentar a cisão racial e, ao mesmo tempo, solapando a crença em raças e o preconceito e a discriminação raciais que estão na base das desigualdades observadas.

Entre os defensores das cotas raciais nas universidades corre solta a noção de que as políticas universais não surtiram efeito. Afinal, as desigualdades sociais e raciais continuam inalteradas faz muito tempo. Gostaria de sugerir, ao contrário, que políticas verdadeiramente universais nunca foram experimentadas, ou, quando foram, duraram pouco. Mesmo Fernando Henrique Cardoso e seu Ministro de Educação, Paulo Renato de Souza, reconheceriam que a universalização do ensino fundamental que eles conseguiram implantar não foi igual para todos. As melhores escolas públicas continuam nos territórios dos cidadãos mais abastados e, portanto, mais claros. A grande experiência de Darcy Ribeiro[4] de levar escolas de qualidade para os territórios mais pobres e negros do Rio de Janeiro na década de 1980 não teve continuidade. Urge, portanto, um massivo investimento de recursos materiais e humanos nos lugares de maior concentração de pobreza e negritude. Este tipo de política, que é adotada na França, cuja constituição proíbe políticas dirigidas a "comunidades", não é "racialmente neutro"[5], já que a conseqüência de investir em territórios pobres é beneficiar predominantemente pessoas negras *sem incorrer na racialização que decorre de políticas dirigidas a "grupos raciais"*. Embora haja muitos defensores dessa forma de agir, mesmo entre alguns defensores das cotas (veja capítulo 10), o fato do sistema de cotas ter dominado o debate parece eximir quaisquer esforços neste sentido.[6]

[4]O governo Brizola nessa época pregava um "socialismo moreno".
[5]Esse conceito é de William G. Bowen e Derek Bok no seu livro *The Shape of the River: Long-term Consequences of Considering Race in College and University Admissions*.
[6]As cotas destinadas a alunos que estudaram em escolas públicas têm um efeito semelhante às políticas dirigidas a territórios, porque atingem predominantemente pessoas mais escuras. Como mostrei no capítulo 11, a partir do trabalho de Elielma Machado (Machado, 2004), a maioria dos negros que entraram na Uerj no vestibular de 2002 o fez sem recorrer a qualquer cota, ou por meio da cota reservada para egressos de escolas públicas.

Evidentemente o custo de um choque de qualidade nos territórios pobres do país é vultoso, ao contrário da política de cotas cujo custo é quase zero. Para o Estado, não custa praticamente nada implantá-las. É difícil levar a sério a idéia de que a reparação dos danos de 500 anos de escravidão e discriminação pode ser efetuada sem um investimento imenso de recursos humanos e materiais. Os defensores das cotas também falam a favor de políticas territoriais, muitas vezes argumentando que as cotas representam uma medida apenas temporária que aumentará o tamanho da elite negra a curto prazo. As evidências de outros lugares do mundo sugerem que ação afirmativa deste tipo, uma vez implementada, tende a se aprofundar e nunca a se extinguir (Sowell, 2004). Cria-se um círculo vicioso. Os membros das raças/etnias que a ação afirmativa produz e fortalece identificam-se tanto com a ação afirmativa, que temem por sua sobrevivência caso venha a ser reduzida ou extinta.

A questão do acesso às universidades públicas tem que ser levada muito a sério. Algumas experiências não racializadoras já estão em andamento: os cursos pré-vestibulares para alunos carentes, o estabelecimento de campi em zonas mais pobres (USP) e a abertura de cursos noturnos. Todas essas práticas já começam a surtir efeito. Há vozes que levantam dúvidas sobre os próprios exames de admissão (vestibular e Enem). Não haveria outros métodos para averiguar aptidões para o ensino superior?

Uma vez dentro das universidades, surge, sobretudo para os alunos mais pobres de todas as cores, o problema da permanência. Para alguns alunos (também de todas as cores), rebentos de famílias abastadas que investiram pesadamente na sua educação até o pré-vestibular, a educação universitária representa uma espécie de estorno de impostos. Chegam à faculdade em carros reluzes que lotam os estacionamentos. Os alunos mais pobres (estatísticas recentes revelam que são muito mais numerosos do que imaginávamos) mal conseguem arcar com as despesas com transporte público, manutenção e material escolar, o que prejudica e atrasa a sua formação. Não seria razoável propor que os mais abastados pagassem mensalidades ou que se introduzisse um sistema "Robin Hood" através do qual as famílias abastadas contribuíssem para um fundo que financiasse os alunos mais pobres?

Os defensores das cotas e os seus críticos concordam num ponto fundamental: a discriminação racial em todas as suas formas, mais ou menos sutis, mais ou menos internalizadas, é responsável pela reprodução das desigualdades raciais. Logicamente, portanto, a única maneira realmente eficaz de atacar a raiz da desigualdade racial é erradicar a crença em raças que a torna possível. Toda política que aumenta e celebra a crença em raças (cotas, por exemplo) contribui a longo prazo para a persistência do racismo e a possibilidade do preconceito e da discriminação. Segue, portanto, que o caminho para a diminuição da discriminação racial passa necessariamente por políticas que desqualificam o mito da raça, dissociando as aparências e a ascendência familiar das pessoas das suas eventuais qualidades e defeitos.

Uma maneira de solapar a crença em raças é aumentar cada vez mais a presença de negros e mestiços na mídia no sentido de combater a preconceituosa correlação entre cor e os lugares do esporte e da pobreza. Em alguns lugares, como Rio de Janeiro e Salvador, por exemplo, há uma política de cotas para negros e mestiços na publicidade oficial (Silva, 2000). Cotas deste tipo seriam desnecessárias se houvesse uma maior sensibilidade por parte dos governos, comerciantes publicitários e administradores dos outros meios de comunicação de massa, mostrando cada vez mais negros e mestiços positivamente "fora dos seus lugares". Como argumentei no capítulo 8, a publicidade já começou (apenas timidamente) a empregar mais modelos negros e mestiços vendendo mercadorias sofisticadas. Joel Zito Araújo, no seu livro sobre telenovelas (Araújo, 2000), denuncia a persistência da relação entre negros e posições subalternas. Contudo, no seu último capítulo aponta para uma mudança qualitativa importante, com a presença em algumas novelas de personagens negras de alto *status* social e profissional. Recentemente, um conjunto de ONGs organizou uma campanha publicitária intitulada "Onde você guarda o seu racismo?". Mas foi tímida e durou pouco. O governo nada fez ainda de substancial. Frente à pandemia da Aids, mobilizou o que há de melhor da comunidade publicitária e foi eficaz em sensibilizar a população sobre os mecanismos de transmissão do HIV/Aids. Mesmo que os desafios relativos ao controle da epidemia ainda sejam significativos, a campanha publicitária, associada ao trabalho das ONGs, foi bastante eficaz em informar a população, levando a uma certa modificação de comportamentos sexuais. Por que não lançar mão da inteligência e criatividade dos magos publicitários para combater a crença em raças, a crença nociva na relação entre aparência e/ou genealogia e determinadas capacidades físicas, morais e intelectuais?

Volto, finalmente, ao papel da educação formal. Em resposta a velhas reivindicações do movimento negro, o governo tornou obrigatório o ensino de história e cultura afro-brasileira e africana nas escolas. Em linhas gerais, a idéia é louvável, porque visa a equilibrar o ensino da história. O Parecer do Conselho Nacional de Educação[7] emitido em março de 2004 define o espírito da lei e determina a sua implementação. Não obstante, esse documento é um exemplo contundente do como o Estado propõe exacerbar a racialização da sociedade em vez de debelá-la. Embora reconheça que raça é uma construção social,[8] quase todas as medidas propostas, em vez de combater a crença em raças e diminuir a sua preeminência na vida social, fazem o contrário. Aliás, depois de ter afirmado que a "consciência política e histórica da diversidade" deve conduzir à "igualdade básica de pessoa humana como sujeito de direitos", constata que o "fortalecimento de identidades e de direitos deve conduzir para [...] o esclareci-

---

[7]CP 3/2004, Processo 23001.000215/2002-96, disponível na página www.observa.ifcs.ufrj.br.

[8]"É importante destacar que se entende por raça a construção social forjada nas tensas relações entre brancos e negros, muitas vezes simuladas como harmoniosas, nada tendo a ver com o conceito biológico de raça cunhado no século XVIII e hoje sobejamente superado. Cabe esclarecer que o termo raça é utilizado com freqüência nas relações sociais brasileiras, para informar como determinadas características físicas, como cor de pele, tipo de cabelo, entre outras, influenciam, interferem e até mesmo determinam o destino e o lugar social dos sujeitos no interior da sociedade brasileira. Contudo, o termo ganhou novo significado com Movimento Negro que, em várias situações, o utiliza com um sentido político e de valorização do legado deixado pelos africanos."

mento a respeito de equívocos quanto a uma identidade humana universal" (grifo meu). Com efeito, apesar de promover a luta contra a discriminação racial e o preconceito, o documento instiga as escolas a imaginar o Brasil não como um país de mistura genética e cultural, mas como uma sociedade composta de "raças" e "grupos étnicos" estanques, cada qual com a sua "cultura". A sociedade brasileira, informa o parecer, "é formada por pessoas que pertencem a grupos étnico-raciais distintos, que possuem cultura e história próprias, igualmente valiosas e que em conjunto constroem, na nação brasileira, sua história". Adiante, o parecer chega a enxergar tamanha diversidade entre "grupos étnico-raciais" que, lembrando as prescrições de Nina Rodrigues de criar códigos penais para "raças" distintas (capítulo 7), afirma:

> [p]recisa o Brasil, país multiétnico e pluricultural, de organizações escolares em que todos se vejam incluídos, em que lhes seja garantido o direito de aprender e de ampliar conhecimentos, sem ser obrigados a negar a si mesmos, ao grupo étnico/racial a que pertencem, a adotar costumes, idéias, comportamentos que lhes são adversos. E estes certamente serão indicadores da qualidade da educação que estará sendo oferecida pelos estabelecimentos de ensino de diferentes níveis.

E, ao encorajar a reeducação dos jovens para que se tornem "cidadãos orgulhosos de seu pertencimento étnico-racial", chega ao limite de compactuar com uma justificável "revanche" por parte dos negros.

> Se não é fácil ser descendente de seres humanos escravizados e forçados à condição de objetos utilitários ou a semoventes, também é difícil descobrir-se descendente dos escravizadores, temer, embora veladamente, revanche dos que, por cinco séculos, têm sido desprezados e massacrados".

Como bem assinalou José Roberto Pinto de Góes: "De que revanche estão falando? E o que dizer dessa história de fazer emergir dores e medos?" (Góes, 2004).

Em vez de desmascarar os "equívocos quanto a uma identidade humana universal" não seria mais interessante insistir veementemente na condição universal de *Homo sapiens sapiens*, lançando mão das recentes pesquisas dos geneticistas brasileiros, alinhavadas no capítulo 9, que contundentemente demonstram as afirmações da Unesco em 1950, mostrando que o interior genômico dos indivíduos não está relacionado às suas aparências?

Reconheço que essas estratégias de reduzir o preconceito e a discriminação raciais não terão efeitos palpáveis a curtíssimo prazo. Mas sem elas não vejo nenhuma solução para o racismo e as desigualdades raciais a longo prazo. Meu receio (meu e de muitos outros) é o de que as medidas adotadas até este momento e as outras planejadas, ao imaginarem um Brasil de "raças" e "grupos étnicos" estanques, venham conseqüentemente produzi-lo. Meu temor (espero que infundado) é que a utopia de uma sociedade em que as aparências dos cidadãos nada significariam no processo de distribuição de justiça, de educação, de saúde e de habitação, e dos afetos estaria sendo sacrificada em nome de políticas imediatistas, cujas possíveis conseqüências são raramente discutidas e muito menos levadas em consideração. Temo que a crença em raças persista e se fortaleça.

Bibliografia

Araújo, J. Z. *A negação do Brasil: o negro na telenovela brasileira*. São Paulo: Editora Senac. 2000.

Fry, P. "A lógica das cotas raciais." *O Globo*. Rio de Janeiro: 7 p. 2004a.

———. "Que aumento é esse?" *O Globo*. Rio de Janeiro: 7 p. 2004b.

Góes, J. R. P. D. "O racismo vira lei." *O Globo*. Rio de Janeiro: 7 p. 2004.

Lima, M. R. D. S. *Serviço de "branco", serviço de "preto": um estudo sobre "cor" e trabalho no Brasil urbano*. (Tese de Doutorado). Instituto de Filosofia e Ciências Sociais — IFCS; Programa de Pós-Graduação em Sociologia e Antropologia, Universidade Federal do Rio de Janeiro — UFRJ, Rio de Janeiro, 2001. 296 p.

Machado, E. *Desigualdades "raciais" e ensino superior: um estudo sobre a introdução das "Leis de reserva de vagas para egressos de escolas públicas e cotas para negros, pardos e carentes" na Universidade do Estado do Rio de Janeiro.* (Doutorado). Programa de Pós-Graduação em Sociologia e Antropologia, Universidade Federal do Rio de Janeiro, Rio de Janeiro, 2004.

Maio, M. C. e R. V. Santos. "Política de cotas raciais, os 'olhos da sociedade' e os usos da Antropologia: o caso da UnB." *Horizontes Antropológicos*, v. 23. 2005.

Matta, R. D. *Relativizando: uma introdução à antropologia social.* Petrópolis: Editora Vozes. 1981

Pinto, L. C. *O negro no Rio de Janeiro: relações de raça numa sociedade em mudança.* São Paulo: Companhia Editora Nacional. 1953

Silva, A. P. D. *Menino do Rio: observações sobre as campanhas da prefeitura do Rio de Janeiro e a lei de "cotas" nas propagandas publicitárias do município.* Programa de Pós-Graduação em Sociologia e Antropologia, Universidade Federal do Rio de Janeiro, Rio de Janeiro, 2000.

Sowell, T. *Affirmative Action Around the World An Empirical Study.* New Haven and London: Yale University Press. 2004

O texto deste livro foi composto em Sabon,
desenho tipográfico de Jan Tschichold de 1964
baseado nos estudos de Claude Garamond e
Jacques Sabon no século XVI, em corpo 11/16.
Para títulos e destaques, foi utilizada a tipografia
Frutiger, desenhada por Adrian Frutiger em 1975.

A impressão se deu sobre papel off-white 80g/m²
pelo Sistema Cameron da Divisão Gráfica
da Distribuidora Record.